우루과이라운드

협상 동향 및 무역협상위원회 회의 2

우루과이라운드

협상 동향 및 무역협상위원회 회의 2

| 머리말

  우루과이라운드는 국제적 교역 질서를 수립하려는 다각적 무역 교섭으로서, 각국의 보호무역 추세를 보다 완화하고 다자무역체제를 강화하기 위해 출범되었다. 1986년 9월 개시가 선언되었으며, 15개 분야의 교섭을 1990년 말까지 진행하기로 했다. 그러나 각 분야의 중간 교섭이 이루어진 1989년 이후에도 농산물, 지적소유권, 서비스무역, 섬유, 긴급수입제한 등 많은 분야에서 대립하며 1992년이 돼서야 타결에 이를 수 있었다. 한국은 특히 농산물 분야에서 기존 수입 제한 품목 대부분을 개방해야 했기에 큰 경쟁력 하락을 겪었고, 관세와 기술 장벽 완화, 보조금 및 수입 규제 정책의 변화로 제조업 수출입에도 많은 변화가 있었다.

  본 총서는 우루과이라운드 협상이 막바지에 다다랐던 1991~1992년 사이 외교부에서 작성한 관련 자료를 담고 있다. 관련 협상의 치열했던 후반기 동향과 관계부처회의, 무역협상위원회 회의, 실무대책회의, 규범 및 제도, 투자회의, 특히나 가장 많은 논란이 있었던 농산물과 서비스 분야 협상 등의 자료를 포함해 총 28권으로 구성되었다. 전체 분량은 약 1만 3천여 쪽에 이른다.

2024년 3월
한국학술정보(주)

| 일러두기

· 본 총서에 실린 자료는 2022년 4월과 2023년 4월에 각각 공개한 외교문서 4,827권, 76만여 쪽 가운데 일부를 발췌한 것이다.

· 각 권의 제목과 순서는 공개된 원본을 최대한 반영하였으나, 주제에 따라 일부는 적절히 변경하였다.

· 원본 자료는 A4 판형에 맞게 축소하거나 원본 비율을 유지한 채 A4 페이지 안에 삽입하였다. 또한 현재 시점에선 공개되지 않아 '공란'이란 표기만 있는 페이지 역시 그대로 실었다.

· 외교부가 공개한 문서 각 권의 첫 페이지에는 '정리 보존 문서 목록'이란 이름으로 기록물 종류, 일자, 명칭, 간단한 내용 등의 정보가 수록되어 있으며, 이를 기준으로 0001번부터 번호가 매겨져 있다. 이는 삭제하지 않고 총서에 그대로 수록하였다.

· 보고서 내용에 관한 더 자세한 정보가 필요하다면, 외교부가 온라인상에 제공하는 『대한민국 외교사료요약집』 1991년과 1992년 자료를 참조할 수 있다.

| 차례

정 리 보 존 문 서 목 록

기록물종류	일반공문서철	등록번호	2019090052	등록일자	2019-09-10
분류번호	764.51	국가코드		보존기간	영구
명 칭	UR(우루과이라운드) 협상 동향 및 TNC(무역협상위원회) 회의, 1991. 전4권				
생 산 과	통상기구과	생산년도	1991~1991	담당그룹	
권 차 명	V.3 9-11월				

내용목차	* 1.15. TNC 수석대표급 비공식 회의
	    - 수석대표(선준영 주체코대사) 연설을 통해 농산물 협상 입장 전향적 재검토 용의 표명
	2.26. TNC 실무급 공식 회의
	    - Dunkel 의장, UR 협상 재개 및 시한 연장 제의 성명 발표
	4.25. TNC 수석대표급 회의
	    - 협상구조 재조정(7개그룹) 및 각 협상그룹 의장 선임
	9.20. 그린룸 회의
	    - Dunkel 총장, 10월 말~11월 초 마지막 Consensus paper 작성 일정 제시
	11.7. TNC 회의
	    - 11.11.부터 미결쟁점에 대한 합의 도출을 위해 집중 협상 추진 계획 발표
	12.20. Dunkel 총장 UR 최종 협정 초안 TNC에 제시				

0001

외 무 부

종 별 :

번 호 : GVW-1747   일 시 : 91 0913 1900

수 신 : 장관(봉기)

발 신 : 주 제네바 대사대리

제 목 : 갓트 사무차장 예방

1. 김대사는 9.13(금) CARLISLE 갓트사무차장을 예방, 앞으로 동인의 제반협조를 당부하고 UR 협상전망등에 관해 환담하였는 바, 동인의 주요 언급내용을 아래 보고함(오참사관 배석)

- UR 협상은 년내 타결되어야 하며, 또한 가능할 수 있다고 봄., 만약 내년 2월까지도 타결되지 못하면 수년간 정지 상태에 있을수 밖에 없음(92 년 미국의 선거, EC 집행위 교체 및 MOMENTUM 상실)

- UR 협상의 현 상황은 절벽을 오르는 것과 같이 힘든 과정이지만 모든 분야에서 결실이 있도록 최대한 노력해야 함.

- 최근의 동구.소련 사태가 UR 협상에 미치는 영향은 각국 지도자들의 UR 에 대한 관심이 저하 되었다는 점외에도 앞으로 EC 가 이들 국가로 부터 수입을 확대키 위해 타국으로 부터의 수입을 제한하려고 할 가능성이 크다는 점임.

- UR 협상에서 가장 우려되는 것은 미국, 이씨 및 일본내의 로비그룹임. 일본이 협상을 BLOCK 할 수는 없지만 미.이씨의 경우 반대로비의 힘을 간과할 수 없음.

2. 동 차장은 김 차석대사가 대사 직함을 갖고 당지에 부임함으로써 활동 범위가 확대된다는 점을 고려할때 한국정부의 결정이 현명한 것으로 본다는 언급이 있었음을 참고로 첨언함. 끝

(차석대사 김삼훈-국장)

통상국   차관   2차보   분석관

PAGE 1

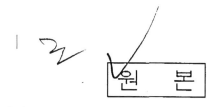

외　무　부

종　별 :

번　호 : GVW-1787　　　　　　　　　　　일　시 : 91 0919 1700

수　신 : 장 관(봉기) 사본: 박수길대사

발　신 : 주 제네바 대사대리

제　목 : UR/그린룸 회의

　　연: GVW-1734

　　1. DUNKEL 사무총장은 앞으로의 UR 협상 과정에대해 협의하기 위해 35개 주요협상국 수석대표 비공식회의(그린룸회의)를 9.20(금) 11:00 에개최 한다고 봉보하여 왔음.

　　2. 당지 관측봉들에 의하면(BROADBRIDGE사무차장보 및 STOLER 미국 공사) 상기 회의는 10월말- 11월초 까지 UR 협상안을 마련하는 DUNKEL 사무총장의 향후 협상일정에 대해 주요협상국의 동의를 구하려는데 목적이 있는것으로 보인다고 하는바, 회의결과는 추보하겠음.끝

　　(차석대사 김삼훈-국장)

통상국　　2차보　　대사실

PAGE 1　　　　　　　　　　　　　　　　　　　　　　91.09.20　06:00 FO

　　　　　　　　　　　　　　　　　　　　　　　　外신 1과 통제관

　　　　　　　　　　　　　　　　　　　　　　　　　0003

외 무 부

관리
번호 91-
648

종 별 :

번 호 : GVW-1807

일 시 : 91 0920 2050

수 신 : 장관(봉기) 사본: 박수길대사

발 신 : 주 제네바 대사대리

제 목 : UR/그린룸 협의

연: GVW-1787

1. 9.20.11:20-12:30 간 던켈 사무총장 주재로 그린룸 회의가 개최되어 35 개국 수석대표가 참석한 가운데 앞으로의 UR 협상 추진 방안에 대한 비공식회의가 있었는바, 결과 아래 보고함.(김삼훈대사, 오참사관 참석)

가. 던켈총장은 UR 협상 성공을 위한 유일한 타개책이라는 점을 전제하고, 각협상그룹의 협상을 가속화 시켜 10 월 중순 또는 11 월초까지 현존 UR 협상 종합초안(12.3 자 MTN.TNC/W/35/REV 1)을 개선한 초안(REV 2)을 마련토록 하겠다는협상 방안(일정)을 제시함.

나. 동 총장은 이미 브라셀 회의에 제출된 DRAFT FINAL ACT(MTN.TNC/W/35/REV 1) 가 제 1 차 APROXIMATION 이었던 점, 7.30 TNC 회의에서 협상진전에 따라이를 계속 수정키로 한점을 상기하고, 금년 10 월말 또는 11 월초순까지 작성하게 될 초안은 2 차 APROXIMATION 이자 마지막 초안이 될 것이라는 점을 분명히하였음.

다. 동 총장은 동 협상방안의 불가피성으로서 UR 협상이 더이상 지체되어서는 결국 실패로 돌아갈 수 밖에 없는 상황에 처하게 될 것이라는 점, 전통분야에서의 시장접근 뿐아니라 더욱 복잡할 수 밖에 없는 서비스 분야의 양자 협의 기간 필요성을 지적

- 동 총장은 이와관련 시장접근 분야의 조기 타결 필요성을 강조하면서 자신이 맡고 있는 농산물 협상 분야에 언급, 지난주 동 협상그룹에서 깊고, 실질적인 협의가 있었는바, 시장접근문제와 관련 관세화라는 원칙에 CONSENSUS 는 이루지 못하였으나 참여국들의 기여 의지가 표시되었다고 하고 참여국들의 양보, 협력에 의한 CONSENSUS PAPER 가 11 월초까지 만들어져야 한다는 점을 강조함.

라. 동 총장은 이러한 추진 방향은 현재 당면한 정치, 경제적 제반 상황을 고려한 최선의 선택이며, 문제를 해결하는데 도움을 주기 위한 것이지, 문제를 추가코져 하는

통상국   2차보   대사실

사본 : (경기원, 재무부, 농수산부, 상공부, 청와대경제)

PAGE 1

일반문서로 재분류(1991.12.31.)

91.09.21   09:27

외신 2과 통제관 EE

0004

것이 아님을 역설함.

　　마. 또한 동인은 상기 제안은 TIME HORIZEN 의 문제일뿐 TNC 개최, 시한설정, 각료회의 문제등에는 언급하지 않을 것이라고 밝힘.

　　바. 동 총장은 이와관련 10 월에는 각국으로 부터 각분야에 대한 정치적 결정력이 있는 SUB-CABINET LEVEL 의 대표단이 당지에 도착하여 협상에 임하는 것이 필요할 것이며, 이로써 협상에 진전을 기대한다고 하였음.

　　2. 던켈총장의 상기 제안에 대해 발언국들은 현 UR 협상의 어려운 국면에 대해 동감을 표시하였으며, 반대의사를 표명한 국가는 없었음.

　　다만 UR 협상이 균형된 결과(BALANCE)가 되어야 한다는 점 또한 상호 긴밀한 연관성(LINKAGE)을 갖고 있다는 점을 고려 각분야 협상 결과가 고르게 반영되도록(PARARELL) 반영해야 한다는 점이 지적되었고, 동 초안작성 과정에서 소규모대표단의 참여를 최대한 보장해야 한다는 지적도 있었으며, 일부 대표들은 앞으로 남은 시간적인 제약에 대한 우려도 표명하였음.

　　3. 던켈총장은 협상 분야별 상호연관성의 중요성을 충분히 인식하고 있으며, 모든분야에서 합의되지 않으면 어떤 분야도 합의된 것이 아니라는 대 전제하에 각 협상 그룹의장들과 긴밀히 협조하겠다고 하고, UR 협상 과정에서의 소위 냉소주의(CYNISYSM)가 우려되며, 지금이야 말로 각국 정부가 결단을 내려야 할 시점이라고 강조함.

　　4. 던켈총장은 금번 그린룸 회의 절차를 계기로 상기 일정하에 앞으로 수주내에 집중적 협상을 통해 미결분야에 대한 정치적 결단을 하도록 UR 협상을 이끌어 가겠다는 의지를 보인것으로 판단되는바, 아국도 각 분야별 협상에 책임있는 결정을 내릴수 있는 본부대표단을 파견 하는 것이 좋을것으로 사료됨. 끝

　　(차석대사 김삼훈-차관)

　　예고:91.12.31. 까지

PAGE 2

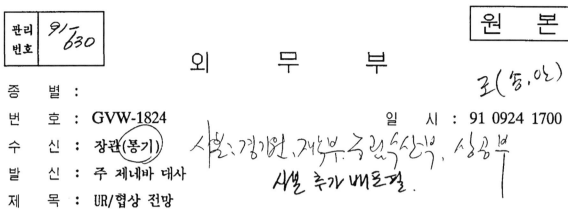

외 무 부

종 별 :

번 호 : GVW-1824   일 시 : 91 0924 1700

수 신 : 장관(통기)

발 신 : 주 제네바 대사

제 목 : UR/협상 전망

연: GVW-1087

UR 협상이 9.16 주간부터 재개되어 각그룹별 협상이 진행되고 있으며, 던켈총장은 9.20 그린룸협의를 통해 앞으로의 UR 협상일정(10 월말 내지 11 월초까지마지막 CONSENSUS PAPER 작성)을 제시하였는바, 아국의 UR 협상대책과 관련 사전 염두에 두어야 할 사항에 대한 당관 의견을 우선 아래 보고함.

①.향후 협상 일정

 - 던켈총장은 각협상 그룹의 실질협상을 가속화하여 금년 10 월말 늦어도 11월 초순까지 UR 협상 마지막 초안을 마련하여, 협상을 년내 또는 내년초까지 타결토록 한다는 일정을 제시함.

 - 동 총장은 이미 1 주전 사무국 간부들에게 상기 일정으로 UR 협상을 타결토록 하겠다는 자신의 의지를 피력한바 있다하며 일부 언론에도 보도된바 있어 9.20 그린룸 협의를 통해 공식화 한 것임.

 - 김대사의 던켈총장 예방시(9.12) 이미 이러한 입장을 분명히 한바 있음.(GVW-1734)

②.상기 협상 일정 제시 배경

 - 지난 브랏셀 회의 이후 1 년여 가까이 UR 협상에 특별한 진전이 없고, 특히 최근 동구 및 소련의 변혁으로 주요국 지도자들의 UR 에 대한 관심이 상대적으로 저하되었으며, 미, 이씨등 주요국들의 입장 변화 조짐도 없는 가운데 UR 협상이 9 월 중순 재개되더라도 돌파구 마련이 어려울 것이라는 점

 - 이런 상황이 계속될 경우 UR 협상은 92 년으로 넘어가게 되고 주요국 정치일정으로 인해 더욱 MOMENTUM 을 상실하게 되면 결국 실패하게 될 가능성이 크다는 우려에서 동 사무총장은 UR 협상의 MEDIATOR 의 입장에서 자기자신의

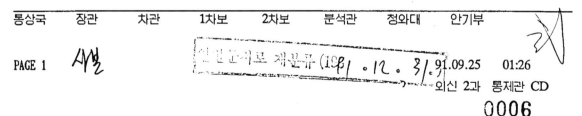

통상국   장관   차관   1차보   2차보   분석관   정와대   안기부

PAGE 1

91.09.25   01:26

외신 2과   통제관 CD

0006

INITIATIVE 로 위험을 감수하면서 년내 협상 타결을 시도할 수 밖에 없다는 생각을 한 것으로 보임.

- 그러나 동 INITIATIVE 가 미, EC 등 주요국과 사전 협의, 이들의 적극적인 지지를 받아 추진하는 것인지의 여부는 좀더 두고 보아야 확실한 것을 알수 있겠으나 그동안 미국 및 EC 접촉시의 반응과 당지의 일반적인 분위기와 평가는 <u>미국 및 EC 와의 협의하에 지지를 받아 추진하는 것은 아닌 것으로 보임.</u>

③ 협상 타결을 위해 던켈총장이 강조하고 있는분야

- 던켈총장은 지난주 농산물 협상 비공식 협의과정에서 시장접근 분야에서의 관세화 원칙에 합의하는 것이 농산물 협상을 진일보시키는 길임을 강조하였으며, 아국에 대해서도 별도 면담(9.12. 목)을 통해 관세화 원칙을 수용할 것을 종용하고, 10 월 중순이후에는 시장접근분야에 대해 집중적으로 협의코져 하는 의지를 표명한바 있음.

- 동 총장은 9.20 그린룸 협의시에도 본인 자신이 의장직을 맡고 있고 농산물 협상에 언급, 국내보조, 수출경쟁에 있어서의 감축폭 문제는 정치적인 결정을요하는 사항이라고하고, <u>10 월말 또는 11 월초까지 참여국들의 CONSENSUS 에 의한 관세화 원칙 수용에 우선 목표를 두고 추진하려는 인상을 주고있음.</u>

(농산물 비공식 협의에 참석한 아국대표단에 의하면, 그동안 NTC 관련 관세화에 대해 반대해 오던 북구제국들이 원칙적으로 관세화 수용 용의를 표시 하였고, EC 도 관세화를 위한 전제조건을 철회할 가능성이 있다함)

- 관세화문제는 10 월 중순 이후에 귀추가 좀더 명확해 질것으로 보임.

④ 농산물 협상 아국입장 개진에 있어 고려사항

- 상기 협상 일정에 따른 초안작성에 있어 가장 중요한 분야는 결국 농산물분야가 될것인바, 만약 던켈총장이 삭감폭에 관한 정치적 결정은 뒤로 미루더라도 농산물 협상의 기본골격에 시장접근의 관세화 원칙을 우선 확보코져 시도할경우에는 일부 관세화 예외를 주장하는 아국입장이 10 월말 이전 협상의 표적이 될 가능성이 있으며 경우에 따라서는 <u>협상 골격마련의 걸림돌이 되고 있다는 비난을 받을 우려도 있다고 일응 전망됨</u>

- 던켈총장의 10 월말, 11 월초 일정자체에 미국이나 EC 가 사전협의하여 지지하고 있는 것인지의 여부는 상금 다소 불명하다 하더라도, 농산물분야 시장접근의 예외없는 관세화 실현이라는데 대해서는 특히 미국의 입장과는 일치하고 있음.

PAGE 2

- 따라서 지난해 브랏셀 각료회의에서의 경험을 유념하면서 상기 가능성에 대한 대비책을 사전 강구해야 할 필요성도 있을 것으로 사료됨을 보고함. 끝

(대사 박수길-차관)

예고:91.12.31. 까지

0008

외 무 부

종 별 :

번 호 : GVW-1864   일 시 : 91 0927 2000

수 신 : 장 관(봉기, 경기원, 재무부, 농림수산부, 상공부, 경제수석)

발 신 : 주 제네바 대사

제 목 : UR/협상전망

연: GVW-1824

1. 9.23. 본직이 당지 귀임이래 오,만찬등 다각적인 접촉을 통하여 UR 협상에 주도적 역할을 하고 있는 주요국대사(미국, 일본, EC, GATT 이사회의장등) 들과 UR 협상의 전망, 특히 DUNKEL 사무총장이 제시한 10 월말 또는 11 월초까지의 협상문서 작성등 협상일정 추진 관련 의견을 교환한바, 이를 기초로한 현지 분위기 아래 보고함.

가. 던켈총장이 9.20. 그린룸 협의에서 밝힌바 있는 10 월말 늦어도 11 월초까지 마지막 UR 협상문서(W/35/REV. 2 차 APPROXIMATION)를 작성하는 문제는 <u>주요국의 동의여하에 관계없이</u> 그대로 실현될 것으로 보는 것이 일반적인 관측임.

나. 협상분야 의장들도 동 협상문서 작성 시한에 맞추기 위해 교섭을 촉진하는등 최대한 협조하고 있으며, 어느나라도 이에 반대하기 어려운 상황에 있다고 보고 있음.

다. 던켈총장은 동 협상문서 작성에 있어 각국이 완전히 합의하지 못하는 분야라 하더라도 자기의 책임하에 전분야에 걸쳐 종합적인 TEXT 를 마련코져 시도하는 것으로 보이며, 각국으로 하여금 전분야에 걸친 협상안을 PACKAGE 로 검토하여 정치적 결단을 내리도록 할 방침인 것으로 관측되고 있음.

라. 던켈총장은 특히 <u>농산물 협상 분야</u>에 있어서 예외없는 관세화에 주안점을 두고 추진하는 것으로 보이며 협상 참여국들의 일반적인 반응은 관세화 문제에 관한한 일본 및 한국이 가장 강력하고 비협조적인 입장을 견지하고 있다는 인상을 주고 있다 함.

2. 당지 일본대사는 던켈총장의 상기 예외없는 관세화 추진 문제와 관련, 한국도 이에관한 입장을 충분히 표시한 것으로 알고 있다고 하면서 자기 자신도 던켈총장에게 일본의 강력한 반대 입장을 표시하고 있으나 동총장은 이에 구애 받지않고 관세화 원칙을 그대로 밀고 나갈것으로 보이는바, 이에대하여 일본 대사는 던켈총장이 일본의

통상국	장관	차관	1차보	2차보	분석관	청와대	청와대	안기부
경기원	재무부	농수부	상공부					

PAGE 1   91.09.28   07:45

의지를 과소 평가함으로써 일본에게 DELIVER 할 수 없는 의무를 강요하는 결과를 자아낼 가능성이 있다고 우려함.

3. 상기와 같이 10 월말 11 월초까지 협상 마지막 문서를 작성코저 하는 던켈총장의 협상 추진 전략은 주요국과 충분한 협의는 거치지 않고 시행되고 있더하더라도 협상결렬에 대한 책임전가등 문제로 인하여 아무도 이에 반대할수 없는상황인바, 이에 따라 어떤 형태로든 11 월초까지는 전 협상분야어 걸친 최종 협상 문서가 작성될 것으로 예견 됨.

4. 현시점에서 협상의 궁극적인 타결 여부는 예단키 어려우나 동 협상문서 작성과 관려 던켈총장이 농산물 협상분야에 있어 선결되어야 할 문제로 강조하고있는 예외 없는 관세화 원칙에 아국이 일본과 더불어 CONSENSUS 형성에 걸림돌이 되고 있다는 비난 가능성이 제기될 수도 있느바 정부로서도 10 월말 이전 이에대한 충분한 검토가 있어야 할 것으로 사료됨. 끝

(대사 박수길-장관)
예고:91.12.31. 일반

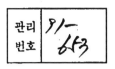

외 무 부

종　별 :

번　호 : GVW-1916　　　　　　　　　　일　시 : 91 1004 2030

수　신 : 장 관(봉기,경기원,재무부,농림수산부,상공부)

발　신 : 주 제네바대사

제　목 : UR/협상전망

　　1. 던켈 사무총장은 10.4 저녁 분야별 협상 그룹 의장들과의 업무협의 만찬을 개최하였는바, 동 만찬에 참석한 HUSSEIN 갓트 사무차장보에 의하면 동 만찬에서 각협상그룹의장이 각자 책임하에 11 월 초까지 UR 협상 최종문서를 작성키로 하는 UR 협상 전략을 재확인하였다 함.

　　2. 현재 상정할 수 있는 각분야별 UR 협상 최종문서의 형태로서는 아래 3 가지 경우가 있을 수 있는바, 던켈 총장으로서는 제 3 의 경우는 가정치 않고 있다함.

　　- 참가국이 합의한 CONSENSUS TEXT 작성

　　- 각 협상 그룹 의장책임하에 TEXT 작성

　　- 협상 그룹의장이 자신의 책임하에서라도 TEXT 를 내놓을수 없는 경우

　　3. 상기 TEXT 는 어떤 경우이던 추가적인 협상의 여지를 남기지 않는 방향으로 작성하도록 한다는 것이며, 11 월중 정치적인 BREAKTHROUGH 를 이루어 각국의 COMMITMENT 를 얻어내서 내년 2 월까지 양자협상을 비롯 미진한 분야를 마무리 짓고 FINAL ACT 에 서명한다는 일정이라함.

　　4. 던켈 총장으로서는 11 월초 각 협상그룹의 최종 협상문서가 제시되면 각참여국들은 전체 PACKAGE 를 가지고 각국의 득실을 검토하여, 분야별이 아닌 전체 PACKAGE 차원에서 국민설득을 할 수 있을 것이라는 생각을 가지고 있다함.

　　5. 동 차장보에 의하면 미국, 이씨, 케인즈그룹 및 일본도 던켈 총장의 상기 협상일정 전략을 지지하고 있다고 하는바, 이는 각국이 실제로 던켈 총장의 전략을 반대하기 어려운 상황에서 묵시적으로 지지를 받고 있는 것으로 보임.

　　6. 상기 HUSSEIN 의 언급은 10.4 일 본직과 동 HUSSEIN 차장보 및 당지 뉴질랜드 대사와의 오찬과정에서 이루어진 것임을 참고로 첨언함.(김대사 동석). 끝

　　(대사 박수길-국장)

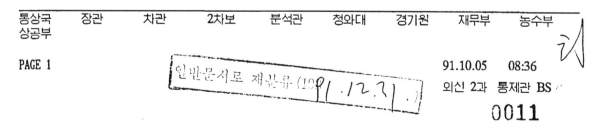

통상국 상공부	장관	차관	2차보	분석관	청와대	경기원	재무부	농수부

PAGE 1

91.10.05　08:36

외신 2과 통제관 BS

0011

예고:91.12.31. 까지

0012

█STRICTED

MTN.TNC/W/87
30 September 1991
Special Distribution

Trade Negotiations Committee

Original: English

COMMUNICATION FROM FINLAND

In a communication dated 24 September 1991, the Permanent Mission of Finland has requested that the following statement on the Uruguay Round, agreed by the trade ministers of the EFTA-countries at their meeting held in Helsinki on 9 September 1991, be brought to the attention of the Uruguay Round participants.

———————

EFTA Ministers call for the urgent and successful completion of the Uruguay Round before the end of the year in particular in order to:

- support the profound economic reforms under way in developing countries as well as in Central and Eastern European countries;

- provide a global multilateral framework to fully integrate regional arrangements for international economic co-operation (in line with expanding needs);

- utilize to the maximum the potential of international trade as a vital means to enhance the economic growth and development both in developing countries as well as in Central and Eastern European countries.

Against this background, attention is drawn to the following observations concerning the Uruguay Round negotiations on GATT rules and the current state of the GATT dispute settlement system:

1. Among the principal motivations behind the launching of the Uruguay Round was the need to strengthen GATT rules and disciplines in order to encompass the changing circumstances in international trade. There was widespread disappointment with the way the multilateral trading system had been able to adapt to the increasing globalization of trade.

2. The GATT, as the cornerstone of the multilateral trading system, has been increasingly recognized, as witnessed by the number of recent accessions and by the active participation of the developing countries in the negotiations.

./.

GATT SECRETARIAT
UR-91-0118

0013

3.   The need for improvements in the rules area is clearly highlighted by
the present stalemate in the GATT dispute settlement system. Adoption
and/or implementation of panel reports is being blocked, and the whole
system is fragmented. Dispute settlement is at the very core of a
rules-based system, and strengthened disciplines in this area will make
contracting parties more willing to take on new commitments in other parts
of the negotiations.

4.   Strengthened rules and disciplines will weigh heavily in the EFTA
countries' evaluation of the final package emerging from the Round. Their
acceptance cannot be taken for granted without the final result ensuring an
equitable, unambiguous and predictable framework for international trade
which removes the threat of unilateral interpretation and application of
multilaterally agreed rules.

5.   We confirm the great importance we attach to our joint initiative to
start a thorough discussion of the inter-relationship of international
trade and environment within GATT.

    We underline our desire to see the 1971 Working Group on environmental
measures and international trade convened in September 1991, as already
requested by our delegations several times.

0013 -1

最近의 UR 協商 進展現況 및 對策

1991. 10. 5.

通 商 機 構 課

앙고재	통상기구과	9 1 년 결 재 인	담 당	과 장	심의관	국 장	차관보	차 관	장 관

0014

目 次

0015

1. 가을 協商에 對備한 政府의 對策 協議 內容

가. 全般的인 我國 立場 檢討 結果

○ 8-9月中 UR 對策 實務 小委員會 7回 開催
- 91年 上半期 UR 協商 評價 및 下半期 對策 協議
- 各分野別 我國 立場 檢討

○ 農産物等 대부분 分野에서 既存 立場 固守

○ 단, 市場接近 및 知的財産權 分野에서는 전향적 方向으로 一部 立場 修正
- 美側과의 兩者協議에 對備, 無稅化 및 知的財産權 分野에서 一部 美國 要求 受容

나. UR 協商 分野別 立場 檢討 內容

1) 農産物 分野
○ 91.1.9. 對外協力委員會에서 決定된 基本立場 堅持
- 쌀등 2-3개 品目에 대한 關稅化 例外(단, 쌀을 除外하고는 最小 市場接近 許容)
- 쌀에 대한 國內補助 許容等

2) 市場接近 分野(無稅化)
○ 電子, 建設裝備中 無稅化 受容 可能한 分野를 于先 提示
- 美國等 餘他 協商國의 反應을 보아 電子, 建設裝備 全分野 參與 與否 檢討

3) 知的財産權 分野
○ 爭點別로 受諾 可能한 分野, 아측 立場을 명백히 할 部分과 消極的으로 對應할 部分으로 區分하여 對應

4) 其他 纖維, 制度, 規範 및 投資(TRIMs), 써비스 分野에서는 既存 立場으로 對應

1

0016

- 단, 補助金 相計關稅 協商과 關聯, 我國이 開途國 리스트(Annex 8)에
  包含되도록 協商그룹 議長에게 要求키로 決定
  (各 協商그룹에서의 一貫性 維持 및 農産物 協商에서의 開途國 優待
  確保의 必要性을 考慮)

다. 韓.美 兩者協議 對應

○ 9月中 主要 協商分野別 實務代表間 兩者協議를 開催하되, UR 協商
  全般에 대한 兩者協議는 10月中 開催
  - 그러나, 9月中 兩者協議는 市場接近 分野만 實施

2. 가을 協商 再開 以後 協商 進展現況

가. 全般的인 協商 現況

○ 9月부터 各 分野別로 實質 協商을 推進하고자 하였으나, 旣存 立場
  確認이외에 큰 進展을 이룩하지 못함.
  - 政治的 折衷을 함께 試圖하고자 하였으나 事實上 技術的 事項의
    論議에만 局限

○ 9.20. 그린룸 協議에서 던켈 總長은 늦어도 11月初까지 全分野에 걸친
  合意 草案 作成 意思 表明

○ 上記 던켈 總長의 協商 日程은 計劃대로 推進될 것으로 展望
  - 빠른 시일내 進展이 없으면 美國.EC等 主要國의 政治 日程上 年內
    또는 來年初까지의 UR 協商 妥結이 事實上 어려워질 것이라는 危機
    意識에 대한 共感帶 形成

나. 農産物 協商 現況

○ 던켈 事務總長, 11月初까지 우선 市場接近 分野에서 例外없는 關稅化
  原則 合意 導出 試圖 示唆 (9.20. 農産物 協商 會議)

2

0017

- 카나다(갓트 11조 2항 C 關聯 一部 留保 立場을 堅持), 我國, 日本
  (쌀 輸入 開放 不可 立場을 固守)을 除外한 事實上 모든 協商
  參加國들이 例外없는 關稅化 原則을 受容할 可能性 示唆
- 北歐도 事實上 例外없는 關稅化 原則을 受容(國內補助 分野에서의
  許容補助 擴大 및 同 條件 緩和를 통해 NTC 問題가 적절히 反映되기를
  希望)

○ 던켈 總長은 我國, 日本에 대해 例外없는 關稅化 原則을 일단 受容하되
  TE 減縮幅, 減縮期間 등에서 適切한 考慮를 통해 쌀 問題를 解決토록
  促求 (9.18. 我國과의 兩者協議)
  - 特定品目(쌀)을 關稅化의 例外로 하는 것은 韓國과 日本에 局限된
    問題이며, 韓國도 關稅化 原則을 受容하되 關稅化 틀내에서 實益
    確保토록 促求(高率의 TE 賦課, 어느정도의 最小 市場接近 許容)
  - 日本에 대해서는 一定 猶豫期間後 關稅化하는 方案을 提示한 것으로
    把握됨.

○ 던켈 事務總長은 우선 市場接近 分野에서 例外없는 關稅化 原則에 대한
  合意 導出을 통해 協商 妥結의 突破口 마련을 試圖
  - 國內補助, 輸出補助 分野에서의 妥結은 EC의 CAP 改革 論議 動向과
    美.EC間 막후 折衷 過程을 보아가며 最終 政治的 決斷을 내리도록
    協商을 誘導

○ 따라서, 我國은 境遇에 따라서 10月末-11月初 例外없는 關稅化 原則을
  受容할 것인지 與否에 대한 決定이 要求되는 狀況에 처할 可能性이 있음.

다. 餘他分野 協商 現況

1) 市場接近 分野
  ○ 分野別 無稅化 問題, 纖維, 신발분야에서의 tariff peak 緩和 問題等
    核心 爭點에 대한 主要國間 異見 持續
  ○ 10月中旬부터 兩者, 多者間 協議 繼續後 10月末頃 議長 責任下 合意
    可能 分野에 대한 妥結案이 于先 提示될 것으로 豫想

3

0018

2) 纖維分野

○ 暫定 safeguard 措置 및 品目 對象範圍에 관한 事務局 文書를
基礎로 協議 進行

○ 主要 爭點事項에 대한 具體的 結論은 導出하지 못하고 修正 協定文
準備를 위한 立場 및 爭點事項 點檢

3) 規範制定 및 貿易關聯 投資措置

○ 反덤핑과 關聯 輸出價格 算定, 무시할만한 덤핑量의 정의, 迂廻덤핑,
原價以下 販賣, 被害의 累積等의 爭點을 檢討 하였으나 參加國間
意見 差異 尚存

○ 貿易關聯 投資措置와 關聯 協商範圍, 規律方法等에 대해 論議
하였으며 年內 妥結을 위해 議長이 10月中 合意 草案 作成 豫定

4) 知的財産權分野

○ 經過 規定, 知的財産權 關聯 紛爭解決 節次等에 대해 論議 하였으나,
브랏셀 會議時 論議되었던 主要爭點等 主要懸案에 대한 實質的인
討議는 이루어지지 않음.

○ 10.11-22 開催 次期 會議時 合意 草案 作成을 目標로 集中的인
公式.非公式 協商 展開 豫定

5) 制度分野

○ 9.26 開催된 協商 그룹 會議時 紛爭解決 分野만 論議

○ 次期會議(10.24-25)時까지 紛爭解決 分野에서의 合意 草案 마련을
위해 未決爭點(패널권고 불이행시 對策, 提訴의 適格性, 갓트내
紛爭解決 節次의 調整等)에 대한 非公式 協議 進行 豫定

○ 其他 갓트기능 强化, 最終議定書 問題는 追後 論議 豫定

6) 서비스 分野

○ 서비스 協定(Framework)에 관해서는 主要爭點의 旣存 立場만 再確認
  - 一部 條項의 자귀 修正에는 合意

○ 讓許協商의 實質的 基準에 관한 事項은 討議되지 않았으나, 10.28부터
시작되는 讓許協商에서 함께 論議될 豫定

4

0019

3. 주 제네바 大使의 協商 展望 및 建議 內容

가. 협상 전망

○ 던켈 總長이 9.20 그린룸 協議에서 밝힌바대로 10月末(늦어도 11月初)까지 UR 協商 合意 草案(브랏셀 閣僚會議時 提出된 15個分野 議長案의 修正文書) 作成 豫想

  - 主要國과 충분한 協議없이 推進하더라도 協商 決裂에 대한 責任 問題로 인하여 各國은 反對하기 어려운 事情

○ 全分野에 걸친 合意 草案을 Package로 檢討, 政治的 決斷을 내리도록 各 參加國에 要請 豫想

나. 건의사항

○ 던켈 總長의 UR 協商 合意 草案 作成 關聯, 農産物 協商 分野에서 例外없는 關稅化 原則이 推進될 것에 對備한 政府의 立場 檢討

○ 各 協商 分野別로 高位級 協商代表 派遣

4. 對 策

가. 對策 方案

1) 協商 對策

○ 10月中旬 以前에 UR 協商 分野別 立場 再點檢

  - 특히 農産物 協商에서 旣存 立場에 대한 대안 摸索 可能性 檢討

○ 10月中旬부터 各部處 高位級 實務 協商代表를 제네바에 長期 派遣

  - 10月下旬頃 豫想되는 韓.美 兩者協議에도 對備

2) 言論 對策

○ UR 對策 實務委員會 次元에서 共同 對應

  - 協商 現況 및 經過를 可及的 事實대로 國內에 弘報

5

0020

나. 當部 措置事項

1) 旣措置 事項

○ 農産物 協商 關聯 我國 立場 再檢討 資料 作成

○ 駐제네바 大使 建議關聯 關係部處에 農産物 協商 對策 檢討 要請

- 經濟企劃院 및 農林水産部에 協商 對策 및 國內 弘報對策 樹立 要請 公文 發送(10.4)

- 第 2次官補, 關稅化 問題에 關한 日本側의 對應 動向(前 農水長官 제네바 派遣 交涉)을 農水産部에 알리고, 우리側에서도 高位級 에서의 對應活動 必要性을 檢討할 것을 要請(10.2)

- 農林水産部(農業協力通商官)에 上記事項 主題 要請(9.27)

※ 農林水産部는 9.28. 國內言論에 最近 農産物 協商 動向 說明

2) 措置 豫定事項

○ UR 對策 實務委에 대해 10月中旬부터 關係部處 高位 實務 協商 代表를 派遣토록 要請 豫定

○ 必要時 當部 關係職員도 제네바에 派遣

○ 협상진전상황을 보나 협상 활동에 녹녀라힘

添附 : 向後 事業 日程.   끝.

向後 協商 日程

1. 市場接近
   - 10月中旬부터 兩者, 多者協議 繼續
   - 10.30 公式 會議 開催

2. 纖　維
   - 10.15 公式 會議 開催

3. 農　産　物
   - 10.16-18 公式 會議 開催

4. 規範制定 및 TRIM
   - 10.28. 주간 開催 豫定

5. 知的財産權
   - 10.11-22 公式 會議 開催

6. 制　度
   - 10.24-25 公式 會議 開催

7. 서비스
   - 10.16주   非公式 協議 開催
   - 10.21   公式 會議 開催
   - 10.22-25   分野別 公式 會議 開催
   - 10.28주간   兩者 또는 複數國間 讓許協商
   - 11. 1   公式 會議 開催

0022

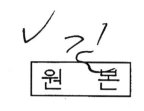

관리 번호	91- 660

외 무 부

종   별 :

번   호 : USW-4955

일   시 : 91 1008 1905

수   신 : 장 관(통기,통이,미일)

발   신 : 주 미 대사

제   목 : 국무부 통상정책 과장 면담

당관 장기호 참사관은 10.8. 국무부 경제국 양자통상정책과장을 면담, 양국간 통상관계및 UR 전망에 관하여 협의한바, 동 요지 하기 보고함.(김중근 서기관 동석)

1. 양국 통상현황

- 동과장은 현재 양국 통상관계의 주요 현안으로는 농업및 지적소유권 분야를 들수 있으나, 행정부 일각에서는 최근 한국내의 근검절약 운동이 작년말, 금년초의 과소비 억제운동과 마찬가지로 수입반대적 경향을 띠게 될 것을 우려하는 시각도 있다고 언급함.

- 이에대해 장참사관은 금번 운동은 기본적으로 국내의 전통적인 가치관 회복과 사회적 병폐를 제거하기 위한 사회운동이므로 이를 새생활, 새질서 운동으로 호칭함이 적합할 것이며, 동 운동은 수입억제와는 성격이 다른 것임을 강조하였음.

- 동 과장은 통상문제는 간혹 작은 현안이 언론이나 압력단체에 의해 사실보다 크게 확대되어, 위기가 조성되는 경향이 있으므로 사전에 이를 해결하는 것이 행정부의 역할이라고 강조하고 양국의 통상 관계관들이 긴밀히 협조, 이러한 상황에 까지 발전되지 않도록 해야 할 것이라고 하였음.

2. UR 전망

- 동과장은 언론등 미국의 일각에서는 UR 협상이 현재 교착상태에 있어, UR보다는 타결이 용이한 것으로 생각되는 NAFTA 협상을 선호하게 되지 않겠느냐는 추측도 있으나, 실제로 미정부가 관심을 갖고 있는 것은 UR 의 성공적인 타결이라고 강조하고,

- 현재 UR 협상은 미국과 EC 가 어떻게 이견차를 좁히느냐에 달려 있으며, EC 가 정치적 의지를 가지고 협상에 임한다면 연말까지 타결치 못할 이유도 없다고 언급함.

- UR 협상이 이해관계국의 의견조정이 어려워 당초 목표한 것보다는 후퇴된

통상국	장관	차관	2차보	미주국	통상국	분석관	청와대

MINI-PACKAGE 방식으로 타결될수도 있다는 일부의 관측에 대해서, 동 과장은 UR 협상의 성공적 타결에 대한 의문이 제기되고 있지만 아직도 의회나 국민의 UR에 대한 기대수준이 이미 높은 단계에 있고, 미국내에서 UR 협상결과에 대한 이해관계가 분야별로 다양하므로 COMPLETE PACKAGE 가 아니고는 의회를 설득시키기 어려운 상황인바, MINI-PACKAGE 로의 타결은 고려할수 없는 것이라는 입장을 분명히함. 끝.

(대사 현홍주-국장)

예고: 91.12.31. 까지

발 신 전 보

번 호 : WEC-0587   911007 1906 ED   종별 :

수 신 : 주   EC   대사. 총영사/

발 신 : 장 관 (봉 기)

제 목 : UR협상

    뉴욕에서 발간되는 일간지 Journal of commerce 는 10.4(금) 독일 정부가
~~농산물~~
EC집행위에 UR협상에서의 광범위한 mandate 를 주는데에 반대하지 않을 것이라는
뮐러만 독일 경제 장관의 파리 기자회견 내용을 게재하고, 10.11(금)부터 헤이그
에서 개최될 EC 통상. 재무장관 회담에서 불란서, 독일, ~~대이태리~~ ~~애란이~~ EC집행위 ~~예대한~~
협상권한 확대부여에 대해 Veto 하지 않을 것이라고 보도 하였는바, ~~동 뮐러반 장관의~~
~~과파런훈용~~ ~~상기~~ 헤이그 통상.재무장관 회담 결과 ~~ 파악 보고 바람.

(통상국장 김용규)

<table>
<tr><td rowspan="2">앙고재</td><td rowspan="2">91년
10월
일</td><td>기안자
성 명</td><td rowspan="2">과 장</td><td>심의관</td><td>국 장</td><td rowspan="2">차 관</td><td>장 관</td><td rowspan="2">보 안
통 제</td></tr>
<tr><td>통기
과</td><td>조현</td><td></td><td>전결</td><td></td></tr>
</table>

보 안 통 제

외신과통제

0025

번호 : USW(F) - **416**

선 : 명국 (동기, 동이) 상공부, 경가원

발선 : 주역대식

제목 : UR행상관련 (1매)

Germany Appears Willing To Widen EC's Role in GATT

By BARBARA CASASSUS
Journal of Commerce Special

PARIS — The United States and European Community both must make compromises over agriculture in the Uruguay Round of the General Agreement on Tariffs and Trade talks, German Economics Minister Juergen Moellemann said.

Mr. Moellemann indicated the German government will cease blocking a wider mandate for the EC Commission in the GATT negotiations.

"It is indispensable for the federal government to revise its position" over the question, "If possible with the help of France," he declared.

The United States must also make concessions over services, Mr. Moellemann told reporters Thursday during a visit to Paris to mark the first anniversary of German reunification.

Until now, France, Germany and Ireland have formed the trio necessary to veto a broader EC role in the Uruguay Round. This collective veto appears likely to disappear when the EC trade and finance ministers meet to discuss the issue in the Hague on Friday and Saturday of next week.

The aim of the meeting, which will follow an EC Council of Ministers gathering on Wednesday, is to identify the objectives of the negotiations and the obstacles, in order to develop a common stand among the 12 EC countries, Mr. Moellemann said.

After talks with French Trade and Industry Minister Dominique Strauss-Kahn today, Mr. Moellemann said he is "optimistic that we will achieve a joint position, which would be the best solution."

The commission has not had enough margin for maneuver in negotiations over farm subsidies, especially those for exports, Mr. Moellemann said. The "French government is aware that it is impossible to succeed" with the talks if the stalemate is not broken, he added.

The consequence of failure to conclude the Uruguay Round would be "massive protectionism," which would deal a "severe blow to world economic recovery," Mr. Moellemann asserted.

He also met with French Prime Minister Edith Cresson and said that they had agreed that the timetable for European Economic and Monetary Union should be respected. "All efforts (should be deployed to reach the goal, despite all the recent difficulties," he said.

JoC
10/4/91

원 본

관리 번호	91- 667

외 무 부

종 별 :

번 호 : ECW-0782

일 시 : 91 1009 1830

수 신 : 장 관 (통기,농수산부) 사본: 주제네바,주미대사-중계필

발 신 : 주 EC 대사

제 목 : UR 협상

대: WEC-0587

당관 김광동참사관이 금 10.9. ALBERTO DEPASCALE EC 집행위 GATT/UR 총괄과장과 면담, UR 협상관련 협의한바, 아래 보고함 (이관용농무관 동석)

1. 동과장은 DUNKEL 총장이 현재 주요 협상국들과 활발한 쌍무.다자 접촉을 봉하여 10 월말 또는 11 월초 연휴에도 불구, 작업을 계속하여 11 월초 까지는 협상안을 마련하여 11 월 중순경에는 UR-협상의-성공적인-타결을위한-결정적인 게기를 이루게 될것이며, 그이후 기술적이고 실무적인 작업을 가속화하면 92 년도 상반기 (늦어도 하기휴가 이전) 에는 모든 협상이 종결되지 않겠느냐고 전제하면서, 11. 월 중순에 샴페인을 터트릴 준비를 하자고 말함. 동 과장은 지난주 제네바에서의 실무협상 기간중 느낀점은 한달전과는 달리 협상타결을 전제로한 FINAL TOUCH 를 하는 분위기였으며, 낙관론이 팽배하였다고 언급함

2. 김참사관이 대호 농산물협상 관련, EC 회원국들이 집행위에 광범위한 MANDATE 를 주는 문제를 제기한바, 동과장은 집행위로서 중요한 것은 이사회로 부터의 협상추진 여부에대한 분명한 정치적 신호 (CLEAR POLITICAL SIGNAL) 이지, 광범위한 MANDATE 가 반드시 필요한 것은 아니라고 말함. EC 측은 상기 DUNKEL 협상안 작성관련 미측과 수차의 비공식협의를 가진바 있어, CAP 개혁의 진전에 관계없이 농산물을 포함한 모든 분야의 협상타결에 적극적인 입장이라고 말하고, 10.11-12 간 헤이그에서 개최되는 EC 봉상. 재무장관 회담시 긍정적인 신호가 있을 것이라고 함. 동 과장은 CAP 개혁의 진전을 UR 농산물협상과 연계할 경우 UR 협상타결은 불가하며, EC 측으로서는 농산물문제와 관련, 먼저 '밖의 문제(UR)' 를 해결하고 그 '밖의 문제' 를 전제로 안의 문제 (CAP 개혁) 을 4-5 년에 걸쳐 해결한다는 입장으로 바뀌었음을 강하게 시사함

통상국   장관   차관   2차보   청와대   농수부   중계

정기연, 상공. 재무 특가

91.10.10   07:35

일반문서로 재분류(1991 . 12. 31.)

외신 2과 통제관 FM

0027

3. 동과장은 개인적인 충고라고 전제하면서 한국의 농산물 협상관련, 급속도로 진전되고 있는 협상분위기에 비추어볼때, 한국이 쌀문제에 너무 집착할 경우 여타 협상분야에서의 효과적인 대처가 어려워 전체적으로 균형된 협상이익을 확보하기가 어려울 것이므로 쌀문제에 대한 최종목표를 달성하기 위하여 TRIPS 또는 ANTI-DUMPINT 등 여타분야에서 쌀문제와 직접 연계시켜 적극적으로 양보하는 전략이 필요치 않겠느냐고 말함

4. 상기관련 당관의 관찰에 의하면 EC 는 UR 협상타결의 걸림돌이었던 CAP 개혁이 단기간내에는 회원국간 입장조정이 불가능한데다, 현재 국제정치, 경제적 제반상황을 고려할때 이번기회가 최선의 선택이며 EC 가 UR 협상실패의 책임을 지지 않으려 하기 때문에 협상이 DEAD END 에 와 있다는 인식하에서 UR 의 선타결, 이에따른 국제적 책임을 이행한다는 차원에서 향후 4-5 년 회원국간의 입장 조정 과정을 거쳐 CAP 개혁을 추진한다는 결론에 이른것으로 판단됨. 따라서 농 산물문제로 UR 협상에 소극적이었던 EC 가 DUNKEL 사무총장의 협상문서 작성을 계기로 적극적으로 협상을 주도할 것으로 예상되어, UR 협상이 급속도로 진전될수도 있을것으로 보임. 끝

(대사 권동만-국장)

예고: 91.12.31. 까지

관리번호 91-670

외 무 부

종 별 :

번 호 : USW-4961   일 시 : 91 1009 1516

수 신 : 장 관 (봉기,봉일,미일,경기원,농수산부,상공부,경제수석)

발 신 : 주 미 대사   사본: 주 제네바, EC 대사(중계필)

제 목 : UR 관련 주재국 동향

연: USW-4804

당관 장기호 참사관은 10.8 USTR 의 DOROTHY DWOSKIN GATT 담당 부대표보, BARBARA CHATTIN 농업문제 담당관, 농무부의 SCHROETER 해외농업처 부처장보등과 일련의 접촉을 갖고 UR 협상에 대한 주재국 입장및 동향등을 타진한바, 동 주요 결과를 하기 보고함.(당관 이영래 농무관, 서용현, 김중근 서기관 동석)

 1. UR 에 대한 전망

 - USTR 관계관들은 EC 가 농업문제등에 관하여 전보다 적극성을 보이고 있다는 점, DUNKEL GATT 사무총장이 최근에 거론한 포괄적 협상안이 UR 협상 전반에 자극제가 될 것이라는 점을 지적하면서 UR 협상에 관하여 비교적 낙관적 전망을 피력함.

 - 반면, 농무부의 SCHROETER 부처장보는 항간에 나도는 비관론에도 이유가 있다고 인정하면서, 관건은 EC 가 어느 방향으로 움직이냐에 달려 있다고 하면서개인적으로는 성공 가능성을 반반으로 보고 있다고 말함.

 - UR 의 최종단계까지도 협상이 난항을 거듭하는 경우에는 참가국들이 기대 수준을 낮추어 절충안 내지 MINI-PACKAGE 라도 모색하는 것이 현명한 것이 아닌가 하는 아측 질문에 대하여, 미측 관계관들은 이제까지 5 년이라는 시간을 소요하는등 이미 너무 많은 부자를 한 상태에서 MINI-PACKAGE 채택은 불가능하며, 이를 받아들인다 해도 의회를 통과시킬 수 없을 것이라고 일축함.

 2. UR 의 향후 교섭 일정

 - DWOSKIN USTR 부대표보는 10 월말 또는 11 월초에 DUNKEL 사무총장이 포괄적 협상 TEXT 를 제시하고 11-12 월중 농산물등 주요 문제에 관한 정치적 타결을 이룬후에 92 년 1-2 월중 관세, 비관세등 잔여 시장접근 문제와 제도적 문제(GATT 규정 개정등 포함)에 관한 기술적 사항을 협의하여 92.2. 말경 UR 을 마무리 짓는

통상국 정와대	장관 안기부	차관 경기원	1차보 농수부	2차보 상공부	미주국 중계	통상국	분석관	정와대

PAGE 1   91.10.10   07:53

외신 2과 통제관 BS

0029

것이 가장 이상적인 협상일정이 될 것이라고 하면서, 금년말 까지 농산물 문제등에 대한 정치적 결정에 도달할수 있는지 여부가 UR 의 성공에 대한 관건이 될 것이라고 강조함.

- 한편, SCHROETER 부처장보는 DUNKEL 총장이 TEXT 를 제시한후 정치적 타협을 모색하기 위하여 각료급 회의를 개최하게 될 것으로 본다고 말함.

3. DUNKEL 사무총장의 포괄 협상안의 성격및 내용

- DWOSKIN 부대표보는 DUNKEL 사무총장이 10 월말 또는 11 월초에 제시하겠다는 협상안이 현재의 각국 입장의 차이에 비추어 모험적인 것이기는 하나, 이러한 충격요법식의 제안은 UR 의 진전을 촉진하기 위한 신선한 자극이 될 수 있을 것이며(특히 자체적으로 입장 정립에 난항을 보이고 있는 EC 의 방향설정에 도움이 될것임) 이러한 측면에서 지난 9 월 개최된 4 개국 통상장관 회담에서도 DUNKEL 사무총장안에 대한 적극적인 협조를 다짐한바 있다고 언급함.

- 동 협상안이 단일협상안(TAKE IT OR LEAVE IT)이 될 것인지 아니면 몇가지 선택적 제안(괄호)을 포함한 것이 될 것인지에 관한 질문에 대하여, DWOSKIN 부대표보는 협상 촉진의 자극제가 되기 위해서는 단일 협상안이 되어야 할 것이라고 전망함.

4. 관세화 관련 문제

- 관세화에 대한 예외설정 문제에 관하여 DWOSKIN 부대표보는 농산물 무역자유화의 불가분의 일부인 관세화에 대한 예외를 인정하는 경우 다른 모든 국가도 나름대로의 예외를 주장하여 결국 농산물 협상을 파국에 이르게할 것이기 때문에 예외없는 관세화(CLEAN TARIFFICATION)는 양보할 수 없는 것이라고 언급함.

- 동 부대표보는 예외없는 관세화는 REBALLANCING(기존양허 철회) 배제, 수출보조 감축, 지속적인 무역장벽 완화 약속과 함께, UR 농산물 협상에서의 미국의 4 대 목표중의 하나이기 때문에 이에대한 본질적인 수정은 농산물 무역 자유화에 역행하는 것으로 보아 받아들일수 있을 것이며,

- EC 도 예외없는 관세화는 받아들이고 있는 입장이며, 예외 인정의 파급효과를 잘 알고 있는 DUNKEL 총장도 포괄 TEXT 에 예외없는 관세화를 포함시키게 될 것이라고 전망함(SCHROETER 부처장보도 동일한 지적)

- 동 부대표보는 일단 농산물 협상이 진전되어 나가면, 한국도 이러한 협상 진전에서 벗어나 독자적인 행동을 할수 없을 것이므로, 관세화에 대한 예외를 계속

PAGE 2

추진하는 것보다는 관세화를 인정하고 대신에 이에따른 제반 조건(관세화의 기간, 정도, SPECIAL SAFEGUARD 등)에서 국내 산업조정을 위한 충분한 여유를 확보받는 방향으로 전환하는 것을 검토해 보아야 할 때가 되었다고 말함.

5. 농산물 협상 관련 각국 동향

- 미국이 대 EC 협상에서 농산물 문제에 관하여 보다 신축적인 태도를 표명했다는 일부 보도등과 관련, DWOSKIN 부대표보및 CHATTIN 담당관은 농산물 3 개 분야(국내 보조, 수출보조, 관세화)에 대한 미측의 기본입장에는 변화가 없으나, 작년말 이래 국내 보조및 수출보조의 점진적 폐지를 점진적 감축으로 완화하고 나아가 여사한 보조금 감축의 시한에 관하여 다소 융통성 있는 태도를 보인 것등을 지칭하는 것으로 본다고 하고, 그러나 관세화 문제에 관하여는 아직 입장변화를 표시한바 없다고 말함.

- 동 부대표보는 EC 측도 최근 수출보조를 소득보전으로 대체하는 방향으로 전환을 모색하고, 과거 경직적인 태도를 보이던 독일등도 보다 협조적 방향으로 전환하는등 긍정적인 동향을 보이고 있다고 하였으며,

- 다만, SCHROETER 부처장보는 프랑스가 계속 종전의 강경입장을 고수하고 있어 EC 내부에서 프랑스를 고립화시키려는 움직임을 보이고 있다고 지적함.

- 동인은 또한 일본은 EC 가 어떻게 대응하는가를 지켜보며 종전의 입장을 고수하고 있으나, 현재 일본 내부적으로도 의견이 엇갈리고 있어 종국적으로 미.EC 간에 타협점이 모색되면, 이에 따르리라 관측된다고 말함.(이에대해 장참사관은 일본 농민의 경우 농업이외 부문으로 85% 이상의 소득을 올리고 있어, 일본과 한국의 농촌사정은 매우 큰 차이가 있음을 지적함)

6. 각 분야협상 진행 상황

- DWOSKIN 부대표보는 최근 개도국 문제, 규범작성, TRIM 및 TRIP 등 분야에서 많은 진전이 있었으나, 덤핑및 보조금 분야등에서는 아직도 의견차이가 크다고 말함.

- CHATTIN 담당관은 농산물 문제에 관하여 작년말 이래 실질문제에 관하여 뚜렷한 진전은 없으나, 그 동안 각국의 입장에 대한 상호간의 이해를 제고하고 기술적 문제들을 명확히 함으로써 향후 정치적 결정을 위한 기초를 마련하였다는측면에서 농산물 협상에도 진전이 있었다고 할 수 있다고 언급함.

7. UR 과 APEC 총회

- DWOSKIN 부대표보는 11 월 서울 APEC 총회시까지는 DUNKEL 총장의 TEXT 가 제시될 것이므로 금번 APEC 총회는 UR 에 있어서도 주요한 협상무대가 될 것이라고

예측하면서, HILLS 대표는 방한중 한국측과 쌍무문제와 아울러 UR 관련 문제에 관하여 중점적으로 협의할 예정이라고 말함.

- 또한 동인은 비슷한 시점에서 BUSH 대통령의 방한이 예정되고 있어 미측으로서도 APEC 총회시의 협의에 상당한 관심과 중요성을 부여하고 있다고 언급, 동 협의에서 DUNKEL 사무총장의 TEXT 와 관련하여 아측의 협조를 요청해 올 예정임을 시사하였음.

끝.

　　(대사 현홍주-국장)

　　예고: 91.12.31. 까지

| 관리번호 | 91-668 |

외 무 부

종 별 :

번 호 : USW-4975   일 시 : 91 1009 1836

수 신 : 장 관 (통기,통이,미일,경기원,농수산부,상공부,경제수석)

발 신 : 주 미 대사 사본: 주 제네바,EC 대사(본부 중계필)

제 목 : UR 관련 동향

연: USW-4961, 4955

당관 장기호 참사관은 10.9 국무부 경제국 KAARN WEAVER 다자통상정책 과장과 면담, UR 전망에 관하여 협의한바, 동 요지 하기 보고함.(김중근 서기관 동석)

1. 동 과장은 미국으로서는 11 월 초.중순경 제시될 것으로 예상되는 DUNKEL GATT 사무총장의 협상안(TEXT)에 상당한 기대를 걸고 있으며, 동협상안이 단일 협상안(TEKE-IT OR LEAVE-IT) 방식으로 제시된다고 하브로 DUNKEL 사무총장으로서는 UR 협상을 성공적으로 끝어가기 위해서는 모든 국가들이 협상에 참여할 수 있도록 이해당사국의 입장이 반영된 포괄적(COMPREHENSIVE) 협상안을 제시할 것으로 관측된다고 함.

2. 다만, 농산물 협상과 관련하여서는 관세화의 예외를 인정할 경우 이것이 확대되어 결국 협상의 실질적인 성과를 얻을수 없게 되므로 DUNKEL 사무총장도동 협상안에 예외없는 관세화 (CLEAN TARIFFICATION)를 포함시키지 않을 수 없을 것이라 강조하고, 다만 이해관계국의 특수한 사정을 감안, 관세화 기간등 일정한 조건을 부여할 수도 있을 것이라고 하였음.

3. 또한, 동 과장은 앞으로 EC 가 어느 방향으로 움직이느냐 하는 것이 협상의 관건이며, (한국, 일본도 EC 의 동향을 살피고 기다리고 있는 상태라고 언급), 최근 주목할 수 있는 것은 EC 가 종전보다는 다소 유연한 자세를 보이기 시작하고 있으나, 프랑스, 포루투갈, 아일랜드가 계속 강경한 입장을 취하고 있고, EC 내 일부에서는 불란서를 고립화 시켜야 한다는 RUMOR 도 나오고 있다고 하였음. 또한 CAP 개혁안에도 막대한 예산이 필요하므로, EC 내부의 입장 조정에는 상당한 시일이 소요되리라고 본다고 말함.

4. 미국으로서는 내년 4 월 이후에는 본격적인 선거운동이 시작되므로 3 월까지를

| 통상국 안기부 | 장관 경기원 | 차관 농수부 | 1차보 상공부 | 2차보 중계 | 미주국 | 통상국 | 분석관 | 정와대 |

PAGE 1

91.10.10   09:32

외신 2과 통제관 FM

0033

협상타결의 DEAD-LINE 으로 보며, 국내적으로 UR 협상 결과에 대해 각 분야별로 이해관계가 다양하므로, 위회를 설득시키기 위해서는 MINI-PACKAGE 로의 타결은 가능한 상태라고 언급함. 끝.

　　　(대사 현홍주-국장)

　　　예고: 91.12.31. 까지

외 무 부

종 별 :

번 호 : USW-4962 　　　　　　　　　　일 시 : 91 1009 1538

수 신 : 장 관(통기,통이,미일,경기원,상공부,농림수산부,경제수석)

발 신 : 주 미 대사　　　　사본: 주 제네바, EC 대사(중계필)

제 목 : UR 협상관련 미 의회 동향

　1.　당관 조태열 서기관은 10.8. JOHN JIOLKOWSKI 상원 농업위 전문위원(LUGAR 상원의원 보좌관)을 면담, UR 협상(특히 농산물 분야)에 관한 미 의회의 시각과 일반적 분위기를 탐문한바, 동 요지 아래 보고함.

　가. 연내 협상타결 전망

　- (협상전망에 관한 미 의회측 시각에 대해) 미 행정부 인사들은 공.사석에서 아직도 협상이 연내 타결될 희망이 있다고 얘기하고는 있으나, 자신을 포함, 의회의 전반적인 분위기는 매우 비관적임. 특히 포괄적인 협상타결의 관건인 농산물 분야에서 실질적이고 의미있는(SUBSTANTIAL AND MEANINGFUL) 합의가 이루어질 가능성은 거의 없다고 보며, 이는 EC 측이 아직도 수출보조나 시장접근 문제에서 종전의 입장을 고수하고 있기 때문임.

　- (최근 EC 측이 농산물 분야에서 적극적인 자세를 보이고 있다는 정보에 대해) EC 집행위 MAC SHERRY 위원의 9 월 워싱턴 방문시 농산물 협상 진전을 위해 다소 적극적인 자세를 보였다는 얘기는 들었으나, 문제를 이를 여하히 행동으로 옮기느냐는데 (TRANSLATE IT INTO ACTIONS) 있음.

　최근 폴란드, 체코, 헝가리로 부터의 농산물 수입에 대해 불란서 농민들이 극렬한 반대시위를 한 예를 비추어 볼때, EC 측의 입장 변화에 큰 기대를 걸기 힘들다는 것이 자신의 솔직한 견해임.

　- (연내 협상타결 실패시 미측의 대응전략에 대해) DUNKEL 사무총장이 11 월초까지 포괄적인 최종 협상안 작성을 위해 준비하고 있다고 알고 있으나, 농산물 분야에서 어느정도 만족할만한 타협안이 이루어지지 않을 경우, 미 의회가 동 포괄협상안을 승인하기는 어려울 것이며, 결국은 또다시 협상을 연기할 수 밖에 없을 것임.

　미국의 대 EC 농산물 수출은 90 년 400 억불에서 91 년에는 370 억불로

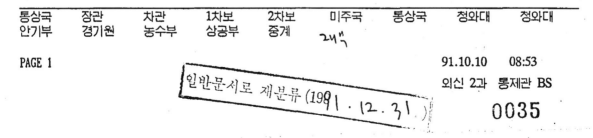

통상국 안기부	장관 경기원	차관 농수부	1차보 상공부	2차보 중계	미주국	통상국	청와대	청와대
					2부			

일반문서로 재분류(1991 . 12. 31)

91.10.10　　08:53

외신 2과　통제관 BS

0035

감소함으로써 미국 농민들의 불만이 고조되고 있는바, 이러한 상황에서 미 의회가 불만족스런 UR 농산물 협상 결과를 받아들이지는 않을 것임. 연내 타결에 실패한다 하더라도 내년에 협상 재개는 대통령 선거등 국내정치 일정으로 기대하기 어려우며, 결국은 93 년에나 가능할 것으로 봄. 그렇게 될 경우, 멕시코와의 자유무역 협정체결 교섭도 함께 연기될 것으로 봄.

　나. 아국의 협상 태도에 대한 미 의회 시각

　- (농산물 협상관련 아국입장에 대해) 한국의 농산물 시장개방에 좀더 진전이 이루어져야 한다는 것은 미 행정부와 의회의 공통된 시각이나, 한국이 UR 농산물 협상에 주요 걸림돌이 되고 있다고 보지는 않음. 협상에 가장 큰 걸림돌이 되고 있는 것은 EC 의 태도임.(특히 불란서를 지칭). 연간 120 억불에 달하는 농산물 보조금을 지원하고 있는 EC 의 농업정책이 가장 큰 문제임(대두등 일부 농산물의 시장접근 애로도 지적). 일본도 물론 협상에 장애요인이나, 최근 쌀 수입개방 문제를 거론하기 시작했다는 것은 큰 변화라고 봄.

　- (DUNKEL 사무총장이 구상하고 있다는 예외없는 관세화 추진시 아국에 미칠 영향) 동 총장이 구상하고 있는 내용을 구체적으로 알고 있지는 못하나, 아마도 비관세 장벽의 장기적인 제거(LONG-TERM PHASE-OUT)를 염두에 두고 추진하는 것일 것임. 무역왜곡 효과가 없는한 어느정도의 비관세 장벽은 인정해야 할 것이며, 예외없는 관세화가 이루어질 경우 미국도 적지않은 피해를 입게될 것임.(설탕, 땅콩, 우유및 유제품등을 예로 지적)

　2. 한편, 10.3. 당관 개천절 리셉션에서 만난 IVAN SCHLAGER 상원 대외통상소위 전문위원(HOLLINGS 상원의원 보좌관)도 UR 협상 전망에 관한 상기 의회의 회의적 시각을 전하면서, 연내 협상타결 실패시 내년도 협상재개가 어려울 것이라는 동일한 견해를 표시함. 이와관련 동인은 대통령 선거를 앞두고 UR 협상을 재개할 경우, 국민의 경제적 이해가 걸린 문제를 POLITICIZE 하게 될 우려가 있다는 이유로 민주당측 의원들이 반대할 것이라고 말하고, 이미 FAST TRACK 권한이 93.5 월까지 연장되었으므로 대통령 선거 종료후에도 6 개월 이상의 협상시간이 남아 있음을 지적함.

　3. 또한 10.9 면담한 GEPHARDT 하원의원실 JO ELLEN URBAN 보좌관도 연내 협상 타결 전망에 회의적인 견해를 표시하면서, UR 협상이 실패한다면 결국은 쌍무 협상을 통해 미국의 이익을 추구할 수 밖에 없으며, GEPHARDT 의원이 수퍼 301조 부활 법안을

PAGE 2

추진하고 있는 이유도 여기에 있다고 언급함. 10.2 전화로 접촉한 MARY JANE WIGNOT 하원 세입위 전문위원(하원내 설치된 GATT WORKING GROUP 실무담당자)도 현단계에서 미 의회로서는 행정부 주도하에 진행되는 UR 협상의 진전추이를 지켜보는 (WAIT AND SEE) 수 밖에 없으나, 대부분의 의회 인사들이 연내 협상타결에 큰 기대를 갖고 있지 않다고 말함.

4. 상기와 같이, UR 협상에 관한 미 의회의 분위기는 행정부측의 희망적 견해 표명에도 불구하고 대체적으로 비관적이며, 농산물 분야에서의 EC 측의 비타협적 태도를 협상의 주요 걸림돌로 파악하고 있는 것으로 관찰됨. UR 협상 관련 미 의회 동향에 관하여는 협상 진전상황을 보아가며 수시 파악, 보고 위계임. 끝.

(대사 현홍주-국장)

예고: 91.12.31. 까지

외 무 부

종 별 :

번 호 : GVW-1951   일 시 : 91 1009 1900

수 신 : 장 관(봉기, 경기원, 재무부, 농림수산부, 상공부)

발 신 : 주 제네바 대사

제 목 : 그린룸 협의

    던켈 사무총장은 10.11(금) 오전 주요국 수석대표 그린룸 협의를 개최 예정임을 통보하여 왔는바, 동 회의 개최 목적은 UR 협상 전략 문제를 보다 구체적으로 설명키 위한 것이라고 함. 끝

    (대사 박수길-국장)

통상국   2차보   경기원   재무부   농수부   상공부

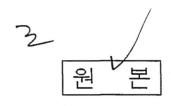

외 무 부

종 별 :

번 호 : AUW-0818   일 시 : 91 1010 1500

수 신 : 장 관(봉기)   사본 : 국제기에 바이 동부

발 신 : 주 호주 대사

제 목 : UR 농산물 협상

    1.주재국 BLEWETT 무역장관은 주재국 여,야사절단을 인솔, 주요 유럽국가 및 DUNKELGATT 사무총장 방문후 주재국 의회에 대한 보고서에서, 자신은 DUNKEL 총장에게 UR 협상에 있어 각국의 의견차이를 좁히기 위해 호주및 케언즈구룹은 최선을 다할것이나 너무 나도 큰 의견차이가 있다면 DUNKEL 사무총장이 TAKE-IT-OR-LEAVE-ITBASIS 에서 협상윤곽에 대한 합의도출을 위해 용기있는 문서를 작성, 제시할 필요가 있다고말하였다고 함.

    2.BLEWETT 장관은 또한 화란은 UR 협상의 돌파구가 곧 있을것이라는데 대해 낙관적인 태도이나 불란서는 아직도 어떠한 태도 변화에 거부반응을 보이고 있다고 말하고, DUNKEL 총장의 POSITION PAPER는 11월 중순경에 가능할 것이라고 하면서, 자신과 DUNKEL 총장은 앞으로 5-6주가 UR협상의 성.패를 좌우할것이라는데 대해 의견을 같이 하였다고 말함.

    3. 호주관리들은 이러한 호주의 TAKE-IT-OR-LEAVE-ITPOSITION이 UR 협상을 위태롭게 할지모른다는 태도를 보이고 있으나 BLEWETT장관은 어려한 DENKEL 총장의 단호한 입장만이 협상을 타결로 이끌수 있는 유일한 길이라고 믿고 있다고 함.끝.(대사 이창범- 국장)

통상국   2차보

외 무 부

종 별 :

번 호 : GVW-1982   일 시 : 91 1011 2100

수 신 : 장 관(봉기,경기원,재무부,농림수산부,청와대외교안보,경제수석)

발 신 : 주 제네바 대사   사본:주미대사,주이씨대사(중계필)

제 목 : UR/그린룸 협의회

    연: GVW-1951

    연호 GREEN ROOM 협의가 DUNKEL 총장 주재하에금 10.11(금) 10:00-11:45 개최된바 요지 아래 보고함.

    1. DUNKEL 총장은 먼저 지난 9.20 일 GREEN ROOM 협의에서 UR 협상을 성공키 위한 결정적인 계기를 마련키 위한 "명확한 전략(DEFINITE STATEGY)에 합의한바 있음을 전제하고 저간 동 전략과 관련하여 다소의 오해와 혼선이 있는 것같아 다시한번 명백히 하는 것이 필요하다고 강조하고, 동 전략의 요지를 아래와 같이 설명함.

    가. 10 월말 또는 11 월초는 UR 타결을 위한 가장 결정적인 시기로서 우리에게 "WINDOW OF OPPORTUNITY" 를 제공하고 있는바 우리는 모든분야(ALL NEGOTIATION AREA)에서 정치적 돌파구(POLITICAL BREAKTHROGH) 를 마련하여 11 월초에는 완전한 PACKAGE REV II 가 문서화 되어야 함.

    나. 작년 12 월 BRUSSEL 회의에서 통상장관들이 불과 5,6 일 동안에 모든 협상을 완료할려고 노력하다가 실패하였으나 그때에 비해서는 우리는 아직도 수주의 교섭기간이 있는 만큼 상대적으로 보다 유리한 국면에 있다고 보아야 함.

    다. REV 가 나오고 난후에도 협상을 최종적으로 마무리 짓기 위한 기술적인작업과 함께 MARKET ACCESS, INITIAL COMMTMENT 등 협의를 집중적으로 계속하여야 내년 초에 협상의 최종목표를 달성할 수 있을 것임.

    라. 늦더라도 11 월초까지 종합적인 협상초안(GLOBAL PACKAGE) 를 마련하지 못한다면 UR 의 타결은 불가능하므로 11 월은 협상 성패를 결정하는 최종시기가 아닐수 없음.

    마. REV II 가 구체적으로 어떤 내용을 포함한 것인지 어떤 형태를 취할 것인지는 현싯점에서 전혀 예측할 수 없으며 모든 결과는 전적으로 협상 그룹의장과 협상

통상국 중계	차관	2차보	분석관	청와대	청와대	경기원	재무부	농수부

일반문서로 재분류(1991. 12.31.)

91.10.12   06:46
외신 2과 통제관 BS
0040

참가자에 달려 있으므로 합의 문서를 제출하는 것은 각협상 그룹의장의 책임임.

바. 협상 그룹의장이 합의 초안을 만들수 없을 경우에는 CONSENSUS 가 있다고 생각하는 초안을 마련해야 할 것이나 그것도 못할 경우에는 TNC 에서 토의할 수 밖에 없으나 그것은 협상실패에 대한 RECIPE 일것임

2. 던켈총장은 또한 "NOTING IS AGREED UNTIL EVERYTHING IS AGREED" 을 되풀이 하면서 REV II 가 모든 분야를 방라하는 포괄적인 PACKAGE 가 되지 않을수 없음을 강조하고 모든 협상자는 앞으로 남은 수주간에 모든 카드를 내어놓고 합의에 도달함이 중요하다고 강조하면서 내주부터 각 그룹의장이 마련한 SCHEDULE 에 따라 모든 협상 그룹이 동시적으로 회의를 진행, 본격적인 협상을 추진, REV II 가 반듯이 나오도록 하겠다는 결의를 표명하고 각국의 지지를 호소함.

3. 이상의 전략 설명후 각국대표들은 동 전략에 대하여 원칙적인 면에서 찬의를 표시하였는바 특히 미국, EC 등도 REV 2 내용 여하에 따라 본국정부에 의한 수락여부는 단언할 수 없으나 전략 자체에 대해서는 지지함.

4. 한편 인도를 비롯한 일부 개도국들은 MARKET ACCESS 분야에서의 양자 및 다자협의의 결과가 중요함을 강조하면서도 DUNKEL 총장의 전략에 대해서는 지지를 표명함.

5. 한편 본직도 한국은 UR 협상 성공에 가장 큰 이해관계를 가진 나라이므로 DUNKEL 총장의 전략은 지지하나 협상의 성공을 위해서는 BRUSSEL 협상 실패의 교훈을 살려야 함을 강조하고 BRUSSEL 협상 실패의 중요 원인중의 하나가 협상 TEXT 에 수입국의 이해관계가 충분히 반영되지 않았던데 기인함을 지적, DUNKEL 총장은 REV II 가 FAIR 하고 EQUITABLE 한 내용이 되도록 최선의 노력을 다해야 할것임을 강조함. 또한 본직은 현지에서의 급속한 협상 TEMPO 에 비추어 아국의 입장이 공정히 반영되도록 하기 위하여 2,3 개의 민간, 국회, 정부사절단이 곧 제네바를 방문할 것임을 예고하고 총장의 적극적인 협조를 요청함.

6. 이상에 대하여 DUNKEL 총장은 REV II 가 어떤 내용이 될 것인지는 자기에게 달려있는 것이 아니고 각협상 그룹의장과 협상자의 책임임을 재삼 강조하였음을 참고로 첨언함.

7. 한편 DUNKEL 총장은 내주 BANGKOK 에서 열리는 IMF IBRD 년차 총회에 이례적으로 초청되어 동 회의에 참여하는 주요국 재무장관가 UR 타결문제에 대한 협의를 가질것이라 함. 끝

방콕에서 Dunkel
에서 받은 곳은 어떠리?

0041

(대사 박수길-차관)
예고:91.12.31. 까지

관리
번호 91-62

외 무 부

종 별 : b

번 호 : GVW-1968

일 시 : 91 1011 1600

수 신 : 장관(봉기) 사본:경제기획원, 재무부, 농수산부, 상공부, 청와대외교안보,

발 신 : 주제네바대사 경제수석, 주미, EC대사-본부중계필

제 목 : UR-GATT 사무차장 면담

김대사는 10.10(목) CARLISLE GATT 사무차장과 오찬을 갖고 농산물 분야에서의 우리의 어려움을 설명, 예외없는 관세화는 수용할수 없다는 입장을 강조하는 한편, UR 협상의 진전상황 및 향후 전망등에 대하여 의견을 교환한바, 동인 언급 요지 아래 보고함.

1. 예상되는 협상일정 및 전망

0 11월초까지 7개 협상 그룹 분야별로 예외없이 협상 그룹 의장 책임하에 모두 TEXT 가 제시될 것이며, 일부 분야별로는 상세한 내용을 포함하지 못하는 경우도 있을 것임.

0 TEXT 가 제시된 후 일주일 정도의 시간적 여유를 준후, TNC 회의를 소집할 가능성이 있으며, 각국으로부터 TEXT 에 대한 원칙적인 동의를 받게되면 12월 부터 3-4 개월 동안 실무적이고 기술적인 협의를 계속하여 협상을 완결하겠다는 부안임.

0 11월중 주요국의 동의를 획득, 협상을 성공적으로 끌어갈수 있을 것인지의 여부는 새로운 TEXT (특히 농산물) 내용에 달려 있으나, 그 확율은 50:50 이라고 보며, 더 솔직히 말한다면 50 퍼센트가 안될지도 모름(NO BETTER THAN 50 퍼센트)

0 TEXT 에 대한 동의를 받지 못하게 되는 경우 던켈 총장으로서는 더이상의협상 노력을 포기할수 밖에 없을 것이며, 그렇게 되는 경우 협상은 완전 실패로 종결되거나 1 년정도 중단(SUSPEND)될수 밖에 없을 것임.

2. 농산물

0 김대사는 한국 농업의 영세성, 후진성 등 농촌 실패와 특히 쌀문제가 갖는 경제적, 정치적, 문화적 차원에서의 어려움과 민감성을 설명, 예외없는 관세화는 수용할수 없다는 점을 분명히 하고, 특히 최근의 협상 분위기가 농산물 시장 접근 분야에서 예외없는 관세화 실현을 가시적인 성취 성과로 생각하고 추진하는 듯한 감을

통상국 농수부	장관 상공부	차관 중계	2차보	청와대	청와대	청와대	경기원	재무부

PAGE 1

91.10.12 05:27

외신 2과 통제관 CD

0043

주는바, 협상의 성공을 위해서는 전체적으로 균형되어야 하며, 주요 협상국이 안고 있는 결정적 어려움은 적절히 협상 결과에 반영되어야 할 것임을 강조함.

0 동 차장 언급 요지

- 한국 농업이 갖는 어려움을 알고 있으며, (실제로 농업인구 18 %, 농지 소유 1 헥타르 미만등 많은 사실을 알고 있었음), 특히 정치적으로 민감하고 어려움이 있다는 것을 알고 있음.

- TEXT 는 시장접근 분야 만이 아니라 수출 경쟁, 국내 보조 분야도 포함할것이며, 특히 수출 경쟁과 시장접근 분야가 거의 같은 비중으로 중요하고 국내보조 분야는 상대적으로 중요도가 낮음.(수출 경쟁 관련 전통적으로 호주의 밀시장이었던 뉴질랜드에 대해 최근 사우디가 호주와의 경쟁에서 이긴 사례를 설명하면서 이는 매우 쇼킹한 사건이며 도저히 수락될수 없는 것이라고 지적)

- 농업 TEXT 가 모든 분야에서 괄호(BRACKET)없이 숫자까지 제시하게 될것인지의 여부는 솔직히 현재로서는 던켈 의장 자신도 알지 못하며, 향후 2-3 주간의 협상결과를 두고 보아야 하는 것임. 그러나 브랏셀 회의시 제기된 PAPER 는 상당히 좋은 PAPER 라고 생각함.

- 특정 국가에 대한 특정 품목의 관세화 예외 인정은 상당히 어려울 것으로보며, 따라서 한국으로서도 무조건 수락을 거부하기 보다는 전체 협상의 테두리 내에서 융통성있게 대처하는 방안을 생각할 필요가 있을 것임.(김대사는 재차쌀에 대한 예외가 인정될 수 있도록 동 차장이 협조해 줄것을 요청)

- EC 내부에서는 최근 독일이 농업문제에 대한 입장을 변경, 불란서만이 고립된 상태임.(GVW-1962 로 보고한 10.10 자 F.T 보도 언급)

3. 개도국 분류 문제

0 보조금 상계관세 그룹에서 개도국을 국민소득 기준으로 분류하는 문제(현재 3,800 불을 상한으로 5 개 카데고리로 분류)는 최종적으로 TEXT 에 포함되지 않을 것으로 생각함(WILL NOT REMAIN)

0 그러나 한국을 비롯한 NICS 는 개도국으로 우대될수 없을 것임. (자동차,콤퓨터 수출등 지적), 따라서 한국은 농업분야에서만 정치, 경제적 어려움을 들어 개도국 우대를 주장함이 좋을 것이며, 실제로 한국이 주 TARGET 가 아니므로 농업분야에서는 그렇게 취급될수 있을 것으로 봄.

4. 보조금, 상계관세

O 규범 제정 분야중 가장 어려운 분야로서 어떤 국가를 어느정도까지 우대해 주어야 할 것인지의 기준 설정이 어려우며, 이는 농산물 분야 각종 보조 감축과도 유관하기 때문임.

5. 시장접근

O 현재 쟁점이 되고 있는 분야별 무세화 및 고관세 문제도 적절한 선에서 일부 TEXT 에 포함될 것임.

6. 반덤핑

O 현재 TEXT 가 없는 부분이나 개도국들이 주장하는 선에 만족할 만한 내용이 되지는 못하겠지만 반드시 TEXT 가 제시될 것임.

7. SAFE GUARD

O SELECTIVITY 문제등이 있으나 큰 어려움이 없다고 봄.

8. 써비스

O 가장 어려운 부문이 기본 통신의 MFN 일탈 문제이며, 노동력 이동 문제는회사의 최고 책임자와 단순 노무자를 상하로 볼때 적절한 중간선으로 결정될 것이며, 내주부터는 자신이 상당 부분 직접 관여하게 될것임.

O TEXT 가 제시되기 전 향후 2-3 주간의 협상이 매우 중요하므로 각 협상 그룹별로 고위수준에서 훌륭한 NEGOTIATOR 가 적극 참가함이 좋을 것임. 끝

(대사 박수길-장관)

예고 91.12.31. 까지

관리번호 91-678

발 신 전 보

WTH-1558   911014 1949 FO

번 호 : _____   종별 : 지급

수 신 : 주 태국 대사. 총영사

발 신 : 장 관 (통 기)

제 목 : Dunkel 갓트 사무총장 IMF 회의 참석

　　　주 제네바 대사의 보고에 의하면 Dunkel 갓트 사무총장은 귀지에서 10.15-17간

개최되는 IMF 연차 총회에 ~~아래와같이~~ 초청되어 주요국 재무장관과 UR 협상 타결

문제에 관한 협의를 가질 예정이라는 바, Dunkel 총장의 귀지 활동, 특히 UR 협상

관련 발언내용등을 상세히 파악, 보고바람.　　　　　　　　　　　끝.

　　　　　　　　　　　　　　　　　　(통상국장　김 용 규)

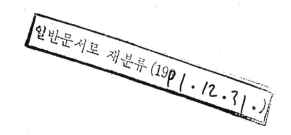
일반문서로 재분류(1991.12.31.)

		보 안 통 제	

앙고재	91년 10월 14일	통기과	기안자 성명 조현	과 장	심의관	국 장 전결	차 관	장 관	외신과통제

0046

외 무 부

종 별 :

번 호 : AUW-0832

수 신 : 장 관(봉기)

발 신 : 주 호주 대사

제 목 : UR 협상

일 시 : 91 1014 1600

1. 주재국 언론보도에 의하면 10.13 DENKEL GATT사무총장은 방콕에서 개최중인 IMF 총회연설을 통해 UR 협상 참가국가들이 농업, 서비스, 지적소유권, 섬유, 의류및 관세인하등 중요협상 분야에서 상존하는 커다란 의견차이를 좁히지 않는다면 세계 무역자유화를 위한 지금까지의 노력은 포기 될것이라 말하였다함.

2. DUNKEL 사무총장은 지난 금요일 제네바에서 주요 교역국 대표들을 초치, 이들에게 7개의 협상구릅이 11.1 까지 협상을 완료하여 합의서초안 (PACKAGE OF DRAFT GREEMENT)를 각국에 제출할수 있도록 하여야 한다고 말하고, 만일 협상을 봉한 합의도달에 실패 할시 각구룹별 의장이 합의서 초안을 작성, 각국에게 제시하여 이들 국가들이 동 초안을 수락하던지 거부하던지 하는 방안을 채택하게 될것이라고 말하였다 함.

3. 한편, 주재국 호크 수상은 금주 짐바브웨에서 개최되는 영연방정상회의 참석, 영연방소속 CAIRNS 구릅 정상들과 UR 협상문제를 협의할 예정이며, 영국및 카나다 수상과의 회담에서도 UR 문제를 집중적으로 토의할 예정이라고 함.끝.

　　　(대사 이창범-국장)

통상국　　2차보

91.10.14　　15:41 WG

외신 1과 통제관

0047

분류번호	보존기간

발 신 전 보

번   호 : WUS-4691   911015 1711 ED   종별 : 지급

WJA -4650   WGV -1397
WEC -0619   WCN -1277
WAU -0797
WFR-2179, WGE-1646
WTH-1573, WBR-0497

수   신 : 주   수신처 참조   대사. 총영사/

발   신 : 장 관 (통 기)

제   목 : UR 협상

연: 통기 20644-2266 (9.19)

본인서 동일 대3. 분개집

1. 최근 UR 협상은 던켈 갓트 사무총장(TNC 실무급 회의 의장)이 제의한 협상 전략에 따라 11월초까지 전 협상그룹을 망라한 종합적인 협상 초안(global package)을 제시하고 이후 동 초안을 기초로 금년내 정치적 결정 유도와 함께 기술적인 협상과 양허협상을 진행하여 명년초까지 협상을 타결한다는 목표하에 각 협상 그룹에서 집중적인 협상을 추진하고 있음.

일반문서로 재분유(19 91.12.31.)

2. 따라서 아국으로서는 11월초에 제시될 협상 초안에 아국의 핵심 이익을 반영하는 것이 현단계에서 가장 중요한 당면 과제로 보고 이를 위해 정부의 모든 협상력을 경주하고 있음. 특히, 농산물 분야 협상과 관련, 정부 고위급 협상대표 파견과 함께 국회 사절단, 농민단체 대표의 제네바 및 주요국 방문을 추진중에 있음.

3. 상기 정부의 노력과 금후 1개월간 협상의 중요성을 감안, 귀관에서도 UR 협상과 관련한 그간의 교섭 노력을 배가하여 아국 입장이 협상 초안에 최대한 반영될 수 있도록   교섭을 시행하고, 그 결과 및 관련 동향을 수시 보고바람.

4. UR 협상에 임하는 아국 입장을 재정리, 하기 통보하니 교섭에 참고바람.

    가. 한국은 UR 협상의 조기 성공적 타결을 강력히 지지하는 나라의 하나로서 최근 던켈 갓트 사무총장의 협상 추진 전략을 지지하며 동 이니셔티브가 성공적인 UR 협상 타결로 연결되기를 희망하고 있음.

보 안 통 제	

0048

1

나. 이와관련, 11월초 제시될 종합적인 협상 초안이 참가국에 의해 협상의 기초로 수락되기 위해서는 참가국의 이익을 공정하고 균형되게(fair and equitable) 반영한 내용이 되는 것이 매우 긴요함. 이는 협상의 조기 성공적 타결은 물론 협상 결과에 대한 대다수국의 참여 보장을 위해서도 필수적이므로 균형된 초안이 나오도록 주요국이 적극 노력해야할 것임.

다. 한국으로서는 최근의 국제수지 및 무역수지의 급격한 악화에도 불구, 확고한 무역자유화 정책 기조하에 시장접근(일부 상품 분야 무세화 포함), 서비스, 열대산품 분야에서 광범위한 양허를 제시하고 무역규범 분야에서도 다수 타결안을 제시해 온 바 있으며, 이러한 입장을 계속 견지할 것임.

라. 한국은 또한 농산물 분야에서도 15개 NTC 품목에 대한 수입제한 입장을 완화하여 관세화 원칙을 수용한 바 있으나 최근 제네바 협상에서 제시되고 있는 예외없는 관세화 원칙은 한국 입장에서 도저히 수용하기 어려운 제안임. 특히 쌀은 한국 농가 생산의 52%, 농가소득의 40-50%를 차지하고 있는 가장 중요한 핵심 농산물이며, 40% 이하의 주곡 자급도에 비추어 볼때에도 식량안보 면에서도 매우 긴요한 품목임. 이러한 여건하에서 관세화를 수용하여 쌀시장을 개방하는 것은 농가의 몰락을 초래할 것이며, 정치.사회적으로 건잡을 수 없는 사태에 직면하게 될 것임. 따라서 한국은 경제적인 이유에서는 물론 정치. 사회적으로도 쌀시장을 개방할 수 없는 매우 어려운 입장에 있음.

마. 여타 협상 쟁점등 농산물 협상 전반에 대한 한국 입장은 아래와 같으며 이에 대한 이해와 지지를 요청함.

1) 농산물 교역 왜곡의 가장 큰 원인은 수출보조로서, 수출보조 감축에 대한 합의가 우선적으로 이루어져야 함에도 불구하고, 미.EC간의 타결 지연을 이유로 동 문제 해결은 뒤로 미루고 가시적인 성과로서 예외없는 관세화를 추진하는 것은 농산물 협상 타결의 본질을 우회하는 것임.

2) 갓트 창설이후 수십년간 예외가 인정되어온 농산물 교역과 규범을 일거에 개혁코자 하는 것은 지나치게 야심적이며, 이로 인해 UR 협상 전체가 볼모로 되어 협상이 실패하는 것은 결코 바람직하지 않음. 갓트 다자간 협상과 무역자유화 노력이 금번 UR 협상으로 종료되는 것이 아니며 계속되는 과정임에 비추어 주요국이 현실적이고 적절한 수준에서 타협점을 찾는 것이 협상 타결의 가장 확실한 첩경임.

2

0049

3) 농업과 농산물 교역의 특수성과 비교역적 성격은 이미 인정된 것으로서
   공산품 교역이 과거 수십 년간의 갓트 협상을 통해서도 각종 무역장벽이
   철폐되지 않은 상황에서(특히 섬유교역은 금번 UR 협상을 통해서도 비관세
   장벽의 완전 철폐를 기대할 수 없는 상황임) 예외없는 농산물의 관세화는
   과도한 목표로서 공산품 협상과도 균형이 맞지 않는 것임. 따라서 일부
   식량안보 차원에서의 필수적인 기초식량에 대한 관세화 예외는 인정되어야
   하며, 11조 2항 C 규범의 개선을 통한 수입제한도 인정되어야 할 것임.

4) 한국의 대개도국 우대(Special and differential treatment) 수혜 문제와
   관련 한국 농업부문의 영세성, 취약성 및 후진성에 비추어 한국은 농산물
   순수입 개도국으로서 당연히 대개도국 우대의 수혜국으로 인정되어야
   할 것임.

5) 또한 한국은 대부분의 선진국과는 달리 그간 급속한 공업화 과정에서
   소홀하였던 농업부문의 구조 조정 작업을 이제 본격적으로 시작하는
   단계에 있으므로 이미 오래전부터 농업 구조 조정을 추진해온 선진국과
   동일한 수준의 감축 약속은 무리이며, 구조 조정에 필요한 장기간의
   보조감축 및 시장개방의 충분한 유예기간이 주어져야 될 것임.   끝.

                                        (장관) ~~이 상 옥~~

수신처 : 주 미, 일, 제네바, EC, 카나다, 호주 대사.

관리
번호 `91-691`

외 무 부

종 별 :

번 호 : FRW-2257   일 시 : 91 1015 1730

수 신 : 장관(봉기,경일,구일)

발 신 : 주 불 대사

제 목 : UR 협상 타개

1. DUNKEL GATT 사무총장은 물론 91.8 런던 G-7 정상회담 91.10 방북 LMP 총회등 국제무대에서 교착상태의 UR 협상 타개를 위한 국제노력이 확산되고 있는가운데, 최근 불란서가 EC 집행위의 협상 권한 확대에 묵시적으로 동의한것으로 알려지고 또한 독일이 EC 농업 보조금의 구체적 감축 지지 입장으로 선회하는등 EC 가 기본 입장에서 일련의 변화 조짐을 보이고 있어 주목됨.

2. 10.12 헤이그에서 개최된 EC 비공식 봉상 장관 회담후 EC 집행위측은 회원국으로부터 향후 UR 협상 정책 방향과 최종 협상 단계에서 보다 유연한 협상 권한을 부여 받았다고 주장 하였으며, 이는 GATT 사무국과 여타 주요 UR 협상국으로부터 본격적 협상 재개를 위한 청신호로 평가 받음.

3. 이에대해 불정부는 즉각 EC 집행위 발표 내용을 부인하고 90.11 브라셀 회담시의 기존 EC 입장만으로도 충분히 대미 협상을 재개할수 있다고 주장하였으나, 상기 봉상장관 회담에 참가한 STRAUSS-KAHN 불 봉상장관은 EC 집행위 협상 권한 확대에 명백한 반대 의사는 표명하지 않은것으로 알려짐.

4. 한편 불정부는 EC 농업 보조금 문제관련 강경 입장을 유지해온 독일이 10.12 EC 농업정책 고수보다는 UR 협상 타개 방향으로 자국 입장을 선회 한건에 대해 놀라움과 불신을 표명하는 한편, 일단 현 EC 농산물 가격 지원 체제 유지를위한 불란서의 기본 입장에는 변함이 없다고 언급함.

5. 불란서는 그간 농업 보조금 감축 문제관련, 자국에 대한 EC 집행위 및 여타 회원국의 압력을 배격하는 한편 집행위의 협상 권한 확대에도 완강히 반대해 왔으나, 금번 독일의 선회로 사실상 EC 내에서 고립된 입장(아일랜드만이 동조) 에 처하게 됨.

6. 한편 10.21 개최 예정인 EC 농업 장관회의에서 EC 의 UR 협상 입장이 보다

통상국 | 장관 | 차관 | 1차보 | 2차보 | 구주국 | 경제국 | 분석관 | 정와대
안기부

PAGE 1   91.10.16   06:13

외신 2과 통제관 DE

`0051`

심도있게 협의 결정될수 있을것으로 관측 되는 가운데, 불란서는 자국의 노력만으로 기존 EC 입장 고수가 어렵다고 판단될 경우,

　1) 현안중인 EC 공동 농업 정책의 개혁 방안이 타개될 내년이후로 UR 협상 연기를 시키거나

　2) 부득이한 경우, 피해 농민에 대한 직접 보상을 위한 장기 예산 지원제도(ENGAGEMENTS BUDGETAIRES CLAIRES SUR PLUSIEURS ANNEES) 를 전제로 자국 입장을 다소 완화할 가능성이 예상됨.

　7. 다만 최근 UR 협상 양보에 반대하는 대규모 농민 시위가 계속되고, 92 년 지방선거, 93 년 총선등 일련의 국내 정치 일정을 앞둔 불란서 정부로서는 기존 방침에서의 부분적인 양보라도 상당한 정치적 대가가 수반될 것이며 특히 금번 독일의 입장 선회로 자국의 협상 입지가 국내외적으로 더욱 약화될것으로 우려하고 있음. 끝

　(대사 노영찬- 국장)

　예고: 91.12.31 까지

26슈.표.02.이)(경기도.농수.제3.188)

관리번호 91-670

외 무 부

종 별 :

번 호 : JAW-5859   일 시 : 91 1016 2108

수 신 : 장 관(봉기)

발 신 : 주 일 대사(일경)

제 목 : UR 협상

대:WJA-4450, 4650

1. 당관 김하중 참사관은 10.16(수) 오후 주재국 외무성 경제국 하라구찌 심의관과 만나, 대호 설명하고 특히 4(마)항의 4, 5 항 관련 한국에 대해 당연히대개도국 우대 수혜가 주어져야 하며, 일본도 이에 유념하여 줄 것을 요청한바, 동 심의관은 잘 알겠다고 하였음.

2. 한편 동심의관이 설명한, 표제 관련 일본의 입장과 전망은 아래와 같음.

가. 농산물 협상 관련 일본 입장

1) 일본으로서는 농산물 문제 관련, 어떤 경우에든 완전 관세화를 받아 들이기가 어려운 상황임. 즉, 관세안을 받아들일 경우에는 "식량관리법"을 개정해야 하는바, 이경우 자민당이 다수인 중의원에서는 동 개정안이 통과된다 하더라도, 야당이 다수인 참의원에서는 통과될 가능성이 없음.

2) 따라서 일본으로서는 관세화 문제에 관해 정부가 정치적 결단을 한다고 하더라도 국내적으로 실행을 할 수 없는 사정이기 때문에, 오히려 지키지도 못할약속을 해서 후에 국제적 신의를 잃는 일은 할 수 없기 때문임.

3) 물론 일부 인사가 얘기하는 것처럼 미니멈 억세스 방안을 생각해 볼 수는 있지만, 지난 6 월 카이후 수상이 방미하기 직전에 미국의 농무장관이 곤도 농림수산 대신에게 편지를 보내 미국은 완전한 관세화를 원하며 미니멈 억세스 방안은 받아들일 수 없다고 전해옴에 따라, 동문제는 생각할 수 없게 되었으며, 결과적으로 다른 대안이 없는 상황임.

나. 전망

1) 현재 상황으로 보아서는 11 월초의 던켈 초안에는 예외없는 관세화 안이포함될 가능성이 매우 높은 것으로 판단됨.

통상국 장관 차관 1차보 2차보 아주국 경제국 외정실 청와대
안기부

PAGE 1   91.10.16   23:01

외신 2과 통제관 FI

0053

2) 그러나 협상 타결의 관건은 미국과 EC 에 있다고 생각되며, 최근 독일이다소 전향적인 자세를 보이고 있기는 하나, EC 가 수출 보조금에 관해 대폭 양보하기가 어려울 것으로 보이기 때문에, 이 경우 미국이 과연 이를 받아들일지가궁금함.

3) 특히 미국은 초안의 내용이 만족할 만한 것이 아닐 경우에는 93 년까지 연장된 FAST TRACK 을 고려, 협상의 종결을 서두를 필요가 없다고 생각할 지도 모르며, 그럴 경우 협상이 다소 연장될 가능성도 없지 않다고 생각함.

다. UR 협상 전망

1) 작년 11 월의 브랏셀 회의시에도 농산물 협상 문제 때문에 UR 이 결렬 되었음에 비추어, 금번에도 농산물 문제에 관하여 타협점을 찾지 못할 경우 UR 자체가 다시 연장될 가능서도 있다고 생각함.

2) 또한 농산물 문제가 타결된다 하더라도 전반적 상황으로 보아 내년 2 월까지는 협상이 계속될 것으로 예상됨.

라. 일본의 대처방향

1) 일본으로서는 현재 대안이 없는 상황이기 때문에, 완전 관세화안이 채택되었을 경우 어떻게 대응할지에 관해 전혀 생각치 못하고 있는 상황임.

2) 최근 던켈 사무총장등을 설득하기 위해 "콘도"농림수산 대신이나 의회의관련 의원들이 제네바에 가서 활동을 하고 있으나, 일본측의 요청이 받아 들여질 가능성은 적다고 생각함.

3) 그러나 상기 "나(3)"에서와 같이 미국과 EC 가 대립하게 될 경우, 농산물 협상이 다시 결렬될 가능성이 있으며, 그럴 경우 미국은 어떤 구실을 찾으려고 할 가능성이 많은바, 일본은 작년과 같이 일본 때문에 UR 이 결렬되었다는 비판을 받지 않기 위해 금번에는 끝까지 어떠한 협상에도 진지하게 응할 생각임.

4) 개인적인 견해이지만, 완전관세화에 반대하는 국가(한국, 일본, 카나다,카나다는 쾌백문제 때문에 완전 관세화 반대중)들은 만일의 경우 공연한 희생양이 되지 않도록 하기 위해 협상과정에서 상당히 신경을 써야 할 것으로 생각함.끝.

(대사 오재희-국장)

예고:91.12.31. 까지

관리
번호 *91-671*

외 무 부

원 본

종 별 :

번 호 : FRW-2267

일 시 : 91 1016 1730

수 신 : 장관(통기)

발 신 : 주 불 대사

제 목 : UR 협상

대:WFR-2178

1. EC 집행위에 대한 UR 협상권한 부여여부 관련, 주재국 외무성 및 경제 재무성 관계관으로 부터 확인 내용 아래 보고함.

가. 10.11-12 헤이그 개최 통상장관 비공식 회담에서는 전례에 따라 시장접근, 서비스교역등 현안사항 전반에 걸친 협의가 있었으나 EC 집행위에 새로운 협상 권한을 부여하는 결정을 내린바는 없음.

나. 또한 동 모임이 공식회담이 아닌 비공식협의인 점에 비추어 일부 언론보도와 같이 구체적인 사안에 대해 결정을 내릴 성격도 아니었음.

다. EC 의 협상 기본입장은 상금 변함이 없으며, UR 협상의 GLOBAL 성격에 비추어 협상 상대국의 BALANCED CONCESSION 없이 현단계에서 독자적인 추가양보와 EC 집행위 추가 협상권한 부여는 수락키 어려움.

2. 금번 회담에서는 상기와 같은 불정부의 부인에도 불구하고 EC 집행위에 대한 협상권한 부여문제가 어느정도 협의된 것으로 예상되며, 향후 동건을 위요한 불정부와 EC 집행위간 마찰이 계속될 것으로 보임. 끝.

(대사 노영찬-국장)

예고:91.12.31. 까지

일반문서로 재분류(1991.12.31.)

통상국   차관   2차보   구주국   외정실   분석관   청와대   안기부

PAGE 1

91.10.17   05:58

외신 2과 통제관 CF

0055

62 우루과이라운드 협상 동향 및 무역협상위원회 회의 2

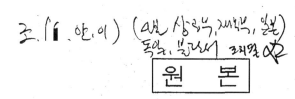

조.16 안.이) (사본 상공부,재무부, 울번)
독어. 번거서 재명 ??

원 본

판리 번호	91-625

외 무 부

종 별 : 지 급

번 호 : ECW-0815   일 시 : 91 1016 2330

수 신 : 장 관(봉기,경기원,농림수산부) 사본: 주미,제네바대사-중계필

발 신 : 주 EC 대사

제 목 : UR 협상

대: WEC-0619, 0628

일반문서로 재분류 (1991 .12. 31 .)

1. 대호, 본직은 10.16. EC 집행위 대외총국 HUGO PAEMEN UR 담당 부총국장 (EC 측 UR 협상 실무 총책임자) 를 약 1 시간 가량 면담, UR 협상과 관련 의견을 교환하였는바 주요 요지 아래 보고함

가. 관세화문제

0 본직은 11 월초 제시될 DUNKEL 총장의 종합적인 협상초안이 협상 참가국의 이익을 공정하고 균형되게 반영될수 있도록 협상 주요국인 EC 가 영향력을 발휘해야 함을 강조하고, 오래전부터 농업구조조정을 추진해온 선진국과는 아국의 현실이 현격히 차이가 있음에 따라, 우리에게 보조감축 및 시장개방에 충분한 유예기간이 주어져야 함을 설명함

0 또한 본직은 공산품 보다 훨씬 복잡한 농산물 자유화문제를 금번 UR 협상을 통해 한꺼번에 해결할수는 없는 것임에 따라 각국의 사정을 고려한 예외는 인정되어야 하며, 이러한 관점에서 한국으로서는 쌀에 대한 예외인정이 필요함을 강조함

0 이에대해 PAEMEN 부총국장은 쌀에 대한 한국의 SENSITIVE 한 입장은 잘 알고 있으나, 한 품목이라도 예외를 인정할 경우, 예외 품목수의 제한이 불가능하여 관세화의 실효성이 확보될수 없는 점을 고려할 때, 관세화의 예외는 인정할수 없다고 언급함. 동 부총국장은 이어, 관세화가 보호조치의 철폐를 의미하는것이 아니고 관세를 통한 재보호조치를 의미함으로 자국 시장보호를 위해 필요한 만큼의 관세설정은 가능하다는 입장을 표명함

나. UR 협상 전망

0 본직이 연내 UR 협상타결 가능성에 대한 EC 측 입장을 문의한바, 동 부총국장은 금년말까지 UR 타결이 안될 경우, UR 은 실패할 것 (THERE WILL BE NO ROUND) 이며,

통상국 안기부	장관 경기원	차관 중계	1차보 농수부	2차보 농석산	구주국	경제국	외정실	청와대

PAGE 1   91.10.17 08:50

외신 2과 통제관 BS

0056

이를 모든 협상국들이 잘 알고 있음에 따라, 연내 UR 협상이 성공적으로 타결될 것으로 전망한다고 언급함

다. CAP 개혁문제

O PAEMEN 부총국장은 내주 개최예정인 농업장관 이사회에서 특별 농업장관 이사회 개최일자가 결정될 것이라면서, 동 특별이사회에서 CAP 개혁과 UR 농산물 협상에 대한 기본적인 GUIDELINE 이 도출될 것이며, 이를 기초로 EC 는 UR 협상에 임하게 될 것이라 함

O 동 부총국장은 CAP 개혁과 UR 협상은 함께 추진될 것이나 (IN PARARELL), UR 협상전에 CAP 개혁에 대한 회원국의 합의가 있어야 한다면서 CAP 개혁내용의 구체적인 시행에는 앞으로도 몇년간의 기간이 필요할 것이라고 언급함

O 본직이 UR 농산물 협상에 있어서의 EC 측 입장의 FLEXIBILITY 의 구체적 내용을 문의한바, 동 부총국장은 현재 집행위로서는 융통성 있는 입장을 갖고 있으나, 구체적인 내용은 특별이사회에서 협의후에나 알려줄수 있다면서, EC 입장의 융통성 정도는 미국등 타협대상국의 FLEXIBILITY 여부에 상당히 좌우될 것이라고 언급함

O 또한 EC 가 농산물 문제에 있어 전향적인 입장을 취함에 따라, 미국도 써비스 분야등 기타분야에서 보다 타협적인 입장을 보여야 할것이며 이러한 미국의 융통성이 금번 UR 협상의 성패를 좌우할 것이라고 언급함

O 동 부총국장은 최근 언론에 보도된바와 같이 독일이 농산물문제에 있어 입장변화를 시사하고 있고 불란서도 역시 동 문제와 관련한 어려운 점을 잘 인식하고 있음에따라 EC 회원국간 CAP 개혁 및 UR 협상에 대한 기본 GUIDELINE 도출에 대한 이견조정을 낙관적으로 전망함

2. EC 의 UR 농산물관련 기본 GUIDELINE 은 특별 농업장관이사회를 통해 결정될 것으로 사료되는바, 동 회의 개최일정및 관련동향도 계속 추보예정임

3. 본직은 10.18(금) 오전중 EC 집행위 대외총국 GIOLA 지역담당 부총국장과 면담, 대호 UR 협상에 따른 아측입장을 설명하고 협조를 요청할 계획이며, 당관 관계관들도 EC 집행위 관계담당관과 체계적으로 접촉, 아측 입장을 적극 설명 할 계획임. 끝

(대사 권동만-차관)

예고: 91.12.31. 까지

PAGE 2

0057

종 별 :

번 호 : USW-5071   일 시 : 91 1016 1936

수 신 : 장 관 (봉기,봉삼,봉이,농림수산부)

발 신 : 주 미 대사

제 목 : UR 관련 동향

    1. JOURNAL OF COMMERCE 와 FINANCIAL TIMES 지는 9.15자 및 9.16자 기사에서 독일 정부가 EC 농산물정책과 관련 그간의 강경입장에서 후퇴하여 보조금의 대폭 삭감을 지지하는 방향으로 정책변경을 하였다고 보도하였는바, 동 기사 요지 하기보고함. (기사전문은 별첨 FAX 송부함)

    - 독일의 JURGEN MOLLEMANN 경제장관은 지난주말 네델란드 헤이그에서 개최된 EC 통상장관 회의에서 독일이 작년 12월 UR협상 결렬에 책임이 있음을 언급하는 한편, 기존 EC 의 농산물 보조금 정책의 변경 필요성, 즉 EC 농산물 보조금의 대폭 삭감필요성을 인정하는 취지의 발언을 함.

    - 독일은 그간 프랑스, 아일랜드와 함께 농산물 보조금 삭감에 반대해 왔으며, 공동 농업정책 (CAP) 개혁을 둘러싸고 영국, 네덜란드, 덴마크등 EC 내 자유주의 그룹과 대립해왔음에 비추어, 금번 독일의 정책 선회는 독일.프랑스간 밀월관계의 종식을 의미함과 동시에 EC 내 프랑스와 아일랜드의 입지를 약화시키고, 미국과 CAIRNS 그룹과의 협상시 EC협상 대표들에게 보다 많은 융통성을 주며 UR협상 타결을 촉진시키는 하나의 계기로 평가됨.

    - EC 농산물 보조금 철폐는 동구권의 농산물가격의 경쟁력 제고와 경화 (HARD CURRENCY)획득을 용이하게 하여 독일이 이들 국가에 대해가지는 부담을 상대적으로 경감시키는 파생적 효과를 가질 것으로 전망됨.

    - 한편, 미측 관리들은 독일정부의 금번 정책선회에 매우 고무적인 반응을 보이는 한편, EC협상 실무자와 마찬가지로 동 정책 선회가 어떤제안으로 구체화될지 지켜보겠다는 반응을 보임. 워싱턴의 일부 회의론자들은 상기 독일의 정책선회가 일종의 덫 (TRAP) 으로 실제 제안은 보도내용에 훨씬 못미치는 것이 될수 있다고 추측함.

통상국   2차보   통상국   통상국   농수부

PAGE 1   91.10.17   10:01 WG

                                       외신 1과 통제관

0058

- 아일랜드의 DES O'MALLEY 통상장관은 독일의 정책 선회에 심각한 우려를 표하며 독일이 너무 성급하게 협상 타결을 서두른다는 취지로 언급함.

2. 상기 독일의 정책 선회와 관련 당지 반응은 파악되는 대로 추보 위계임.

첨부: USW(F)-4340(3 매).끝.

(대사 현홍주-국장)

German Concession on GATT May Not Resolve Subsidy Issue

By BRUCE BARNARD
Journal of Commerce Staff

BRUSSELS, Belgium — The stalled negotiations on a more liberal world trading system are up and running again.

Germany, accepting its responsibilities as the world's largest exporter, provided the impetus last week by accepting the need for deep cuts in farm subsidies within the European Community.

This issue has dogged five years of talks in the Uruguay Round of the General Agreement on Tariffs and Trade, jeopardizing success in many other sectors from textiles to services.

"There has to be a change in the EC's position in agriculture, including export subsidies," Jurgen Molleman, the German economics minister, told EC trade ministers in the Hague over the weekend.

A contrite Mr. Molleman confessed Germany was to blame for the collapse of the Uruguay Round last December because it refused to support an improved EC offer on farm subsidies.

Germany's about-face was a long time coming, but it has radically shifted the balance between the liberal and protectionist camps in the EC.

Until last week, the EC Commission, which negotiates on behalf of the 12 member states, was in a strait jacket, as Germany, France and Ireland wielded sufficient votes to block any meaningful concessions.

The rupture of the Bonn-Paris axis has given EC negotiators more flexibility to cut a deal with the United States and the 14-member Cairns group of agriculture exporting nations that have demanded steep cuts in EC farm subsidies.

Yet Germany's shift hasn't erased the doubts of trade negotiators. "We will have to analyze whether (Germany's statement) is just words," said a Dutch official at the GATT in Geneva.

Others question whether Germany's move has come too late and if it will enable the EC to satisfy demands of the United States and the Cairns nations.

U.S. officials have been highly encouraged by the German statement but stress that they want to see how it translates into an improved EC offer. There is some skepticism in Washington that the German move is a "trap" and that forthcoming offers will be far less substantive than advertised.

To be sure, a huge gap still divides the two sides. The United States and its allies have been pounding the table for cuts in subsidies of between 75% and 90% while the EC has stuck to its original offer of 30% spread over 10 years, with 1986 as the base year.

Yet negotiators at the failed ministerial meeting here last December were moving within sight of an agreement. The commission finally accepted the need for "specific binding commitments" on reducing internal farm subsidies, import protection and export subsidies.

"It was an opening" to a deal, according to Mats Hellstrom, then Swedish farm minister who chaired the agriculture negotiating group in the Uruguay Round.

But the embryonic agreement fell apart at the last minute because EC trade and farm ministers, notably from Germany, France and Ireland, reined in the commission negotiators.

Mr. Hellstrom, however, says a key problem was the lack of communication between the commission and EC member states.

With the once-powerful Franco-German alliance in tatters, the EC negotiators can return to the table with more "elbow room" in the words of Frans Andriessen, the EC's external relations commissioner.

The negotiators will be freed from political pressure from EC ministers.

"The last thing we need is a new (negotiating) mandate," said Hugo Paeman, the EC's chief negotiator at GATT.

Germany's sharp turn around at the Hague left France and Ireland reeling.

Des O'Malley, Ireland's trade minister, expressed "grave concern" that the Germans are "very anxious that an agreement be reached very quickly, irrespective of what the costs may be."

Dominique Strauss-Kahn, France's foreign trade minister, said Paris was ready to let the commission negotiate separately on the three areas of farm support: internal subsidies, market access and export subsidies.

Until now France, backed by Germany, has insisted that the EC should negotiate a "global" farm agreement that would allow it to share out the cuts between the three areas of support.

Louis Mermaz, France's farm minister, still stuck to the "global" approach when he addressed the French Senate last Friday, but he admitted Paris was in a weak position and unable to offer counter-proposals.

JOC 10/16/71 0060

German move lifts Gatt talks

By David Dodwell, World Trade Editor, In London

THE STALLED talks on the reform of world trade were revitalised at the weekend following a reversal of German policy on agricultural prices by Chancellor Helmut Kohl.

European Community trade ministers meeting in The Hague learned that Mr Kohl had told his cabinet that it would be "a catastrophe" if the Uruguay round of the General Agreement on Tariffs and Trade, now nearing its conclusion, did not succeed.

Ministers left the two-day meeting saying they were confident of "reaching substantial results" in the Gatt Uruguay round by the end of the year.

Mr Frans Andriessen, vice-chairman of the EC Commission, said he was confident that he had won the elbow room his staff needed to negotiate on the Community's behalf.

Mr Kohl's decision to support trade reformers pressing for reductions in the EC's costly agriculture subsidy system comes after a protracted debate inside the German cabinet. This is key, of Germany's

most sensitive political subjects and the farming lobby has forced the government to tread warily on reform.

The shift in German's position was reported to the trade ministers by Mr Jürgen Möllemann, the German economics minister.

"There has to be a change on the EC's position in agriculture, including export subsidies," he said, indicating that Germany had broken with its previous insistence that farm price supports remain high.

The Uruguay round of Gatt collapsed last December when the EC refused to accept proposed cuts in its extensive agricultural subsidies programme, which cost European taxpayers $75bn ($128bn) last year.

The US and the 14-member Cairns Group of agriculture exporting nations demanded cuts in EC farm subsidies of between 75 per cent and 90 per cent. The EC was only willing to offer cuts of 30 per cent, using 1986 as the base year for calculation.

The German shift has led-

lated French and Irish officials, whose governments sought German support in limiting cuts in farm subsidy spending. They can be expected to lobby hard in defence of farm subsidies at an EC agriculture ministers meeting planned next week.

Germany's move provides fresh evidence of a rift in the Bonn-Paris axis which would need to be intact if the French are to remain confident of successfully limiting subsidy cuts.

While French officials cancelled plans for a press briefing at the end of the two-day trade ministers' meeting, Mr Des O'Malley, Ireland's trade minister, expressed "grave concern" at developments. "The Germans were very anxious that an agreement be reached very quickly, irrespective of what the costs may be".

He added: "They are far more emphatic than they were in the past in abandoning agriculture pretty well in its entirety." At an official briefing at the end of the meeting, Mr Yvonne van Rooij, Dutch

trade minister, claimed it had been successful in reconciling internal differences on the EC's negotiating position in the world trade talks, but she gave few details.

"The ministers were of the opinion that we really have entered the final stage of negotiations and all delegations reaffirmed the objective of reaching substantial results by the end of this year," she said.

On agriculture in particular, she said the EC Commission had "enough indications to be able to conduct further negotiations in a constructive manner".

A "sense of urgency" was apparent at the meeting, she said - a clear riposte to Mrs Carla Hills, the US trade representative, who said in Kuala Lumpur last week that the EC must show the political will to move the stalled talks forward.

Last Friday Mr Arthur Dunkel, Gatt director general, warned trade negotiators that they had to finish their work by November 1. "If agreement

was not reached by then, draft texts would be prepared by chairmen of the negotiating groups and put to governments to take or leave."

Implicitly, his message was that if the main trading powers did not now move to bridge the remaining gaps on critical issues such as farm trade, services, intellectual property rights, textiles and clothing and tariff cuts, the most ambitious effort ever made to liberalise world trade would have to be abandoned.

Mr Andriessen said after the trade ministers' meeting that his staff needed continuous policy guidance, and "a certain margin of flexibility". If it was to negotiate on the community's behalf.

"Both of these have been given, which confirms me in my conviction that as far as the EC is concerned, we will be able to make the goal we have set ourselves of a positive and satisfactory conclusion by the end of the year," he said.

The EC's impending "climb down" will be ritually savaged by EC farm ministers when they gather in Luxembourg next Monday. With farmers on the rampage in France, Belgium, Germany and the Netherlands in recent weeks they have little choice.

But the farm ministers aren't calling the shots in the Uruguay Round negotiations. That power resides with the EC's foreign ministers supported by their trade counterparts, Yvonne van Rooy, the Netherlands foreign trade minister, stressed after the Hague meeting.

And with Germany firmly in the liberal camp along with Britain, Denmark and the Netherlands, France is marginalized.

The "waverers" like Italy, Greece and Spain, are mainly concerned that their small family farms don't lose out in any deal the EC cuts in the Round.

France and Ireland are bowing to the inevitable, though their agriculture ministries continue to play to the farm gallery. Both countries, however, stand to gain from the EC commission's plans to reform the Common Agricultural Policy at the expense of Britain, Denmark and the Netherlands.

France also is well aware that the payoff to its burgeoning services industries from a successful Uruguay Round far outweigh the benefits of protecting its inefficient marginal farmers. Moreover, its large, efficient cereals producers in the Paris Basin can compete in international markets without subsidies.

Bonn, too, knows its small farmers will gain from the reform of the CAP that will compensate for any short term losses from lower subsidies.

The elimination of trade-distorting subsidies has the added attraction that it will lighten Bonn's Eastern European burden by enabling the fledgling market economies to sell their competitively priced farm produce in hard currency world markets.

2/2

4340-2

관리
번호 91-616

외 무 부

종 별 :

번 호 : GVW-2024

일 시 : 91 1016 2000

수 신 : 장관(봉기, 경기원, 재무부, 농림수산부, 상공부, 청와대외교안보, 경제수석)

발 신 : 주 제네바 대사   사본:주미,주이씨,주일 대사중계필)

제 목 : UR 협상

일반문서로 재분류(198 1 . 12 . 31 .)

1. 본직은 최근 일본, 미국, 스웨덴, EC, 호주등 대사와의 오, 만찬등 기회를 통한 협의를 기초로 최근 활발한 움직임을 보이고 있는 UR 협상 관련 동향 및당관 대책을 아래 보고함.

가. DUNKEL 총장이 제시한 협상 전략에 따르면 아래 세가지 시나리오가 가능함.

1) 10 월 말까지 각 협상 그룹의장이 제출할 TEXT 에 따라 전 협상 분야에 걸친 AD REFERENCUM TEXT 작성(이경우 각국 정부는 TAKE IT OR LEAVE IT 의 결정을 요청 받을 가능성)

2) 각 협상 그룹의장이 제출한 TEXT 가 대부분의 주요 문제를 포함하나 그래도 소수의 중요 미결문제가 남을 경우(이경우에는 DUNKEL 총장이 TEXT 를 보완하거나 또는 불완전한 REV 2 가 나온후 부터 약 1,2 주간 실질적 협상 가능성)

3) 주요 현안 문제에 대한 합의 부재로 각 협상 그룹 의장이 TEXT 를 마련치 못하거나 일부분야에서만 TEXT 를 마련하되 DUNKEL 총장이 보완 TEXT 를 만들지 않을 경우(이경우에는 시간적인 제약면에서 UR 실패의 가능성이 현저해짐)

상기 시나리오 1 은 UR 협상 종결의 면에서 최선의 경우로서 각국 수도에서는 PACKAGE 전체로서의 수락여부를 결정해야 할것이며, REV 2 이후의 협상은 쌍무적인 MARKET ACCESS 와 서비스에서의 INITIAL COMMITMENT 에만 국한하게됨. 시나리오 2 에서는 REV 2 이후부터 잔여 현안문제에 대한 실질적인 협상 여지가 있을수 있으며(11 월중), 시나리오 3 에서는 UR 의 실패 내지 93 년으로의 천연이 가능해질 것임.

나. 이상의 대안중 시나리오 1,2 의 가능성이 많다고 평가되는 이유는 아래사항에 기인함.

1) 미국, EC 의 타협 움직임이 현저해지고 있는점 (EC 는 CLEAN TARIFFICATION 을 받되 농업 보조 삭감 기간, 범위등에 관해서도 구체적으로 협의: 당지 TRAN 대사는 EC

통상국 정와대	장관	차관 안기부	1차보 경기원	2차보 재무부	구주국 상공부	경제국 중계	외정실	청와대
	■							

PAGE 1

로서는 CLEAN TARIFFICATION 을 수락치 않을수 없다고 말하고 농업 보조 삭감에 관해서는 7 년 30 % 선에서 타결 전망이 있다고 시사, 미국은 현싯점에서 EC 에 대하여 국내 보조 삭감문제 보다 수출 보조 삭감, 시장접근에서의 CLEAN TARRIFICATION 수락에 역점을 두고 설득)

2) 던켈 총장이 실질적으로 그의 명예와 직을 건 약속(COMMITMENT)과 그의 공약을 원하던 원치않던 그대로 받아들이는 협상 대표들의 태도(어느대표도 그의적극적인 전략에 반대치 않음)

3) EC 중 독일이 미국과 독일내 산업 LOBBY 의 강력한 압력을 받아 농업 보조에 대한 입장을 바꿈으로서 EC 내 독일-불란서-아일랜드 유대가 와해되고 불란서가 고립되고 있다는 점(EC 봉상장관회의에서의 MOLLENMANN 경제상의 보곡)

4) 브라질 인도등이 국내적인 경제 정책의 획기적인 변화로 UR 협상 전반에걸쳐 보다 적극적인 입장을 시현하기 시작한점(특히 인도는 TRIPS, TRIMS, 서비스 등 분야에서 상당히 유연한 입장을 선회, 인도는 IMF 27 억불 차관 제공 조건으로 각종 규제 조치 완화, 수입개방등 IMF, WB 등으로 부터 많은 압력을 받고있는 것으로 알려짐)

5) 일본은 CLEAN TARIFFICATION 은 국내적으로 DELIVER 할수 없는 상황이기때문에 (특히 UR 협정의 시행에는 하원, 상원의 동의를 받아야 하나 상원의 야당지배 사실등)이에 완강히 반대하고 있으나, EC, 미국이 타협할 경우 일본은 양보하지(CAVE IN) 않을수 없다고 관측(TRAN 대사등)

6) 많은 개도국들도 협상의 MOMENTUM 을 그대로 받아 들이면서 전봉분야에서 최대한의 양보를 받아 내기 위해서 최선을 다하고 있다는 점.

,, 이하 GVW-2026 으로 계속됨

PAGE 2

외 무 부

종 별 :

번 호 : GVW-2026   일 시 : 91 1016 2000

수 신 : 장관(봉기, 경기원, 재무부, 농림수산부, 상공부, 청와대외교안보, 경제수석)

발 신 : 주 제네바 대사 사본:주미, 주일, 주이씨대사중계필

제 목 : UR 협상

　　2. 본직은 또한 10.15(화) 일본대사와 별도로 회동, 한, 일 양국이 예외없는 TARIFFICATION 을 받아들일 수 없다는 점을 재확인하고 공동 전략 가능성등에 대하여 협의하였으나, 일본의 동요 가능성 및 아국의 농업 개도국 자격으로 인한 우대 가능성등에 비추어 너무 밀착된 입장을 가지는 것도 바람직하지 못하다는데 의결을 같이함. 다른 한편 일본은 현 상원의 구조 및 내년 선거에도 불구하고 상원이 계속 야당에 의하여 지배될 전망이 크다는 점등에 비추어 DELIVER 할수 없는 TARIFFICATION 을 강요당한다면 이는 극히 불행스러운 결과가 된다고 전망함.

　　또한 최근 종래 입장을 같이 하던 일부 북구제국도 NTC 반영을 국내보조면에서 보장 받는 대신 TARIFFICATION 원칙을 수락하는 태도 변화의 조짐을 보이고있음에 비추어 한, 일 양국이 다함께 더욱 어려운 입장에 처하게 된 점에 대하여 우려를 같이함.(일본대사는 자기언급 내용을 자기에게 ATTRIBUTE 하지 말기를특히 당부함)

　　3. 이상에 비추어 당관에서는 아래사항에 역점을 두면서 마지막 협상에 임하고 있음.

　　가. 유력 CAIRNS 그룹 국가(호주, 카나다, 알젠틴등) 및 미국대표, 또 아국과 입장을 어느정도 같이하는 수입국(멕시코, 이스라엘), 인도등과 아국의 농업 문제점을 설명하고 예외없는 TARIFFICATION 은 아국으로 하여금 UR 결과에 참여치 못하게 하는 결과를 초래한다는 점을 강조

　　나. 일부 기초 식량의 관세화 예외에 추가하여, 국내 구조조정을 위한 국내보조 인정, 장기간의 이행기간 허용등 농업분야에서의 개도국 우대가 반영되어야한다는 점을 강조

　　다. 금주에 개최되는 마지막 농업 협상 그룹에서도 아국의 입장을 재삼 단호하게 표명하고 정부의 확고한 결의에 언급

통상국 정와대	장관	차관 안기부	1차보 경기원	2차보 재무부	구주국 상공부	경제국 중계	외정실	청와대

PAGE 1

91.10.17　07:30

외신 2과 통제관 BD

0065

라. DUNKEL 사무총장(국회사절단, 농협회장 면담 기회등 활용) 및 기타 사무국 간부들과도 빈번한 접촉을 통해 아국 농업의 특수성을 강조하고 수출국, 수입국의 이익이 균형되게 반영되는 방향으로 REV 2 가 나오도록 강력 당부

마. 국회 사절단 제네바 방문 기회를 최대한 활용 및 각국 주요 대사들과 오. 만찬등 기회를 이용, 아국입장 설명 및 이해 촉구

바. 기타 협상 분야에도 적극 참여 아국 입장관철에 최대 노력

4. 이상과 같이 당지에서 최선의 노력을 경주하고 있으나, 협상이 마무리 단계에 와 있는 현시점에서 우리 농업의 어려움을 이해하고 있는 던켈 총장으로서도, 협상당사자가 아니라는점 및 협상그룹의장 이라는 직무 수행상의 한계가 있음을 감안할때, 미국 및 CAIRNS 그룹 국가들의 수도에서의 우리입장에 대한 이해 획득도 또한 필요할 것으로 사료됨. 끝   (카.호, NZ.브.캐)

(대사 박수길-장관)

예고:91.12.31. 까지

PAGE 2

0066

분류번호	보존기간

발 신 전 보

번 호 : WGV-1421   911017 1841 FN
종별 : 긴급

수 신 : 주 제네바 대사·총영사 (오행겸 참사관)

발 신 : 장 관 (최혁 통상국 심의관)

제 목 : UR 협상

———

11월초에 나올 global package(또는 draft agreed texts)의 성격과 동 문서 제시 이후의 UR 협상 추진 전망에 대해 아래와 같이 의문이 제기되어 문의드리니 명 10.18 09:00(서울시간)까지 회신바람.

1. 10.31까지 각 협상그룹이 제출할 text를 기초로 던켈 총장이 ad referendum basis로 global package를 내놓을 것이고, 참가국들은 이에대해 take or leave it의 선택만을 요구받을 것이라는 ~~최근 귀지 각료에서 거론되고 있는~~ 시나리오에 대해 아래와 같은 의문을 갖게됨.

   가. 흔히 agreement on ad referendum basis는 협상을 거쳐 합의된 문안에 대해 본국 정부 승인을 조건으로 가서명하는 합의 문서를 의미하는 것으로 이해하고 있는바, 농산물 협상을 비롯 상금 주요쟁점에 대해 이렇다 할 합의내용이 없는 상황에서 어찌 여사한 성격의 문서를 작성 제시할 수 있는지 의문시 됨.

   나. 또한 take it or leave it basis도 내용에 대한 일체의 수정을 배제하는 것이고 (동 문서가 제시된 후 오직 기술적인 보완과 양자간 양허협상만 상정) 그렇다면 11월말까지 정치적 결정을 유도하겠다는 것은 모든 참가국이 문안의 수정없이 문서에 포함된 내용을 그대로 수락토록 하겠다는 것으로 해석될 수 있는바, 현 협상 진전 상황에 비추어 문안에 대한 추가 협상, 절충과 조정 과정없이 합의 도달이 가능할 것인지 매우 의문시 됨.

	보 안	
	통 제	

앙 고 재	91년 10월 7일 과	기안자 성명		과 장 심의관 경제	국 장 전결		차 관	장 관	외신과 통제

다. 특히 금번 제시될 texts가 협상 분야별로 약 20개에 달하고 진전과 합의
   수준이 제각기 다른바, 이것을 어찌 모두 일괄해서 그대로 받거나 말거나
   두가지중 하나를 택하라고 요구할 수 있느지도 의문시됨.

2. 90.12월초 브랏셀 각료회의시 목요일밤 마지막 그 긴박한 순간에서도 농산물
   비공식 각료회담에서 Hellstroem Paper를 그대로 받으라는 애기는 아무도 못했고,
   이것을 협상의 출발점(platform)으로 할 것인지를 두고 장관들의 불꽃 튀는 논란이
   있었음에 비추어 보아도, 던켈 총장이 동 문서를 take or leave it basis로
   내놓는 것이 엄청나게 무모한 것임을 누구보다 잘 알 것으로 생각됨.

3. 상기에 비추어 이번에 나올 문서들은 일응 종합적인 협상 초안으로서 이를
   일괄해서 금후 정치적 타결의 기초로 수락할 것이냐 아니냐를 묻게되는 것이
   아닌가 생각되고 있음 (정치적 타결의 기초라고 한 것은 일반적인 의미의 협상의
   기초라고 하기에는 중요성이 크고 금후 협상범위도 ∦ 정치적 쟁점에 중점을
   두게 될 것을 염두에 둔 것임)

4. 상기에 대한 귀견은 명조 관계장관 회의와 관련 11월초 paper의 성격과 그이후의
   협상 과정을 정확히 이해하는데 큰 도움이 될 것으로 생각함.   끝.

관리 번호	91-687

외 무 부

종 별 : 지 급

번 호 : USW-5081　　　　　　　　　　일 시 : 91 1017 1629

수 신 : 장 관(통기,봉이,미일,경기원,농수산부,외교안보,경제수석)

발 신 : 주 미국 대사　사본: 주제네바, EC 대사 (중계필)

제 목 : UR 협상 동향

　　대: WGV-1357

　　연: USW-4962, 4975

　　　일반문서로 재분류(1991. 12. 31.)

　　1. 연호 미 행정부및 의회인사 접촉 결과와 UR 관련 당지 동향등을 종합해 볼때, 미국측은 대체로 아래와 같은 시각내지 전망을 가지고 금번 UR 협상에 대처하고 있는 것으로 관측됨.

　　가. 미국의 UR 협상에 대한 전망및 관련 주요 동향

　　- 종래 미 행정부는 대외적으로는 UR 의 성공 가능성을 반반이라고 말하였으나 최근 들어서는 UR 에 대한 낙관적인 전망이 보다 크게 대두되는 경향임. (대체로 행정부보다 반응이 느린 의회측에서는 아직도 UR 전망을 비관적으로 보고 있음을 볼때 행정부측 평가의 변화가 아주 최근의 일임을 반증해 주고 있음)

　　- 한편, EC 도 농산물 문제와 관련하여 원칙적으로 예외없는 관세화를 수용하는 동시에, 선 UR 타결후 CAP 문제 해결로 방향 전환을 모색하고 있는 것으로 보이며, 최근 독일도 종전의 입장과는 달리 UR 에 보다 유언성을 보이고 있음이 주목되고 있음.

　　- 또한 향후 UR 협상일정에 관하여도 관계국간 뚜렷한 명시적 합의가 없었음에도 불구하고, 대체로 DUNKEL 사무총장이 제시한 11 월초 종합 협상안 제시, 연말까지 정치적 컨센서스 도출, 내년 2-3 월까지 협상완결 이라는 시나리오에 대해 미국등 주요국간에 암묵적인 컨센서스가 형성된 것으로 보이는 것도 주목할만하다고 사료됨.

　　- 요컨대, 상기와 같은 일련의 동향은 농산물등 주요 쟁점 분야에 있어서 미-EC 간에 묵시적인 양해내지 비공식적인 의견 접근이 있었던 것이 아닌가 하는 추측을 강하게 하고 있음.

　　나. 미국의 UR 협상 전략 평가

통상국 분석관	장관 청와대	차관 청와대	1차보 경기원	2차보 농수부	미주국 중계	경제국	통상국	외정실

91.10.18　　10:37

외신 2과 통제관 BS

0069

- 미국은 작년 BRUSSEL 회의 실패의 경험에 비추어 다수의 UR 참가국의 다양한 이해관계를 반영하여 진정한 의미의 컨센서스를 형성하는 것이 사실상 불가능 하다는 판단하에, 농산물등 정치적 결단이 필요한 주요 문제에 관하여 우선 EC측과 개괄적인 합의를 형성한후, 각료급 회의 개최등을 통하여 이러한 합의를 여타 참가국들에게 제시, 컨센서스 형성을 촉진시켜려고 기도하고 있는 것으로 보임. (UR 이 실패하는 경우의 책임문제등과 관련, 전반적인 대세에 역행하는 불수락이 사실상 어려우리라는 점도 감안)

- 다만, 대외적으로는 DUNKEL 사무총장이 제시할 예정인 협상 TEXT 를 매개로 하여 미-EC 간 타결을 도모함으로써, 대외적으로 공정성을 확보하고 특히 내부적으로 회원국간 이해차이로 난항을 보이고 있는 EC 가 내부적 의견접근을 촉진할 수 있도록 명분내지 외부적 자극을 부여한다는 전략을 채택하고 있는 것으로 보임.

. 최근 EC 와 미국이 DUNKEL 총장 협상안과 관련하여 비공식 협의를 갖는등의 동향도 이러한 맥락에서 이해될 수 있다고 사료됨.

. 미국은 DUNKEL 총장 협상안에 미국의 입장을 반영하기 위해 상당한 노력을 경주할 것으로 예상되며, EC 와의 의견 조정 기회도 계속 모색해 나갈 것으로보임.

- 농산물 문제의 대 EC 협의 과정에서, 미국은 자국과 입장을 같이하는 케언즈 그룹등의 측면지원을 받는 대신, 작년에 HELLSTROM 안을 거부했던 국가중 EC 와 한국.일본을 분리시켜, 대 EC 협상에서 한국.일본은 중립적 입장을 지키도록 하여 대 EC 협상이 타결되면 이를 한국, 일본등에게 FAIT ACCOMPLI 로 제시하려고 하는 것으로 보임.

. 미국은 EC 와 한국.일본의 HELLSTROM 안 거부 이유가 상이(EC 는 수출보조 분야에 한국.일본은 관세화 분야에 주요 이해를 갖고 있음)했음에 비추어 이러한 분리가 가능하다고 보고 있으며, EC 측이 예외없는 관세화를 수용한 것은 이러한 맥락에서 보아야 할 것임.

. 한편, 미국은 일본이 국내정치적 이유로 일본 스스로 쌀시장 개방을 거론하지는 못할 것이라는 사정은 이해하나, 일본이 국내적으로 최후까지 버텼다는 인식을 국민들에게 심은 후에 국제적인 대세에 밀려 수동적으로 쌀시장을 최소한으로나마 개방하게 될 것으로 전망하고 있는 것으로 관측됨(최근 일본 외무성이 일본주재 각국 대사관 관계관을 초치, UR 에 관한 입장을 공식 발표한데 대해, 미 농무부측은 이를 대여론 전략 내지 정치적 제스쳐에 불과하다고 논평하고 있음)

PAGE 2

0070

. 미측은 농산물 시장개방에 관하여 한국이 일본보다 더 어려운 사정에 있다는 것은 이해하면서도, 일단 일본까지 예외없는 관세화 원칙을 수용하게 되면 한국도 불가피하게 대세에 따를 수 밖에 없으리라고 전망하고 있는 것으로 보이며, 미측에서 최근 한국측이 쌀시장 개방문제등에 관하여 중립적인 입장만 취해주는 것으로 만족한다고 언급하고 있는 것도 이러한 측면에서 이해될 수 있다고 사료됨.

. 11 월말 부쉬 대통령의 한국및 일본 방문과 APEC 서울 총회가 DUNKEL 총장 협상안에 대한 교섭이 한창 진행중일때 있게 되는 만큼, 미측은 이를 UR 과 관련한 한. 일 양국에 대한 중요한 설득의 기회로 삼으려 할 것으로 보임.

2. 상기에 비추어, UR 협상 대책 수립과 관련하여 아래와 같은 측면이 고려되어야 할 것으로 사료되니 참고바람.

가. 전반적 대책

- 현단계에서 아측은 관세화에 대한 예외 인정등 우리의 핵심 이익이 DUNKEL 사무총장 협상안에 반영되도록 하는데 촛점을 맞추어 대외교섭을 진행하여야 할 것임.

- 한가지 예외인정이 또다른 예외를 촉발시킨다 하여 관세화에 대한 예외인정을 꺼리는 미국및 GATT 사무국측 입장과 관련, 아측이 종래와 같이 예외인정의 범위가 넓고 개념이 구체화 되지 않은 비교역적 관심(NTC)이나 식량안보등 개념에만 의존하여 예외없는 관세화에 대한 반대를 계속하기 보다는 예컨대, CARLISLE 갓트 사무차장이 제시한 바와 같이 농업개도국의 개념을 보다 구체적으로 발전시키되 기존의 식량안보 개념도 결부시켜 농업 개도국에만 한정한 예외인정을 확보하는 방안등을 검토해 볼 필요가 있음.

나. 국별 교섭 방향

- DUNKEL 사무총장 협상안이 작성중에 있는 현 단계에서는 여사한 교섭은 GATT 사무국을 주대상으로 함이 효과적일 것으로 보며, 미국, EC, 일본등 주요 협상 참여국에 대한 설득 노력도 병행되어야 할 것으로 보임.

- 만약 DUNKEL 총장 협상안이 제출된 후에 미국을 상대로 하여 대외적인 교섭 또는 설득 활동을 전개하는 경우에는 이러한 활동에 의하여, 한국이 DUNKEL 총장 협상안을 반대하고 있다는 인식을 미국 여론에 주지 않도록 배려할 필요가 있다고 사료됨.(특히, 대미 설득활동을 전개하는 경우, 그 시기적 선택에 있어 11월말 BUSH 대통령 방한과의 관계도 감안되어야 할 것으로 봄)

- 또한 일본과의 관계에 있어서도 공개적으로 한. 일간 공동 보조를 취한다는

인상을 주는 것은 가급적 피해야 할 것으로 보며, 대일 협력이 필요한 경우에는
비공식적 접촉에 의하여 조용히 추진해 나가는 것이 좋을 것으로 사료됨. 끝.

　(대사 현홍주-국장)

　예고: 91.12.31. 까지

7 (열 4과복제) (삼)

관리
번호 91-689

외 무 부

종 별 : 지 급

번 호 : THW-2072   일 시 : 91 1018 0900

수 신 : 장 관(통기)

발 신 : 주 태 국 대사

제 목 : DUNKEL GATT 사무총장 IMF회의 참석

일반문서로 재분류 (1981 . 12 . 기 .)

대 : WTH-1558

DUNKEL GATT 사무총장은 WB/IMF 총회에서의 연설등 공식일정은은 갖지는 않았으나 주요국 재무장관등을 막후접촉, 농산물 분야에서의 정치적 타결을 모색하였는바 당지 언론이 보도한 동인 언급요지 아래임

1. 현재 UR 협상은 기술적인 문제보다는 정치적 결정이 필요한 단계에 있는바, 특히 농업분야에서의 정치적 타결이 이루어져 전반적인 UR 협상에 진전이 있기를 희망함. 본인이 접촉한 주요국 재무장관들은 UR 협상 진전사황을 잘알고 있었으며 정치적 타결을 위한 국내정치결정과정에 적극 참여할 예정임을 언급함

2. 농업보조금 지원문제에 있어 미국및 CAIRNS GROUP 과 상반된 입장을 보이고 있던 EC 가 정치적 타결가능성을 암시하고 있으며, 특히 독일은 그동안 경직된 입장을 보이던 농업보조금문제에 대해 다소 완화된 입장을 표명하고 있음

3. 농산품교역의 문제점은 주요농산물 수출국가들이 농업부문에서 양보를 얻어낸후에야 공산품분야에서의 양보가 가능하다는 입장을 보이고 있기 때문이므로 우선 농업분야에서의 타결을 우선 추진하고 있는것임. 이러한 난관을 타개하기 위한 한가지 방안으로서 농산품 교역을 보호관세체제로 변경시킨것이나 현재 농업분야협상에서는 규범합의 초안조차 마련하지 못한 상태인데 비하여 섬유및 의류를 제외한 공산품 분야는 규범합의에 도달하였고, 서비스분야는 적용시킬 방법을 협상중에 있음

4. UR 협상이 실패하는 경우 세계적인 보호무역주의가 만연되어, 단일 유럽시장(SEM)및 북미자유무역지대(NAFTA)등은 내부지향적인 무역블럭이 될것임. 그러나 현재까지 이러한 지역보호주의추세는 없음. 소련 및 동유럽국가를 다자교체체제로 편입시키기 위해서도 UR 성공은 필요함

통상국   장관   차관   2차보   분석관   청와대   안기부

PAGE 1   91.10.18   14:43

외신 2과 통제관 BW

0073

(대사 정주년-국장)
예고 : 91.12.31. 까지

외 무 부

종 별 :

번 호 : GVW-2047

일 시 : 91 1017 2030

수 신 : 장 관(봉기), 경기원, 재무부, 농림수산부, 상공부)

발 신 : 주 제네바 대사   사본:주미, EC 대사(본부중계필)

제 목 : UR 협상 전망

일반문서로 재분류(1991 . 12. 31.)

1. 김대사는 10.17 LINDEN 갓트 사무총장 특별 보좌관을 오찬에 초대 던켈 총장의 협상 전략 이행문제를 포함한 UR 협상 전망등에 관해 의견을 교환한바, 사건을 전제로한 동 보좌관의 주요 언급 내용 아래 보고함.(오참사관 동석)

   가. UR 최종 협상문서(REV 2)제출 가능시기

   - 던켈 총장은 각 협상 그룹 의장으로 하여금 11 월 초까지 각 분야별 TEXT를 제출토록 강하게 독려하고 있으나 다소 지연되어 11 월 중순 이후가 될 것으로 전망함.

   나. 최종 협상 문서의 형태 및 성격

   - 던켈 총장은 각 협상 분야별 최종 협상문서가 CLEAN TEXT 가 되어야함을 강조하고 있으며, 각 협상 그룹 의장이 BRACKET 로 제출한 부분은 TNC 의장 자격으로 던켈 자신이 BRACKET 를 해소함으로써 CLEAN TEXT 작성을 시도하게 될것이나 그럼에도 불구하고 각 협상 그룹마다 현실적으로 합의가 어려운 분야가 있을 것으로 봄.

   - 예를 들어 분쟁해결 (동 보좌관이 담당하고 있는 분야) 분야만 하더라도 미국의 301 조 등 일방조치 억제문제는 UR 협상의 전체 PACKAGE 를 보아야 정치적 결단이 가능한 사안이므로(미측의 일관된 주장) 결국 괄호로 남겨둘 수 밖에 없을 것임.

   - 따라서 분야별로 정치적 문제점도 최소한으로 줄이도록 노력할 것이나 매우 예민한 문제는 결국 괄호로 남게두게 될 가능성이 있다고 보는 것이 현실적임.

   - 상기와 같이 괄호가 남아 있는 TEXT 가 될 경우 TAKE IT OR LEAVE IT 의 진정한 의미의 FINAL TEXT 가 될수 있을 것인지 불연이면 일종의 협상 FRAMEWORK의 성격이 되어 AD REFRENDUM BASIS 로 수락한후 추가적인 협상을 필요로 하게될것인지의 여부를 단정적으로 말할 수 없으나, 자신의 견해로는 분야별 추가 협상이 필요할 것으로 봄.

   다. TNC 회의 개최 가능성

통상국	장관	차관	1차보	2차보		경제국	외정실	분석관
정와대	안기부	경기원	재무부	농수부	상공부	중계		

- 분야별 TEXT 가 제출된 후 TNC 회의를 하게 될 것으로 보며, 동 회의가 TAKE IN OR LEAVE IT 를 결정하는 회의가 될것인지 아니면 협상의 기초로 할것을TAKE NOTE 하게 될것인지의 여부도 알수없으나 자신의 견해로는 후자가 될 가능성이 큰것으로 봄.

라. 상기 (나) 및 (다)항에 대한 LINDEN 보좌관의 언급은 던켈 총장이 BRACKET 없는 TEXT 를 만들겠다는 점을 수차 분명히 하고 있는 점과 각 협상그룹 의장이 던켈 총장의 뜻에 따라 BRACKET 없는 TEXT 를 만들겠다는 입장과 크게 상치되고 있다는 점을 유념할 필요가 있음.

마. SINGLE UNDERTAKING 문제

- UR 협상결과의 SINGLE UNDERTAKING 을 수용하는 국가와 수용치 않는 국가의 2 개의 국가군으로 나뉠 것으로 보며, 이경우 구 갓트 회원국과 신갓트 체제 회원국으로 나뉘어지게 될 것임.

- 현 GATT 체제내에도, 예를 들면 반덤핑의 경우 법적으로 몰타와 가나 2 개국이 구 반덤핑 규범 회원국으로 남아있으나 유명무실한 상태에 있음을 감안, UR 협상후 구 갓트 체제는 점차 기능하기 어려울 것으로 전망됨.

2. 김 대사는 동 보좌관에게 농산물 분야에서의 예외없는 관세화 원칙은 수용할 수 없다는 아국입장을 설명하고 보좌관이란 위치에서 아국입장이 반영되도록 가능한 모든 영향력을 행사해 줄것을 당부하였음. 끝

(대사 박수길-국장)

예고:91.12.31. 까지

$2(8)$

관리 번호	$91-693$

외 무 부

종 별 :

번 호 : USW-5079 　　　　　　　　　일 시 : 91 1017 1552

수 신 : 장 관(봉기,봉이,미일,경기원,상공부,농림수산부,경제수석)

발 신 : 주 미국 대사 　　　사본:주 제네바 대사,주 EC 대사-중계필

제 목 : UR 협상관련 의회 동향

1. MAX BAUCUS 상원 금융재정위 국제무역소위 위원장(D-몬타나)은 10.16. 미국 제조업자협회(NAM) 초청 오찬 연설에서 UR 협상에 관한 견해를 피력하였는바, 동 요지 아래 보고함.

　가. 동 의원은 중동평화와 신국제질서 수립을 위한 노력도 중요하지만 미국의 대외정책에서 교역기회 확대보다 더 중요한 것은 없다고 강조하고, UR 협상을 HILLS 무역대표에게만 맡기지 말고, 부쉬 대통령과 베이커 장관이 직접 개입, 협상에 돌파구를 마련할 것을 촉구함.

　나. 동 의원은 붕괴(APPARENT COLLAPSE)의 위기에 빠진 협상을 소생시키기 위해 미국은 1) 농산물 협상에서 지금까지의 강경입장을 완화(STEP BACK FROM ITS HARD-LINE POLICY)함과 동시에 2) 주요 교역대상국에 대해 협상이 실패로 돌아갈 경우 미국은 쌍무 또는 일방적인 조치를 통해 자유무역 확대라는 동일 목표를 계속 추구할 것을 분명히 보여주어야 한다고 강조하고, 아래와 같이 언급함.

　- EC 가 농산물 지원정책을 변경하고, 일본이 쌀 시장개방 의지를 보인다면 UR 협상은 하루아침에 되살아날 것임. 미국은 이를 위한 타협의 일환으로 농산물 수출보조 감축문제에서는 강경입장을 고수하되, 국내보조(INTERNAL SUPPORTS)문제에 있어서는 입장을 완화하고, 대신 여타 분야에서의 목표 달성을 위해 노력할 필요가 있음.

　. 주요 공산품(반도체, 알루미늄, 목제품등)에 관한 범세계적인 관세 철폐

　. 반덤핑, 상계관세, 301 조등 공정무역을 위한 미국의 통상법 규정이 UR 협상 결과에 의해 영향을 받지 않도록 할것

　. 공산품 보조에 대한 실질적 규제(SUBSTANTIAL NEW DISCIPLINES)

　. 미국의 지적재산권 보호를 위한 갓트 규정 강화등

통상국 분석관	장관 청와대	차관 정와대	1차보 경기원	2차보 상공부	미주국 상공부	경제국 중계	통상국	외정실

PAGE 1 　　　　　　　　　　　　　　　　　　　　91.10.18　10:41

　　　　　　　　　　　　　　　　　　　　　　　외신 2과　통제관 BS

0077

- 협상이 실패할 경우 미국은 봉상법 301 조나 갓트 23 조 규정에 입각한 일방 또는 다자적인 조치를 통해 미국의 이익을 추구해야함.

. 즉각적인 조치 대상으로 EC 의 AIRBUS 콘소시움에 대한 보조정책과 일본의 계열관행(KEIRETSU PRACTICE)지적

. 지적재산권에 관한 SPECIAL 301 조 규정은 지금까지 주로 개도국을 상대로 성과를 거두었으나, 이제는 선진국에 대해서도 적용할 필요

다. 농산물 협상과 관련, 동 의원은 협상이 실패할 경우라도 미국은 농업 이익을 보호할 충분한 힘을 가지고 있다고 언급하고, 현행 국내법상(90 년 FARM BILL) 92.7 월까지 UR 협상이 타결되지 않을 경우 농산물 수출보조 조치를 다시 취할 권한이 부여되어 있음을 지적함.

라. 이와관련, 동 의원은 행정부의 협상력 강화를 위해 수퍼 301 조를 부활시키기 위한 법안을 2-3 주내에 제안할 예정이라고 밝힘.(하원에서는 이미 LEVIN의원의 주도로 동일 취지의 법안이 제출되어 에너지.봉상위에 계류중임)

2. 상원의 중진의원인 BAUCUS 의원이 UR 협상의 현국면 타개를 위해 미 행정부에 대해 농산물 분야에서의 입장을 완화할 것을 촉구한 것은 UR 협상 타결을 위한 행정부의 노력에 의해가 공동보조를 취하는 분위기를 유도함으로써 미국의 UR 농산물 협상에 보다 탄력을 부여하는 효과를 가져올 것으로 판단됨. 끝.

(대사 현홍주-국장)

예고: 91.12.31. 까지

PAGE 2

관리	
번호	91-692

외 무 부

종 별 :

번 호 : USW-5117 　　　　　　　　　　　　　일 시 : 91 1018 1612

수 신 : 장관 (봉기,봉이,미일,경기원,농수산부)

발 신 : 주 미 대사

제 목 : 의회 경제,통상 보좌관 오찬 간담회

　　1. 당관 구본영 공사는 금 10.18 경제통상관계 의회 보좌관 초청사업의 일환으로 91.5 방한한바 있는 상, 하원 경제보좌관 5명(민주당 소속)을 오찬에 초청, 최근 한국경제 현황및 정책을 홍보하는 한편, UR 및 한.미 통상현안 문제등에 관해 의견을 교환하였음.(임성준 참사관, 박흥신 서기관 동석)

　　2. 구 공사는 보좌관들의 질문에 답하여 경제력 집중 방지를 위한 대기업대상 여신 규제 정책, 금융시장 개방문제, 무역수지 적자문제(과소비 억제 운동과 연계), 농산물 수입개방등에 관한 우리 정부의 입장을 설명한데 이어 UR 협상 전망에 관한 미 의회의 시각을 탐문한바, 동 보좌관들의 분석(특히 민주당측 시각)은 아래와 같음.

　　- 농산물 분야에서 만족할만한 타협안이 이루어지지 않을 경우 미 의회가 포괄적인 협상안을 승인하기는 어려울 것이며, 설사 만족할만한 타협안이 이루어지더라도 내년 7월 민주당 전당대회 보다 최소 4-5개월 이전에 (즉 내년 2-3월 이전) 의회에 제출되지 않을 경우 의회의 승인을 기대하기는 어려울 것임. 이는 민주당측이 선거를 앞두고 행정부측의 UR 관련 어떠한 양보도 선거 이슈화할 가능성이 높기 때문임.

　　- 따라서 내년 2-3월전에 UR 협상안이 타결되지 않는한 내년 대통령 선거 이후로 협상이 연기될 것이 확실시 되나, 현재 농산물 분야에서의 미-EC 간의 입장 차이에 비추어 내년 3월전 타결은 쉽지 않을 것으로 평가. 끝.

　　(대사 현홍주-국장)

　　예고: 91.12.31. 까지

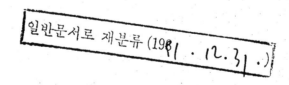
일반문서로 재분류 (1981 . 12.31 .)

통상국	장관	차관	1차보	2차보	미주국	경제국	통상국	분석관
정와대	안기부	경기원	농수부					

PAGE 1 　　　　　　　　　　　　　　　　　　　　　　　　91.10.19 　 09:29

　　　　　　　　　　　　　　　　　　　　　　　　　　　　외신 2과 통제관 BS

　　　　　　　　　　　　　　　　　　　　　　　　　　　　　　　0079

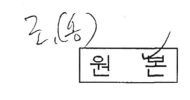

관리
번호 91-690

외 무 부

종 별 :

번 호 : ECW-0828   일 시 : 91 1018 1900

수 신 : 장관 (통기, 경기원, 농림수산부) 사본: 주미, 제네바-중계필

발 신 : 주 EC 대사

제 목 : UR 협상

일반문서로 재분류 (1991.12.31.)

  1. 본직은 10.18. EC 집행위 대외총국 <u>GIOLA 지역담당 부총국장</u>을 면담하고, UR 협상과 관련, 한.EC 간 협력방안등을 협의한바 주요요지 아래 보고함 (BORRELL 한국과장과 이혜민서기관 배석)

  가. 특정농산품에 대한 관세화 예외

  0 본직은 쌀문제에 관한 우리의 정치.경제. 문화적 특수성을 상세 설명하고UR 협상과정에서 이러한 특수성이 고려될수 있도록 EC 측의 적극적인 협조 요청을 하였음

  0 이에대해 동 부총국장은 쌀문제와 관련한 한국정부와 농민들의 입장을 충분히 이해하나, UR 협상의 타결에 있어 모든 나라들이 갖고있는 <u>각자의 고유한 문제점들은 모두 반영시킨다는 것은 불가능한 것이 아니겠느냐고 반문함</u>

  나. EC 의 UR 협상정책

  0 동 부총국장은 현재 CAP 개혁과 UR 협상은 보조금 감축등 실질내용 면에서는 같은 것이나, 법적으로는 별개의 것이라는 것이 EC 의 입장이며 따라서 CAP개혁은 UR 협상 추이에 관계없이 추진될 것이라고 언급함

  0 또한 EC 집행위로서는 특히 12 개 회원국의 상이한 의견을 조정해 나가면서 협상에 임하여야 하는 어려움이 있다고 밝힘

  다. UR 협상전망

  0 연내 UR 협상타결 전망에대해 동 부총국장은 협상을 보다 INTENSIVE 하게추진하기 위해서는 시한을 정하는 것이 효과적이며 그런 목적으로 최근 금년말타결을 목표로 하고 있는것으로 평가하고, <u>UR 협상의 성패는 미국의 양보적인 태도여부에 좌우될 것이라고 전망함</u>

  2. 한편, 본직은 10.17. 룩셈부르그에서 개최된 국민은행 룩셈부르그 지점 개소식 행사 참석기회를 통해 룩셈부르그 ROBERT GOEBBELS 경제장관과 면담, UR 협상에 대해

통상국 정와대	장관 안기부	차관 경기원	1차보 농수부	2차보 중계	구주국	경제국	외정실	분석관

PAGE 1   91.10.19   08:32

외신 2과 통제관 BD

0080

의견을 교환한바, 동 장관은 90 년말 브랏셀 각료회의시 제시한 EC 입장 보다는 융봉성이 있는 입장이 제시될 것이나, 미국의 일방적인 요구와는 거리가 있을 것이므로, 미국도 농산물 문제에대해 양보적 태도를 보여야만 금번 UR협상이 균형적으로 타결될수 있을것이라고 언급함. 본직이 10.12-13 헤이그에서 개최된 EC 비공식 봉상장관 회의시 수출보조금 감축수준과 관련, 특정숫자에 관한 합의가 있었는가 문의하자, 동 장관은 이에대한 직접적인 언급을 회피하고,작년에 제시한 30% 수준 감축보다는 더욱 많은 융봉성이 부여될 것이나, 일부에서 추측하고 있는 50-60% 는 너무 지나친 (TOO MUCH) 수준이라고 답변함. 끝

(대사 권동만-국장)

예고: 91.12.31. 까지

PAGE 2

0081

관리
번호 91-694

외 무 부

종   별 :

번   호 : GEW-2146   일   시 : 91 1019 1000

수   신 : 장관(봉기)

발   신 : 주 독 대사

제   목 : UR 협상

일반문서로 재분류(198/ . /2. 3/.)

대:WGE-1645

1. 대호관련 당관 정참사관은 10.18. 외무부 EC 대외관계담당 SANDER 과장을
면담, 최근 주재국의 UR 협상 관련 입장전환에 관해 청취한바, 요지 아래보고함

　가. EC 통상장관회의

10.11-12. 헤이그 개최 EC 통상장관 비공식 회의는 공식의제를 정하지
않고각국의견을 상호 교환하는데 그친 회의이므로 EC 집행위에 대한 협상부여등의
공식결정은 없었던 것으로 안다함.

다만 주재국 MOELLEMANN 경제장관은 동회의에서 향후 EC 각국이 UR 협상에서 보다
유연성있는 입장으로 협상해야 함을 강조했다함.

　나. 주재국의 UR 협상입장 전환

최근 언론보도와 같이 주재국정부는 10.9. 콜수상 주재 각의에서 아래와 같은
요지의 UR 농산물 협상관련 입장을 결정함

1)향후 UR 협상에 있어서 EC 가 CAP 개혁추진을 91.2. 던켈 GATT 사무총장이
제시한 국내보조, 수출보조, 국경보호 3 분야의 구체양허 약속(SPECIFIC BINDING
COMMITTMENTS)방식에 결부시킬것을 제의함

2)이에따라 EC 는 1 단계조치로 국내보조, 수출보조삭감에 관한 구체양허약속에
합의, 5 년간 시행후 국내개혁의 효과를 검토한 다음 제 2 단계 조치로 진행토록함

3)주재국은 91 년말까지 UR 협상이 타결될수 있도록 EC 집행위가 보다 강화된
협상을 벌이도록 지원함.

2. 동과장은 상기 UR 농산물 협상관련 주재국의 입장 전환은 향후 UR 협상타결에
긍정적으로 작용할 것이며 EC 내 이견조정이 주요관건인 것으로 전망했음.

(태사=국장)

통상국   장관   차관   1차보   2차보   구주국   경제국   외정실   분석관
청와대   안기부

PAGE 1   91.10.19   21:12

외신 2과 통제관 CH

0082

예고:91.12.31. 까지

0083

관리 번호	91-694

외 무 부

종 별 :

번 호 : USW-5143　　　　　　　　　　일 시 : 91 1018 1955

수 신 : 장 관 (통기,통이,미일,경기원,농수산부,외교안보,경제수석)

발 신 : 주 미국 대사

제 목 : UR 협상

대: WUS-46791

연: USW-5081

일반문서로 재분류 (1991. 12. 31.)

대호관련, 당관 장기호 참사관및 이영래 농무관은 10.18. USTR 의 SUSAN EARLY 농업담당 대표보와 면담, UR 농산물 협상에 관하여 협의한바, 동 결과 요지하기 보고함.(서용현 서기관 동석)

1. 장 참사관은 최근 UR 협상이 새로운 활기를 띠고 있음은 고무적인 일이나, 이러한 활기를 종국적인 UR 의 성공으로 이끌기 위해서는 DUNKEL 사무총장의 협상안에 참가국의 이익이 공정하고 균형있게 반영되어야 할 것이며, 농산물과 같이 민감한 분야에서는 각국이 협상 목표를 보다 현실적으로 조정하여야만 다수 참가국간에 공통분모를 모색할 수 있을 것이라고 말함.

- 특히 예외없는 관세화는 한국의 농업 현실에 비추어 도저히 수용키 어려운 것이며, 나아가 현재의 국내적 여건하에서 관세화를 수용하여 쌀시장을 개방하는 것은 단순한 경제문제뿐 아니라 정치,사회적으로도 큰 혼란을 초래하게 될 것임을 설명하고, 이러한 절박한 여건을 도외시하고 관세화 원칙을 고수하여 한국과 같은 참가국을 몰아부치는 것은 진정한 컨센서스 형성에 도움이 되지 않을 것임을 지적함.

2. 이에대해 EARLY 대표보는 한국농업이 다른 어떤 나라보다 어려운 실정에 있다는 것은 이해하나, 금번에 제시될 DUNKEL 총장 협상안은 TAKE-IT-OR-LEAVE-IT 형식으로 제시될 뿐더러 (시장접근 분야를 제외한) 모든 협상분야를 포괄하는 것이 될 것이므로 어떤 특정분야에서 특정국가에 예외를 인정하면 이것이 연쇄적으로 다른 나라에 파급되고 나아가 다른 협상분야에 파급되어 결국 포괄 협상안 자체를 무산시키게 될 것이므로 관세화에 대한 예외 인정은 불가능할 것이라고 말함.

- 동 대표보는 관세화 문제가 UR 협상을 파국으로 몰고갈 수 있는 요인(DEAL

통상국 분석관	장관 청와대	차관 청와대	1차보 안기부	2차보 경기원	미주국 농수부	경제국	통상국	외정실

PAGE 1　　　　　　　　　　　　　　　　　　　　91.10.19　12:06

외신 2과 통제관 BS

0084

BREAKER)이 될 수 있음을 인식하고 있다고 하면서, 본인 생각으로는 일본은 최종단계에 가서는 예외없는 관세화를 수용할 것으로 보이브로 이 경우에 한국이 관세화에 대하 반대를 계속한다면 결국 UR 실패의 장본인으로 몰리지 않겠느냐고 반문함(KOREA KILLS THE GATT 제하의 톱기사가 실리는 경우를 상정해 보라고함)

- 동 대표보는 사실상 관세화를 수용한다 하더라도 우선 수량제한을 관세상당량(TARIFF EQUIVALENT)으로 바꾸어 점진적으로 이를 감축하게 되며 특히 MINIMUM MARKET ACCESS 만 허용한다면 당장 한국 농민에게 미칠 영향은 크지 않을 것인데, 한국이 관세화를 지나치게 민감하게 받아들이고 있는 것이 아닌가 하고 반문 하면서, 쌀에 대한 관세 상당량및 쌀시장 개방의 경제적 효과에 대해 한국정부가 분석하 자료가 있으면 미측이 검토할 수 있도록 제시해 줄것을 요청함.(동 관련자료가 있으면 송부바람)

3. 이에대해 아측은 한국의 농업실정은 일본과 비교될 성질의 것이 아님을 설명하고 더구나 한국은 농업분야의 구조조정에 착수한 기간이 일천한 농업개도국 이라는 점이 감안되어야 할 것이라고 강조함.

- EARLY 대표보는 한국의 소득 수준에 비추어 볼때 한국이 개도국으로 분류될 수 있는지에 대해서는 논란의 여지가 있다고 전제하고, 한국의 농업실정이 관세화의 범위다 정도를 책정하는데는 감안될 수 있겠으나 이에대한 예외를 정당화할 만한 성질의 것은 못되는 것으로 본다고 말함.

- 이에대해 아측은 농산물 협상 3 개 분야중에서 사실상 무역왜곡 효과가 가장 큰 것은 수출보조 분야임에도 불구하고, 수출보조 감축에 대해서는 비교적 유연성을 부여하는 반면, 관세화 분야에 대해서는 원칙을 고수하는 경향을 보이고 있는 것은 분야별 협상의 균형화라는 원칙에 어긋나는 것으로 보는 사람이 많다고 지적하바, EARLY 대표보다 이점에 관하여는 동감을 표시하고 수출보조 감축에도 빨리 돌파구가 마련되어야 할 것이라고 말함.

4. 한편, 최근 독일의 UR 에 대한 태도 변화에 관한 언론보도에 관하여 언급하면서, EARLY 대표보는 이러한 보도에도 불구하고 아직 독일의 입장변화가 제네바에서의 협상에 구체적으로 반영되지는 않고 있다고 말하고, 연호 BAUCUS 상원의원의 발언에 관하여 동 발언은 지나치게 단순한(NAIVE) 것이라고 평가함. 끝.

(대사 현홍주-국장)

예고: 91.12.31. 까지

PAGE 2

0085

원 본

외 무 부

종 별 :

번 호 : GVW-2083   일 시 : 91 1022 1540

수 신 : 장관(통기,경기원,재무부,농림수산부,상공부,특허청)

발 신 : 주 제네바대사

제 목 : UR/협상대책

1. 던켈 사무총장은 UR 협상의 년내 타결을 위해 위험부담을 감수한다는 각오하에 모든 협상분야를 망라한 최종 종합협상안을 제시한다는 전략을 강하게 추진하고 있으며, 각 협상그룹 의장들도 이에 부응 동시한내에 분야별 최종초안을 작성키위해 집중적인 협상을 진행하고 있는바, 동 TEXT 는 늦더라도 11 월 중순경에는 제시될 것으로 예측되고 있음.

2. 상기 던켈 총장의 전략에 따른 당지에서의 막바지 협상과 관련, UR 협상전분야에 걸쳐 7 개 협상 그룹별 주요쟁점 사항, 동 쟁점 사항에 대한 그간의 당지에서의 협상 진전상황, 기존 아국입장의 관철 가능성 및 이를 감안한 향후 대책등에 관한 당관 의견을 분야별로 별전 보고하니 최종 검토에 참고 바람. 끝

(대사 박수길-국장)

예고:91.12.31. 까지

일반문서로 재분류(1991 . 12.31 .)

통상국	장관	차관	1차보	2차보	경제국	외정실	분석관	청와대
안기부	경기원	재무부	농수부	상공부	특허청			

PAGE 1   91.10.23   06:39

외신 2과 통제관 DE

0086

원 본

외 무 부

종 별 :

번 호 : GVW-2095   일 시 : 91 1022 2000

수 신 : 장관(봉기,경기원,재무부,농림수산부,상공부,청와대외교안보,경제수석)

발 신 : 주 제네바 대사   사본:주미,주이씨대사(본부중계요)

제 목 : UR 협상 주요동향

일반문서 ~~~~~ (1091 . 12. 31 .)

1. 11 월중 최종 TEXT(REV II) 제출여부

0 금 10.22(화) 본직은 ANELL 스웨덴 대사(GATT 이사회의장겸 TRIPS 의장) HAWES 호주대사와의 오찬에서 REV.2 에 관하여 의견을 교환한바, 동 대사들은 현재 각협상 그룹의 진전상황으로 보아 써비스 그룹만이 10 월말까지 TEXT 작성이 가능할 것으로 예상되며 기타 그룹에서는 협상 대표들이 종래의 입장을 되풀이 하므로서 표류현상이 일어나 실질적인 진전이 별로 없는 것으로 평가되고 있다고 하면서 농산물 분야에서 보다 실질적인 진척이 있어 TEXT 가 마련되지 않을경우 여타 분야별 TEXT 를 예정대로 낼 것인지 의문시 된다고 말하고 따라서 REV.2 가 예정대로 나올수 있느냐의 여부문제는 농산물 분야 협상 특히 EC, 미국의 협상 결과에 달려 있다는 견해를 표명함

0 스웨덴 대사는 내주 신임 BILT 수상에게 UR 협상 전망을 직접 보고토록 되어 있는바, REV.2 의 출현 자체에 대해서도 50 대 50 으로 밖에 보고할 수 없다고 말함

2. 11 조 2 항(C) 문제 협의

0 본직은 10.19 SHANNON 카나다 대사와 회동, 갓트 11 조 2 항 C 등 문제에 관해 공동 전략을 협의한바, 동 대사는 11 조 2 항 C 에 대해서는 EC 의 태도가 기본적으로 변한것은 없으나 수입국 및 수출국으로서의 입장 및 농산물에 관한 미국과의 전반적인 협의에 역점을 두는 나머지 열의가 상당히 식어졌음을 시인하고 현재로서는 동조항의 원용을 보다 쉽게 하기 위한 카나다의 "CLARIFICATION" 노력은 사실상 어렵게 되었으며, 따라서 카나다로써도 특히 쾌백주의 낙농산업 보호측면에서 멀루니 정부가 크게 어려운 입장에 있다고 설명함(따라서 그는 11 조 2 항 C 는 현행대로의 존치 가능성이 많다고 언급)

0 그는 또한 EC 와 미국간에 진행되고 있는 농업문제에 대한 공식 또는 비공식

통상국	장관	차관	1차보	2차보	경제국	외정실	분석관	청와대
정와대	경기원	재무부	농수부	상공부	중계			

PAGE 1   91.10.23   07:25
                                                       외신 2과 통제관 BS

0087

협의 내용에 대해서는 카나다에도 그내용을 소상히는 알려 주지 않고 있다고 하고 현재 VARIABLE LEVY 에는 다소 고정적 요소를 도입하면서 REBALANCING, CORRECTIVE FACTOR 도 함께 협의하고 있어 상호 기대 수준이 다소 하향된 선에서 타결 가능성이 없지 않다고 말함.

3. 던켈 총장은 10.30 본직을 비롯한 일부 협상 대표(그린룸 협의보다 적은 15-20 명 정도)들은 자기 관저 만찬에 초청, WORKING DINNER 를 예정하고 있는바 동 만찬에서는 REV.2 전망이 보다 명백해 질것으로 예상됨.

0 동 만찬에서는 주로 각협상 그룹에서의 문제점을 재점검하고 특히 협상 진전을 가로 막고 있는 나라에 대한 대책등도 협의될 것이라고 HAWES 호주대사가본직에게 귀띔하였음을 참고로 첨언함. 끝

(대사 박수길-장관)

예고:91.12.31. 일반

외 무 부

종 별 : 지 급

번 호 : ECW-0846

일 시 : 91 1022 1930

수 신 : 장 관(구일,통삼,통기,아동)

발 신 : 주 EC 대사

제 목 : ANDRIESSEN 부위원장 중국,인도,인니,말련 방문

ANDRIESSEN EC 집행위 부위원장은 EC-중국간공동위 참석과 UR 협의등을 위해 10.23.부터약 10일간 중국 (10.23-25) 및 인도, 인니, 말련등을 방문예정인 바, 동 부위원장이 10.21. 당지출발전 갖은 기자회견에서 언급한 주요내용을 아래 보고함

1. 중국방문시 인권문제와 EC 의 대중국무역적자 문제가 중점 거론될 것이며, 특히 EC의 향후 대중국 경제통상 관계에 있어 인권문제도 주요 FACTOR 가 될 것이라는EC측의 입장을 중국 지도자들에게 설명하고, 무역적자문제와 관련해서는 중국의 비관세장벽의 제거와 국제적 규범에 따른 공정한 경쟁을 촉구할 것임

2. 또한 EC는 중국과 공업분야에서의 합작과 농업기술분야에서의 협력증진에 특히 관심을 갖고 있음

3. 한편 인도, 인니, 말련 3국 방문은 UR 관련농업문제등에 관한 상호입장 확인을 위한 것이며, 농업문제에 있어 EC 측의 협력을 요청하는 국가는 지적소유권 보호분야등에서 새로운 규범을 수용하여야 할것임

4. ASEAN 이 구상하고 있는 FREE TRADE ZONE창설이 다자무역체제에 영향을 미치지 않는다면 EC로서는 이에 반대하지 않는다는 입장도 전달할 것임. 끝

(대사 권동만-국장)

구주국   1차보   아주국   통상국   통상국   외정실   분석관   청와대   안기부

PAGE 1

91.10.23   07:25 WH

외신 1과 통제관

0089

원 본

외 무 부

종 별 :

번 호 : FRW-2323

일 시 : 91 1024 1530

수 신 : 장 관(통기),통삼)

발 신 : 주 불 대사

제 목 : UR 협상

대:WFR-2179

연:FRW-2257

일반문서로 재분류(19β1 .12.3/.)

1. 당관 조참사관은 10.23 경제 재무성 대외경제총국 GERARD MOULIN 다자관계 부국장과 외무성 GILLES BRIATTA UR 담당관을 각각 면담, 대호 훈령에 따른 아측입장을 설명하고 불란서의 이해와 지지를 요청한바, 주요 내용 아래 보고함.(농산물 분야 아측입장은 문서로도 전달함)

- 아래 -

가. 관세화 예외문제

0 조참사관은 UR 협상 전과정에서 한국과 같은 농산물 수입규제국이 과감하게 수입을 개방한 사례가 없으며 또한 90.11 브랏셀 회담이후 협상타개를 위해 실질적인 양보를 한 국가는 한국뿐임을 들어 관세화 예외를 위한 EC 의 협조를 촉구함.

0 이에대해 불측은 식량안보 차원에서 쌀등 일부 곡물에 대한 아측의 관세화 불가입장은 잘알고 있으나, EC 는 90.11 농산물 오퍼리스트 제출시 관세화 예외 불인정 입장을 표명한바 있어 현단계에서 입장선회는 불가하나 동건 협상에는OPEN 된 입장임.

0 또한 불측은 NTC 개념도입에 대한 일부 회원국간 공감대가 있으며, 특히 예외품목으로 쌀은 EC 의 관심대상이 아니므로 미.EC 간 농산물 협상이 원활하게진행된다면 UR 협상 마지막 단계에서 동건은 협상이 가능할수도 있을 것이라는사견을 피력함.

0 다만 한국이 당초 15 개 NTC 품목에 대한 수입제한 입장을 완화하여 기본적으로 관세화 원칙을 수용한것은 상당히 평가될 것이나, 쌀등 일부 품목에 대해최소한의 시장접근도 허용치 않는 것은 비록 NTC 에 식량안보 개념을 수용한다하여도 협상

통상국 분석관	장관 청와대	차관 안기부	1차보	2차보	구주국	경제국	통상국	외정실

PAGE 1

91.10.25 05:42

외신 2과 통제관 FI

0090

분위기에 비추어 반영되기 어려울 것으로 봄.

　　나. 개도국 대우

　　0 한국의 경제력 수준에 비추어 보조금 감축 및 시장개방 유예기간등에 있어 일반 개도국과 동등한 수준의 대우를 부여하는 것은 EC 로서 관세화 예외보다도 수용키 어렵다고 봄.

　　0 EC 자체도 국가별, 지역별로 농업 취약분야가 있으나 사실상 내부문제로 취급되고 있으며, 전반적인 EC 분위기는 한국의 농업구조개선은 특별한 대우없이도 자체적으로 추진할수 있다는 견해임.

　　다. UR 협상 타결전망

　　0 현안중인 CAP 개혁논의가 구체화되면 UR 협상이 보다 가속화되어 DUNKEL 총장의 복안대로 92.2 타결 가능성도 있으나 현재 농산물 협상에서 별다른 진전이 없음에 비추어 조기타결에는 다소 회의적임.

　　0 불란서는 DUNKEL 총장의 이니시어티브를 성공적인 협상종결을 위한 유용한 시도라고 판단하나, GLOBAL PACKAGE 에 EC 가 납득할만한 수준의 미국측 양보가 없으면 EC 로서는 이를 거부할수 밖에 없을것임. 이 경우 90.11 브랏셀 회담에 이은 제 2 의 협상실패로 간주되어 UR 전도에 치명적인 영향을 주게될 것이므로 불란서는 동 PACKAGE 가 필히 균형적인 내용이 되어야 할것으로 봄.

　　0 향후 1 개월이 UR 타결에 CRITICAL 하다는 견해에 공감하나, 불란서는 UR협상이 협상전반에 걸친 야심적이고 균형된 내용(AMBAITIOUS, BALANCED AND GLOBAL)이 아닐경우 굳이 금년말 또는 명년초까지의 시한부 타결에 집착할 필요는없다고 봄.

　　라. 기타

　　0 (아측이 농산물 협상을 현실적 수준에서 타협할 필요성을 강조한데 대해)UR 타결 결과는 농산물 분야를 포함해 MINI-PACKAGE 는 없을 것이며 일반적인 기대 수준보다 획기적인 내용이 될것으로 봄.

　　0 EC 로서는 수출보조가 농산물 교역의 가장 큰 원인이라는 아측의 지적에는 공감키 어려우며 이는 소득보조를 포함한 제반 지원조치에 총체적으로 연유하는 것임.

　　2. 관찰사항

　　0 불란서는 최근 EC 공동 농업정책 개혁안을 제출하는등 농산물 분야에서 적극적인 자세를 보이는 반면, 동 개혁논의를 UR 과 연결짓거나 EC 집행위에 대한 협상 MANDATE 추가 여부에는 완강히 반대하는 다소 이중적 입장을 취하고 있음.

PAGE 2

0091

0 이는 불란서가 농산물 문제에 있어 EC 의 보다 변화된 자세를 대외적으로과시함으로써 미측도 필히 이에 상응하는 양보가 사전에 이루어지도록 적극 유도하는 하편, 만족할 만한 성과가 이루어 지지 않을 경우 UR 을 굳이 시한부로 서둘러 타결할 명분과 실익이 없다는 판단인 것으로 보임.끝.

(대사 노영찬-제 2 차관보)

예고:91.12.31. 까지

외 무 부

종 별 :

번 호 : USW-5267   일 시 : 91 1025 1827

수 신 : 장 관(봉기,봉이,미일,미중,경기원,상공부,농수산부,경제수석)

발 신 : 주 미국 대사

제 목 : UR 협상 및 북미 자유무역협정 관련 의회 동향

1. GEPHARDT 하원 민주당 원내총무를 포함한 5 명의 민주당 하원의원은 10.23. UR 협상과 북미 자유무역협정 체결에 관한 아래 요지의 연서 서한을 HILLS 무역대표에게 발송하였음. (서한 사본 팩시편 별송)

가. UR 협상

- UR 협상에 관한 기본입장

. 던켈 사무총장이 준비중인 것으로 알려진 포괄협상안(TAKE-IT-OR-LEAVE-IT DRAFT)은 많은 주요 문제에 대해 불만족스런 상태에서 협상을 마무리 짓게할 우려가 있음. 타협은 해야할 것이나 합의 그 자체를 위한 합의는 수락할 수 없음.

- 분쟁해결 제도

. 14 개 협상분야에서의 합의가 만족할만한 수준이 못되는한 강력한 분쟁해결 제도는 수락할 수 없음.

. 합의 자체가 불만족스런 상태에서 분쟁해결 제도만 강력할 경우 미국의 이익보호는 더 어려워지게 됨.(A LOWER STANDARD IS LOCKED-IN)

- 노동권

. 개도국의 반대로 아무런 진전이 이루어지지 않고 있는 노동권 관련분야에서 협상노력을 배가하여야함.

- 보건, 위생문제

. 미국의 식품위생 및 식물 검역법상의 기준보다 완화된 선에서 합의가 이루어질 경우 현행 미국법 비관세 무역장벽으로 비판받게 될 소지가 있으므로 현행 미국법을 약화시키지 않는 방향에서 협상이 이루어져함.

- 농산물 협상

. EC 측이 농산물 분야에서 진정한 융통성을 보일 경우, 여타 분야에서의 미국의

통상국 외정실	장관 분석관	차관 청와대	1차보 청와대	2차보 안기부	미주국 경기원	미주국 농수부	경제국 상공부	통상국

협상력이 약화될 우려가 있음.

. 그러나, 여타분야에서의 주요 이익 확보를 위해 농업이익을 TRADE-OFF 해서는 안될 것임. 현행 농업조정법 22 조와 육류수입법상의 수입제한 규정을 사문화하는 여하한 합의도 수락할수 없음.

- 미 통상법 규정

. 반덤핑, 상계관세 규정과 같은 미 통상법 규정을 효율성을 저해하거나 허용대상 보조(GREEN LIGHT SUBSIDIES)를 신설하고자 하는 여하한 제안도 수락하여서는 안됨.

- 정부조달

. 상호주의에 입각한 교역상대국으로 부터의 상응조치가 확보되지 않는한 BUY AMERICAN 규정등을 제한하는 여하한 제안도 수락해서는 안됨.

나. 북미 자유무역협정

- 미 통상법 규정과의 관계

- 301 조, 반덤핑, 상계관세 규정과 같은 통상법상의 무역제재 규정은 북미 자유무역 협정에 의해 유지, 강화되어야함.

. 최근 미 행정부가 반덤핑, 상계관세 관련 별도 협상그룹을 설치키로 멕시코측과 합의한 것은 미국의 통상법 규정의 본질을 변경시키고자 하는 멕시코의 요구를 증대시킬 우려가 있음.

- 원산지 주의

. 미.카나다 자유무역 협정상 원산지 규정이 부적절하다고 판명된 분야(특히 자동차, 전자제품)에서는 동 협정상의 50% 보다 높은 수준에서 북미산품율(NORTH AMERICAN CONTENT REQUIREMENT)이 책정되어야 함.

- 기타

. 환경, 노동문제및 협정체결로 인한 실직자 보호등을 위한 지원계획등에 관한 우려및 구체적 대안 제시

2. 한편, 당관 구본영 공사가 여러 경로를 통해 파악한 바에 의하면, 부쉬 행정부는 늦어도 내년초까지 UR 협상 타결을 최우선 목표로 협상력을 총동원할 계획이며(내년도 선거시 부쉬 대통령의 업적으로 과시하고자 하는 의도도 개입),반면 북미 자유무역협정 체결 협상은 원칙론적인 수준에서의 논의는 계속해 나가되, 본격적인 협상은 내년 선거이후로 미루어질 가능성이 많은 것으로 보임. 이러한 배경에는 NAFTA 협상을 서둘러 추진할 경우 동 협상과 직접적인 이해관계에 있는 주요

PAGE 2

0094

업계및 이익단체에서 이를 선거 이슈화할 우려가 있을 뿐 아니라, 최종단계에 와 있는 UR 협상에 동원된 행정부내 인력문제도 고려된 것으로 보임.

　　첨부: USW(F)-4561(14 매). 끝.

　　(대사 현홍주-국장)

　　예고: 91.12.31. 까지

Congress of the United States
Washington, DC 20515

(총 14매)

October 23, 1991

The Honorable Carla Hills
United States Trade Representative
600 17th Street, N.W.
Washington, D.C.   20506

Dear Ambassador Hills:

In May, Congress voted to extend fast track trade negotiating authority. During this debate, the President talked about the need to create a partnership with Congress to work on both the North American Free Trade Agreement and the GATT Uruguay Round.

We appreciate the spirit of the President's comments -- and we take them seriously. As a result, we have been working to keep our end of the bargain: working with you and your negotiators to help define our goals and objectives in these important trade talks.

We want agreements that will pass Congress, not ones that requires amendments or that must be defeated because they are deficient in part or as a whole. We will hold the President to the commitments he has given to Congress and the American people -- both substantively, and in spirit. If he keeps his commitments, Congress will do so as well. Interpreting these commitments will require a very close partnership and consultations.

In light of the upcoming Ministerial level meeting on the NAFTA, as well as the prospect of completing the GATT Uruguay Round, we thought it would be worthwhile to outline for you what we believe should be some of the parameters for these agreements. While this letter is lengthy, it by no means defines all of our views: over the coming weeks we will work with you in highlighting other important issues.

4561-1

0096

The Honorable Carla Hills
October 23, 1991
Page 2

NORTH AMERICAN FREE TRADE AGREEMENT

We view the President's Action Plan as a starting point. The commitments of the May 1 Action Plan should operate as a floor, not a ceiling on what we hope to achieve in these important negotiations. Accordingly, we were pleased to learn recently that the Administration shares this view. By adding two new objectives to the list of items to be achieved in the area of labor rights it is clear to us that new items can be added to the negotiating agenda as we determine what, in fact, is in our nation's best interests. We expect that as other issues arise the Administration will approach them with a view towards negotiating a comprehensive Agreement that will have the support of the American people and the Congress. We must address all the issues that will impact our trading relationship.

We also must recognize the impact of the NAFTA on possible future trade agreements. Now that the Administration has signed "framework" trade agreements with most other nations in the western hemisphere, we expect that the Administration will request the authority to negotiate free trade agreements with these countries. As the Administration has signaled its desire to use language from the GATT as well as from the U.S.-Canada FTA as a model for the NAFTA negotiations, we must recognize that should a NAFTA be agreed to, the language of the agreement will be used as a precedent in the negotiations for other agreements. As a result, our scrutiny of the NAFTA negotiating process and agreement must be intense. We cannot fail to use the NAFTA as a means of leveraging change on the important issues facing this hemisphere.

Protection of U.S. Laws

A NAFTA must maintain or strengthen U.S. trade remedies such as Section 301, countervailing duty and antidumping laws; and an agreement must not infringe on the ability of U.S. businesses and workers to have their complaints heard before U.S. administering authorities and courts.

An agreement must maintain fundamental protections in the trade law area, such as due process, administrative factual determinations and judicial review. Any multinational dispute-settlement process that does not guarantee these protections to U.S. businesses and workers is unacceptable. U.S. petitioners must not be subject to rulings by foreign governments that fail to adequately guarantee these protections.

A NAFTA must not change current procedures or law for deciding countervailing duty or antidumping disputes between U.S. and Mexican parties. Established rules and procedures such as those dealing with the cumulation of dumped products from multiple sources must not be weakened to the detriment of U.S. petitioners.

북미 - 2

0097

The Honorable Carla Hills
October 23, 1991
Page 3

Indeed, the fact that the Administration has acceded to Mexico's demand to establish a separate working group for the negotiation of dumping and countervailing duty issues in the NAFTA talks is disturbing. This action cannot help but raise those issues to a greater level of prominence in the negotiations and increase Mexico's demands for substantive changes in U.S. trade laws. And, Mexico appears to want to weaken the U.S. negotiating position by obtaining a GATT panel decision adverse to the U.S. antidumping order on cement. Together, these actions and others are ominous signs.

Rules of Origin

As a guiding principle, a North American Free Trade Agreement must first and foremost benefit the parties to the agreement without creating an export platform for launching non-FTA goods into the U.S. market. Products eligible for duty-free treatment must not only be made in North America, they must to the greatest extent possible be made from North American parts.

In sectors in which the U.S.-Canada rule-of-origin provisions have proven to be inadequate, North American content requirements for NAFTA must be set higher than the FTA's. This is especially critical in the automotive and electronics sectors.

In the automotive sector, not only must the NAFTA level substantially exceed the FTA's fifty percent North American content requirement, but the NAFTA also should serve as a forum for increasing the U.S.-Canada standard.

Methodology for determining North American content must be carefully designed to ensure that components are not counted in such a way as to reduce the actual North American content of final products below agreed-upon levels. Accounting methods that encourage such manipulation -- such as the process by which fifty percent North American parts are considered one hundred percent North American -- should not be permitted.

To the extent feasible, calculations of the North American content of final products should be based upon content determinations of all components. Only the most direct costs of production should be counted in determining North American content, and items such as interest, profits and advertising should be specifically excluded. The agreement must include strict methods for auditing companies to determine compliance with North American content requirements.

4561-3

0098

The Honorable Carla Hills
October 23, 1991
Page 4

Finally, we must recognize that many of our companies operating in Mexico have had to face an extremely restrictive investment framework. As we seek to open the Mexican market, we should ensure that those companies who have already invested in Mexico be given the "breathing room" necessary to address changing competitive pressures: we should look at a tiered structure for allowing new entrants into Mexico that phases in the benefits of the NAFTA at differing rates for old and new investments.

Environment

There is a growing understanding that trade and the environment can no longer be treated as separate subjects. Recognizing that reality, the President promised Congress before the vote on extending fast track trade negotiating authority that future trade agreements would "preserve the environment" and "not weaken U.S. environmental and health laws or regulations."

Since the fast track vote, it is apparent that a double standard is emerging in the NAFTA negotiations. The Administration is willing to pressure Mexico to ratchet up its standards in areas like protection of investment and intellectual property, but it seems unwilling to press hard for high standards on the environment on the grounds that it would interfere with Mexican sovereignty.

For example, the centerpiece of the Administration's NAFTA-related environmental protection effort has been the Draft Border Environmental Plan, released for public review in August. Congressional testimony has revealed that the Border Plan is little more than a smoke screen for the status quo. It fails to identify funding needs to clean up existing problems, relies for enforcement on voluntary compliance and strengthened regulatory activities, "as appropriate," and, incredibly, does not even address the environmental strains that will be caused by a NAFTA.

The Draft Environmental Review, released last week, is little more than a paper exercise, full of false assurances. It acknowledges only the most basic environmental concerns and does not suggest how they might be addressed. It relies on specious economic reasoning and "trickle down environmentalism" to explain away more serious problems. And, it introduces into the NAFTA certain GATT environmental standards that can be used to weaken existing health and environmental laws – despite the President's promise that such laws would be protected.

There cannot be a successful NAFTA until the Administration recognizes that international trade is not just about tariffs and prices anymore, and negotiates a treaty that addresses in a serious way the environmental and public health issues raised by the increased investment and trade between the countries, not just in the border zone but within the entire sovereign boundaries.

4461-4

0099

The Honorable Carla Hills
October 23, 1991
Page 5

Environmental provisions should be covered in the body of the NAFTA if they are directly trade-related, or in a parallel agreement which has the force of law, submitted for Congressional review before consideration of the NAFTA. At a minimum, the provisions should cover the following areas:

1.   A border clean-up program, with a full-scale environmental audit to identify existing problems, adequate funding to rectify those problems in a timely way and prevention measures to mitigate future environmental degradation.

2.   Investment criteria to capture some of the resources generated by new investment for environmental protection. The Administration often argues that as Mexico gets richer, it will devote more resources to environmental protection. Investment criteria that incorporate the concept of "the polluter pays" for necessary environmental infrastructure, pollution prevention, clean-up and regulatory oversight would "lock in" that commitment in much the same way that other NAFTA provisions would lock in changes in economic laws and practices.

3.   Investment standards to ensure that investment does not locate somewhere to take advantage of lax environmental standards or enforcement. These standards should require mitigation measures to prevent and reduce pollution from production processes and discarded waste, a demonstration that companies are using the best available environmental technology, and a guarantee of community and worker right-to-know and other public disclosure standards.

4.   Protection of environmental and health laws and regulations from weakening in any international agreement or from attack as non-tariff barriers. The recent tuna/dolphin dispute showed how vulnerable both the letter and the enforcement of these measures are in the international trading system. NAFTA-related provisions should ensure that the higher environmental or health standard on either side of the border will apply on both sides of the border. Further, each country should maintain the right to adopt stronger standards if it considers appropriate at the federal, state or local level.

4561-5

0100

The Honorable Carla Hills
October 23, 1991
Page 6

5.   <u>Tough, mandatory enforcement provisions</u>, with recourse to trade sanctions and citizen suits to force compliance with environmental and health laws and regulations. We believe that the United States and Mexico should create a multi-stage enforcement process to enforce each countries relevant environmental laws. Regulators should be able to conduct on-site inspections without prior notice, not, as suggested in the Border Plan, only on a company's invitation. Citizens should have access to each other's legal systems and stockholders of U.S. companies should have the right to sue those companies if their subsidiaries or affiliates do not abide by host country environmental laws.

Labor Issues

In the May 1 Action Plan, and in executive/congressional interchanges subsequent to the vote on the extension of fast-track negotiating authority, the Administration has committed to addressing various labor issues in the context of the NAFTA parallel discussions. These issues include worker health and safety, child labor, and worker rights.

The Administration has defined its activities in these three labor-related areas in terms of discovery, or fact-finding. For example, representatives of the U.S. Labor Department have indicated that they are gathering information on (1) how worker health and safety standards are enforced in Mexico; (2) the extent to which Mexican child labor standards are enforced; and (3) the manner in which unions and the collective bargaining process operate in Mexico. Labor Department officials have also noted that they are providing the Mexicans with information on how such labor standards and practices work in the U.S.

The rationale that is given for confining our efforts in the labor area to information sharing is that any attempt to suggest policy changes to the Mexicans would be impinging upon their national sovereignty. We question this reasoning in view of the fact that, in the context of the NAFTA negotiations, the Administration is asking the Mexicans to alter policies as sensitive as domestic price controls.

4561-6

0101

The Honorable Carla Hills
October 23, 1991
Page 7

In short, we stress the need for more than a Mexican/American mutual exchange of information and dialogue on worker health and safety, child labor, and worker rights. We feel that these labor issues are central to the commercial considerations underlying the NAFTA. Therefore, it is essential that they be addressed directly by any trade agreement and be enforced by trade measures. The differences that exist in regulatory regimes, and particularly the differences in enforcement on issues like worker health and safety, child labor and labor relations, can seriously distort capital flows in North America. We believe that there are a number of Members of Congress who would not support the NAFTA at the end of the day without the strengthening of standards and enforcement of these crucial matters.

Specifically, we offer the following proposals as an outline of the measures that should be addressed by the trade agreement.

Worker Health and Safety

* Enhance the enforcement of worker health and safety laws in the signatory countries through binational or trinational enforcement bodies established under the NAFTA, complete with a funding mechanism.

* Establish a confidential procedure through which workers in Canada, the U.S. and Mexico can report unsafe or unhealthy conditions in their plants.

* Establish a structured educational program through which American EPA and OSHA inspectors and their Mexican counterparts can undergo necessary technical training.

Child Labor

* Establish 16 as the minimum North American legal age of employment.

* Enhance the enforcement of child labor laws in the signatory countries through binational or trinational enforcement bodies established under the NAFTA, complete with a funding mechanism.

Worker Rights

* Tighten the bureaucratic procedures in the signatory nations to eliminate the discouragement of, and delays in, the establishment of unions, declaration of strikes, and adjudication of labor disputes. For example, eliminate any requirements for government pre-certification of collective bargaining agreements before unions can represent workers or government approval of strikes before they can be declared. Additionally, establish a time period during which labor courts must act once a complaint has been filed such that said courts cannot avoid dealing with cases.

The Honorable Carla Hills
October 23, 1991
Page 8

Dispute Resolution

Dispute resolution should be designed to provide maximum protection for domestic environmental, consumer health, worker health and safety, child labor, and worker rights laws and regulations. Attention should be given to expanding the scope of the NAFTA commercial dispute settlement mechanism to address these important issues. Under such expanded jurisdiction, binational or trinational dispute settlement panels would have the authority to hear cases in which parties have alleged that noncompliance with environmental, health or labor standards in the market of operation constituted a trade- or investment-distorting practice. Unlike existing GATT procedures, dispute resolution panel rulings should be open to public review and comment before countries decide whether to adopt them.

In the case of a guilty ruling, NAFTA dispute settlement panels should have the authority to penalize company offenders. At a minimum, penalties should involve the suspension of benefits such as phased-out tariffs (i.e., the original tariff would be reimposed).

Dispute settlement as applied to environmental and consumer health issues should guarantee that trade provisions will not compromise or preempt this country's international treaty obligations for protection of the global environment. Unlike existing GATT standards, which expose a host of bona-fide environmental and health protection measures to attack as non-tariff barriers, the NAFTA should place the burden of proof on the challenging party to show that a particular environmental or health protection measure is not legitimate.

Sensitive Industries

Recently, the three parties to the NAFTA exchanged offers to reduce their tariff rates and quotas. As part of this exchange, it is our understanding that no industry was put in the "exclusion category." Rather these industries were put in the category which would receive the longest period for phase-out.

There are a number of U.S. industries that are extremely sensitive in these areas. While we believe that some industries should be considered for exclusion from such phase-outs, the Action Plan recognizes that there may be the need to phase-out tariffs and quotas over periods that exceed the time period provided for in the U.S.-Canada FTA. The problems for several of these industries – for example textiles and apparel -- would not be adequately addressed by the safeguard mechanisms that have been discussed. As a result, the Administration should seriously consider mechanisms that will allow these industries to address competitive pressures.

$4581-8$

0103

The Honorable Carla Hills
October 23, 1991
Page 9

GATT URUGUAY ROUND

We have heard in recent weeks that GATT Director Dunkel is preparing to lay before the signatory countries a "take-it-or-leave-it" draft. While we certainly desire to reach a final conclusion of the Uruguay Round, we are concerned that this approach to reaching an agreement might leave many important issues unsatisfactorily resolved. We should be willing to compromise, but we must refuse to accept an agreement simply for agreements sake.

Since the failure at Brussels last year, the start of negotiations on the NAFTA has raised a number of important issues that relate to negotiations on the Uruguay Round. Negotiations on these agreements touch upon many of the same issues, such as environmental, consumer, health, labor and agricultural standards. The issues resolved in GATT could lock in positions that will then be used as the basis for provisions in the NAFTA. We understand that, in fact, many of the NAFTA working groups are contemplating using draft language being considered in the GATT for the basis of working group negotiations.

Dispute Resolution

We must judge a GATT Agreement as a whole. At the same time, we must be unwilling to settle for an Agreement that does not enhance the international competitiveness of our economy, ranging from agriculture to services to manufacturing. We must reject any efforts to diminish the effectiveness of those U.S. trade laws that are already on the books.

Upon its completion, we must look at how an Agreement is to be implemented and enforced based on the possibility of new dispute resolution provisions. In the past, there has been a dramatic difference between the way that Congress and the Administration view our trade laws: The Administration views the U.S. as a defendant while the Congress views the U.S. as a plaintiff.

As a result of these different views, we should be wary of a strong dispute resolution mechanism if the underlying agreements in each of the 14 negotiating areas are not completely acceptable. If a strong dispute resolution mechanism is combined with weak agreements, a lower standard is locked-in which, in essence, thereby diminishes our ability to protect the rights of American workers, farmers and businesses.

Worker Rights

The 1988 Omnibus Trade Act outlined 16 negotiating objectives for the Uruguay Round and required the Administration to report on its progress in achieving them. Despite the assurances given in Administration reports to Congress and actions taken since the fast track was extended, progress towards achieving these objectives remains elusive.

0104

The Honorable Carla Hills
October 23, 1991
Page 10

In the important area of worker rights, little or no progress has been made. The efforts of U.S. negotiators in this area have been thwarted by opposition from developing nations. Such a result is unacceptable: the Administration should redouble its efforts.

Health and Safety

One of the most important issues in the GATT is the issue of health and safety. The treatment of these issues, while garnering little press, could have a tremendous impact on Americans.

While we believe that we need to rationalize the multilateral approach to health and safety issues, we need to do so not by weakening U.S. law, but by bringing other countries up to our standards. Harmonization of sanitary and phytosanitary codes could undermine existing U.S. health, safety and environmental laws by imposing lower international standards and by exposing U.S. laws to challenge as non-tariff barriers to trade.

Additionally, the issue of harmonization of "technical barriers" must be approached carefully. The inclusion of "all products and process standards" for manufactured goods and raw materials could cause requirements for product safety measures to be held illegal barriers to trade. As well, the issue of preemption of state and local laws must be rejected if the states wish to impose more stringent standards than federal law.

The recent tuna/dolphin decision and its impact on the interpretation of Article XX must be reevaluated. The decision limits the scope of the protections in question to within the applicable geographic borders. This decision has serious repercussions for the application of national and international environmental laws.

We hope that you agree that the health and safety of American citizens must be paramount. If anything, we should err on the side of safety in addressing these important issues.

Agriculture

For some time, the issue of agriculture has stymied efforts to resolve the Uruguay Round. In recent weeks, there have been rumblings that the European Community might have the flexibility to engage in serious discussions on this issue.

There is no doubt that the resolution of agriculture is key to restarting the talks. At the same time, the U.S. negotiating position appears to hinge on this issue. We must be concerned that should the EC show true flexibility, our negotiating leverage in other important areas might be reduced. We must refuse to trade agricultural interests off of other important interests.

44F61-10   0105

The Honorable Carla Hills
October 23, 1991
Page 11

We certainly believe that there is a need to rationalize worldwide agricultural production. But, at the same time, we must reject any agreement that eliminates our ability to impose controls under Section 22 of the Agricultural Adjustment Act and the Meat Import Act. We must also enhance our ability to aggressively address the dumping of agricultural products by other countries on the world market.

U.S. Trade Laws

We are encouraged by GATT Director Dunkel's attempt to expedite the Uruguay Round by drafting a broad text covering key negotiating areas. But this also increases the likelihood that proposals by foreign governments to dilute U.S. trade laws could be incorporated into a final agreement, despite the fact that our own negotiators have opposed attempts to gut our antidumping and countervailing duty laws in the past.

A final GATT agreement must preserve the effectiveness of U.S. trade laws, and must not interfere with the ability of our workers and businesses to obtain timely relief. For key U.S. manufacturing industries, these laws represent the only avenue for redressing potentially devastating foreign unfair trade practices.

Proposals that make it more difficult to initiate antidumping cases -- such as changes in standing requirements or de minimis provisions -- must be rejected. The United States also must reject proposals that make it more difficult to prove foreign dumping -- such as averaging and changes in methodology for determining material injury -- as well as sunset provisions that prematurely terminate dumping and countervailing duty orders.

U.S. negotiators must also hold their ground in insisting that provisions addressing the problems of circumvention and repeat dumping be included in final antidumping and subsidies texts. Finally, the United States must reject all proposals for creating new "green light" permissible subsidies.

Government Procurement

The current status of the discussions on government procurement appears to hold little promise for enhancing U.S. market opportunities abroad while raising substantial concern about the impact on the U.S. market. We must reject efforts that will limit provisions such as "Buy America" unless there is true, enforceable reciprocity with our trading partners.

4561-11

The Honorable Carla Hills
October 23, 1991
Page 12

Additionally, policy-oriented procurement rules (such as the requirement for using recycled paper) might be exposed to challenge under the rules being discussed at this time. The scope of these discussions should not limit policy-oriented procurement limitations.—

General Worker Adjustment Provisions

During the debate on fast track, Members of Congress emphasized the importance of having a worker adjustment program that will address the domestic impact of future trade agreements. In pursuit of a high wage, high skill society we must provide our workers the opportunity to continuously upgrade their skills to be able to compete in the marketplace of the future. At the same time, we must recognize that with this competition, there is an increasing need to develop comprehensive adjustment policies that will enable our workers to have the kind of economic opportunity that they deserve.

The challenge of the NAFTA poses a number of issues that must be addressed immediately. We believe that there are a number of requirements for an effective NAFTA adjustment assistance program. This program should serve as a model for future efforts.

First, the program must be funded at a level that will guarantee access to the services provided for under the program. The history of the last decade has taught us that we cannot afford to accept empty promises as to the commitment of the Administration to "appropriate" funding levels. We believe that any worker adversely affected by the NAFTA is entitled to appropriate services.

Second, funding for the services must be provided for in the implementing legislation. Not only must we assure that services are adequately funded, but we will require that the funding for these services be provided within the implementing legislation that the Administration will send to Congress. As the Action Plan indicates, "Any needed changes to U.S. law to implement such a program should be in place by the time the agreement enters into force and could appropriately be addressed in legislation implementing a NAFTA." We will require that this commitment be met.

USW (万) —
4561-12

0107

The Honorable Carla Hills
October 23, 1991
Page 13

Third, the question as to how to fund the NAFTA adjustment program should be dealt with well before the conclusion of the negotiations with Canada and Mexico. Although the specifics of this adjustment program are primarily a domestic matter, the mechanism through which the program will be funded could require input from our North American trading partners. The suggestion has been made, for example, to fund the NAFTA adjustment assistance program through a fee on goods traded among the three North American markets. The implementation of such a plan would require consensus among the signatories to the NAFTA. We therefore stress the need for expeditious consideration of the NAFTA adjustment program funding mechanism.

Fourth, the program must address short-term as well as long-term dislocations. Whatever "trigger" is used to start the delivery of services must allow workers to receive benefits when they are affected by either short-term disruptions or the gradual impact of the agreement. We will expect that the commitment in the Action Plan to provide services to affected workers will ensure that these issues are addressed.

Fifth, in order to provide adequate opportunity for workers to adjust, the NAFTA adjustment program should couple retraining with extended income supports that mirror unemployment compensation. After all, what worker will be able to afford to go to school if he or she has no income with which to pay his or her bills? The Trade Adjustment Assistance program provides one model for a NAFTA adjustment program along these lines.

In light of the accelerated workplan that the Administration appears to be following, allowing for completion of the talks sometime early next year, we must address this issue quickly. We hope that you will be able to share with us by December 15, 1991 what funding mechanism you intend to use so that we might be able to evaluate this issue prior to the next budget cycle. Although we are prepared to delay consideration of a NAFTA if we cannot agree on an appropriate plan, we would hope that this would not become necessary.

Finally, there are a number of agreements that are being negotiated or which the Administration intends to enter into negotiations on in the near future. These agreements will challenge our ability to provide our workers the skills, and support mechanisms, necessary to adjust to an increasingly competitive world trading system. What we do in the short-term must be flexible enough to address the many long-term adjustment needs our nation, our businesses, our farmers and our workers will face.

4461-13

0108

The Honorable Carla Hills
October 23, 1991
Page 14

CONCLUSION

As the Administration continues to negotiate on these important treaties, it is vital that we understand the issues facing our country both in the short- and long-term. To this end, it is critical that we undertake a comprehensive economic analysis of the impact of these agreements on key sectors of our economy. We look forward to reviewing Administration analyses during this process.

In closing, we want to reiterate our support for trade agreements that will open markets and provide for freer and fairer trade. At the same time, the interests of American workers, farmers and businesses must be paramount. We should fight for their interests and not rush to sign agreements based on ideological grounds.

We look forward to working with you.

Sincerely,

Sander M. Levin

Richard A. Gephardt

Donald J. Pease

Ron Wyden

Jim Moody

4461-14 (END)

0109

외 무 부

종   별 :

번   호 : GVW-2150
일   시 : 91 1025 1920

수   신 : 장관(봉기, 경기원, 재무부, 농림수산부, 상공부, 청와대외교안보, 경제수석)

발   신 : 주 제네바 대사   사본:주미,주이씨대사중계필

제   목 : UR/협상 주요 동향

연: GVW-2095

일반문서로 재분류(1091 .12 .31)

1. 본직은 최근 인도, 태국, 필리핀, 말레이지아, 미국, 일본 대사 및 CARLISLE 갓트 사무차장등과 오.만찬을 갖고 UR 협상 동향 및 전망등에 관해 의견을교환하였는바, 이를 토대로 당지의 UR 협상 동향을 종합 보고함.

가. 각 협상 그룹 의장으로 하여금 10 월말 또는 11 월초까지 REV.2 를 작성토록한 던켈 총장의 전략 목표는 각 그룹내에서 핵심쟁점에 대한 이견 조정이 이루어지지 않고 있어 사실상 달성치 못할 실정임.

- 현재까지 진척이 있다고 평가되어온 서비스 분야도 금융 서비스 부속서 제정과 관련 선.개도국간의 첨예한 의견 대립은 물론 선진국간 개도국간에도 일부중요한 분야에 대립되고 있고, - 던켈 자신이 맡고 있는 섬유분야도 통합 비율, 연증가율, 품목범위등 주요 쟁점에 대해 선진국의 양보가 전혀 없으며

- TRIPS 도 대여권, 유예기간등 문제에 있어 아무런 진전이 없고

- 반덤핑에서도 미.EC 와 수출국 대립으로 협상이 표류하고 있음.

나. 현재 각 협상 그룹 의장들은 상기 진척 부진에도 불구, 무리하게 협상 초안을 작성하는 것이 현명한지 여부에 대하여 상호 협의를 계속하면서 공동 대처하는 방향으로 움직이고 있으며, 던켈 총장도 자신이 맡고 있는 농업 및 섬유 분야 TEXT 도 미리 내놓을 형편이 아닌 것으로 관측되고 있음.

다. 이상 표류현상에 비추어 일부 주요 국가 및 사무국 간부들은 던켈 총장에게 각 협상 그룹 협의를 대사급으로 격상 협상토록 하는 방안(단, 그린룸 형태는 배제)을 종용하고 있다함.

라. 던켈 총장 전략의 유효성을 평가함에 있어서 미국, EC, 카나다, 호주를비롯한 선진국 대표들은 시기면에서 다소 늦어지더라도 REV.2 는 반드시 제시될 것이라고

통상국 재무부	장관 농수부	차관 상공부	1차보 중계	2차보	청와대	청와대	안기부	경기원

91.10.26   07:57
외신 2과 통제관 BD

0110

하는 한편 많은 개도국 대사들은 현 상황하에서는 REV.2 의 출현 자체도 회의적으로 관측하고 있음.(개도국회의 분위기)

　마. 따라서 현재로서는 REV.2 의 제시는 예상보다 훨씬 늦어질 가능성이 많으며, 현시점에서 던켈 총장자신은 물론 어느 대표도 확실한 전망을 할수 없는 형편임.

　2. 한편 10.24 NORDIC 국가들은 그들의 공동선언을 통하여 미국과 EC 가 농산물 협상에 합의하면 모든 일이 다 해결될 것처럼 판단하는 것은 큰 착오라고 경고하고, 반덤핑, 보조금, 상계관세 분야에서 미.이씨가 종래의 입장을 계속 고집한다면 이는 협상의 실패를 자초하는 것이라는 성명을 발표 하였는바, 아국도 이들 NORDIC 국가들과 동건 관련 사전 협의하고 이 문제에 관한 공동 입장을 취하기로 합의한바 있음을 참고 바람.(GVW-2015, 2122) 끝

　　(대사 박수길-차관)

　　예고: 91.12.31. 까지

長官報告事項

報告畢

1991. 10. 28.
通 商 局
通商機構課(56)

題 目 : UR 協商에 대한 노르딕 立場 表明

1.　10.24(木) Noridic 國家들의 UR 協商에 대한 共同 宣言 發表

　○ UR 協商에서 美國, EC間의 農産物 分野 異見 調整이 全體 協商의 關鍵이
　　되고 있는데에 대해 不滿 表示

　　- 美國, EC가 農産物 協商에서 合意하면 모든일이 다 해결될 것처럼 判斷하는
　　　것은 큰 錯誤라고 警告

　○ 反덤핑, 補助金 規定이 强化되지 않으면 全體 UR 協商 結果를 受容할 수 없다는
　　强硬한 立場 表明

　　- 最近 美國의 노르웨이産 연어 反덤핑 規制 및 스웨덴 鐵鋼 反덤핑 提訴
　　　等을 考慮 노르딕은 UR 協商에서 反덤핑 濫用 防止 規定 强化를 希望

2.　餘他國 反應

　○ 日本, 同 Nordic 共同宣言에 支持 立場 表明

　○ 스위스, 오스트리아 및 一部 新興工業國도 同調

3.　我國의 措置事項

　○ 주 제네바 代表部, Nordic 國家와 同件에 관해 事前 協議, 共同 立場을
　　취하기로 合意

4.　對言論 및 國會 關聯事項 : 없 음.　　　　　끝.

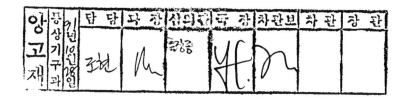

0112

외 무 부

종 별 :

번 호 : GVW-2184   일 시 : 91 1029 2030

수 신 : 장 관(봉기)

발 신 : 주 제네바대사

제 목 : UR/협상 동향

대: WGV-1490

1. CARLISLE 사무차장 및 ARIF HUSSAIN 사무차장보를 통해 확인한바 전혀 아는바 없다고 말함.

2. 특히 HUSSAIN 차장보는 현재로서 각료회의 개최계획이 논의된바 없고 여하한경우에도 브랏셀형식의 협상을 위한 각료회의는 전혀 고려의 대상이 아니며, 다만 모 든 협상이 종료하는 경우 협정 서명을 위한 ONE DAY 또는 HALF DAY각료회의 개최 가능성은 생각해 볼수 있을 것이라는 언급이었음.

3. 모로코는 지난 여름 (6-7 월경) GATT 측에 대해 차기 각료회의가 필요할 경우 모로코가 이를 개최할 의향이 있음을 제의한 바 있어 ' 모로코 차기 각료회의 가능성'이 별다른 의의를 부여하지 않은채 당지에서 거론되어 소문이 나있는 상태이며, 금일 본직이 모로코 대사에게 확인한 바, 서명을 위한 각료회의가 필요할 경우 모로코가장소를 제공할 용의가 있음을 던켈 총장에게 비공식으로 거론한바 있으나, 공식적으로 결정 된바는 없다고 말함. 끝

(대사 박수길-국장)

통상국   2차보   외정실   안기부

PAGE 1   91.10.30   10:31 WH
                                          외신 1과 통제관

0113

발 신 전 보

	분류번호	보존기간

번   호 : WGV-1490   911029 1542 FO   종별 : _____

수   신 : 주 제네바 대사. 총영사

발   신 : 장 관 (통 기)

제   목 : UR 협상 동향

10.24자 워싱턴 포스트지에 의하면 UR 협상은 11월말경에 잠정 합의되어 모로코 에서 92년 2 -3월중 개최 예정인 각료회의 에서 최종타결될 예정이라는바, 동 모로코 각료회의 개최 관련 정보를 4항을 파악 보고바람.

첩 부(FAX) : 상기 WP 기사 1매.   끝.   (통상국장 김 용 규)

WGVF-281

	보 안 통 제	

앙고재	91년 10월 29일	통기과	기안자 성명 조현		과 장	신의관	국 장 전결		차 관	장 관	외신과통제

0114

Free-Trade Talks Moving Ahead Again

Germans Ease Stand On Farm Subsidies

By Stuart Auerbach
Washington Post Staff Writer

Pushed by Germany's new willingness to support cuts in government subsidies to European farmers, the Uruguay Round of global free-trade talks is moving forward for the first time since it foundered last December in a transatlantic dispute.

"There is the prospect of a breakthrough ... the chance of substantive agreement by the end of the year," a senior U.S. trade official said yesterday.

The negotiations to strengthen the rules of free trade, the General Agreement on Tariffs and Trade (GATT), had been given up for dead last December after collapsing in a dispute over agricultural subsidies. Talks in areas other than farm trade had ground to a halt as well.

But the decision by German Chancellor Helmut Kohl has revived the talks, and negotiators now think they can reach preliminary agreements by late November and be ready to bring a package of results to a meeting of trade ministers tentatively scheduled for Morocco in February or March.

"The Germans have said that they want to do more in agriculture," which "is most welcome," U.S. Trade Representative Carla Hills said.

The prospect of a successful conclusion to the GATT talks has spawned a flurry of high-level meetings in the next two weeks between the Bush administration and its European allies.

An administration official said the trade negotiations will occupy the top spot on President Bush's agenda when he meets next week with European leaders at The Hague.

Agriculture Secretary Edward Madigan will follow up on the presidential meetings with two sessions with Ray MacSherry, the European Community agricultural commissioner.

While the German position has changed, France and Ireland remain opposed within the EC to the total easing of government subsidies to Europe's farmers, which amounted to $12 billion last year, European officials said.

While French farmers are showing their muscle in Paris with a series of demonstrations opposing change in EC farm subsidies, the French government has shown what U.S. officials described as slight movement. But a German official said "everybody has to push the French" to move more.

The logjam was broken by Kohl, who told former U.S. trade representative Clayton Yeutter earlier this month that "it had become apparent that Germany has a great deal at stake in the Uruguay Round and a great deal to lose if the talks fail." German industries depend on exports and stand to suffer from a halt to trade liberalization.

0115

발 신 전 보

	분류번호	보존기간

번 호 : WGV-1509   911031 1614   FN종별 : _____

수 신 : 주   제네바   대사. 총영사

발 신 : 장 관 (통 기)

제 목 : UR 협상 전망

　

　10.30자 Journal of Commerce지 에 의하면 농산물 협상에서 미.EC간의 합의 부재로

던켈 사무총장은 11월중 협상 초안을 제시하고자 하던 당초 협상 전략에서 후퇴하고

있다는바, 협상 초안 작성 진행상황등 최근의 던켈 총장 협상 전략 변화에 관해 답문

파악하여 지급 보고바람.

　

첨 부(fax) : 상기 기사 1매.   끝.   (통상국장   김용규)

　

앙고재	91년 10월 31일	통기과	기안자 성명		과장	심의관	국장		차관	장관	
			로현			출랑중	전결				

보안통제	

외신과통제

선조 : USU(F) _ 4657

선 : 장 관 (통기, 통상, 통이) 상공부, 명기원, 농수산부

발신 : 주여대사

제목 : UR 현상관련, 던겔사무청장 강경입장에서 후퇴 (1매)

GATT Official Retreats From Ultimatum at Talks

Knight-Ridder Financial

GENEVA — Arthur Dunkel, director general of the General Agreement on Tariffs and Trade, has retreated from a strong stance at the Uruguay Round trade talks, pending high-level U.S.-EC talks on agriculture, officials said Tuesday.

About two weeks ago, Mr. Dunkel issued what was considered an ultimatum to Uruguay Round negotiators.

If the main players did not prepare an outline of a draft agreement by early November, he said, he and the chairmen of the 15 negotiating groups would present their own draft text.

Uruguay Round trade talks have been deadlocked over the issue of farm subsidy reductions.

Highly placed delegates and other officials said Mr. Dunkel had retreated from that firm position, because the United States and European Commission recently had opened high-level bilateral talks in Brussels, Belgium, and in Washington.

"The director general will be seeing the other chairmen of the different negotiating groups in the early part of. next week and will try to make an assessment of the overall situation at that time," one official said.

"He will not be putting any text down, or ask the other group chairmen to put down texts, pending the results of the ongoing high-level U.S.-EC talks on agriculture," he added.

Mr. Dunkel is chairman of the trade negotiations committee that oversees the talks, and he chairs the crucial negotiating group on agriculture.

Delegation sources from several major participating countries said there was "no chance" of getting any text, even in rough draft form, before the end of November, unless there is a breakthrough on agriculture.

They also said it would be meaningless for Mr. Dunkel and other negotiating group chairmen to present draft texts. The texts would be unacceptable because of the continuing deadlock over trade in farm products.

The EC still has failed to present any further offer beyond its 30% reduction in farm subsidies.

The United States and the Cairns Group of 14 agricultural exporting countries have demanded cuts in agriculture export subsidies and internal supports of 75% to 90%.

JOC
10/30/91

0117

외 무 부

종 별 :

번 호 : ECW-0884   일 시 : 91 1031 1830

수 신 : 장관 (봉기, 경기원, 재무, 농수산, 상공부, 경제수석, 외교안보, 총리행조실)

발 신 : 주 EC 대사   사본: 주 미, 제네바, 화란대사-중계필

제 목 : UR 협상 정부사절단 EC 방문보고

1. 이병석 농림수산부차관을 단장으로 하는 UR 협상관련 사절단일행과 최상섭 주화란대사는 10.30(수) 17:00 부터 헤이그의 화란 경제성에서 약 1 시간동안EC 봉상이사회 의장인 VAN ROOY 화란 봉상장관을 면담, UR 협상에서의 우리입장을 설명하고, EC 측 이해와 협조를 요청한바 동 협의요지 하기보고함 (당관 김광동참사관, 이관용농무관 배석)

가. 아측입장 설명

0 이차관은 방미시 설명한것과 같은 취지로 협상결과가 현실적으로 수용가능한 것이어야 함을 지적하고, 한국으로는 쌀등 기초식량에 대한 관세화 예외가 인정되어야 하며, 쌀의 관세화를 포함하는 어떠한 협상안도 받아들일수 없다는 우리의 입장을 분명히 하였고, EC 봉상장관회의 의장인 동 장관이 회원국장관들에게 이와같은 한국의 입장을 전달하여 줄것을 요청하였음

나. EC 측 반응

0 이에대하여 ROOY 장관은 던켈총장이 제시한 협상타결 시한이 금년말까지 이며, 협상초안 (FINAL PAPER) 이 11 월 중순경 모든분야에 걸쳐 동시에 제시될 것으로 본다고 말하고 UR 의 성공적인 타결을 지지하는 한국의 적극적인 입장에 동감을 표시하고, 한국과 EC 는 여러분야에서 비슷한 입장을 갖고 있으며 EC 도 농업에서 많은 문제점을 갖고 있다고 하면서 최근 불란서의 대규모시위를 언급하고, EC 도 정치적인 어려움을 안고 있다고 설명하였음

0 또한 한국, 일본이 쌀에대해 어려움이 있는것 처럼 EC 는 낙농제품, 곡물등에 특히 어려움이 있다고 하면서 모든나라가 한두가지 예외를 주장하면 대부분의 농산물이 예외속에 포함될 것이고 그렇게되면 협상을 결렬을 면치 못할것이라고 지적함

봉상국 정와대	장관 정와대	차관 총리실	1차보 안기부	2차보 경기원	구주국 재무부	경제국 농수부	외정실 상공부	분석관 중계

PAGE 1

O 정치적인 면에서도 모두 선거를 치뤄야하는 어려움이 있으나 협상타결을 위해 정치적 의지(POLITICAL WILL)가 필요하며, EC 로서는 식량안보 뿐만 아니라 11 조 2 항(C) 대상품목도 관세화의 예외로 인정할수 없음을 강조하였음

O EC 도 처음에는 관세화를 반대하였으나 이제는 변화를 요구하는 세계적인조류에따라 점진적으로 농업정책을 바꾸어야 한다고 생각하고 있으며 제도를 바꾸었을 경우 (관세화 수용후) 당장 수입이 급증하여 농업이 큰 타격을 입지는 않을 것이라고 EC 의 농민을 설득하고 있다 하였음

O 만약 UR 이 성공하지 못할 경우 미국, 케언즈 국가들이 EC 의 공동농업정책과 일본, 한국의 쌀 수입제한조치를 GATT 에 제소할 가능성이 있으며, 미국의 301 조의 대상이 되어 정책전환을 강요당하게 될것인지도 모른다고 하였음

O 끝으로 한국의 쌀문제가 중요하다는 것은 충분히 이해하고 있으며 EC 의 여타 회원국 통상장관이나 ANDRIESSEN 대외담당 집행위원에게도 한국의 입장을 분명하게 (CLEAR AND LOUD) 전달하겠다고 말함

나. 아측대응

O 이차관은 한 국가에대해 예외를 줄 경우 다른나라들도 예외를 요구하는 연쇄효과 (CHAIN EFFECT) 문제는 식량자급도가 낮은 국가의 필수적 기초식품에 한하여 예외를 인정하고, 이들품목은 수출하지 못하도록 하는등 엄격한 조건과 기준을 설정하여 운영하면 해결될수 있을것이라고 설명함

O 또한 관세화도 처음에는 고율관세로 다소 수입억제 효과가 있을지 모르나결국은 기본관세로 내려가 완전자유화 될것이며 이는 경쟁력이 취약한 쌀의 생산감퇴를 가져오고, 결국 한국농업 전체의 생산기반 붕괴를 초래할 것이라고 강조하고 동 장관의 설명중 일본과 한국을 같이 비교하는것과 관련, 국민소득면에서뿐 아니라 농가소득면 에서도 쌀이 양국의 농업에서 차지하는 비중에 상당한 차이가 있음에 비추어 한국이 일본과 같은 의무를 갖는것은 부당(UNFAIR) 하다고지적하였음

O 끝으로 쌀이 한국농업에서 차지하는 절대적 중요성을 구체적으로 설명하고 관세화는 궁극적으로 자유화를 의미함으로 이는 한국농업이 포기로 이어지고UR 농산물협상 목적에 비추어 보아도 지난친 것이므로 예외없는 관세화는 결코수용할수 없음을 재삼 강조하였음

2. 사절단 단장과 권동만 주 EC 대사는 10.31(목) 아침에는 EC 집행위 농산물협상 실무대표인 MOHLER 농업총국 부총국장을 조찬에 초청, 최근 미-EC 막후접촉 동향,

PAGE 2

0119

금후 협상전망, EC 입장등을 타진하고 쌀등 기초식량은 관세화의 예외로해야 한다는 아국의 입장을 설명하고 EC 의 협조를 요청하였는바 동인 반응중 특기사항은 아래와 같음(최혁심의관 배석)

가. 미-EC 간 접촉이 계속되고 있으며 하루 이틀 사이에 큰진전은 없을것이나 2 주후 (FORTNIGHT) 쯤에는 돌파구(BREAK THROUGH) 가 마련될 것으로 보고 있으며 이에따라 11.15 경에는 던켈 GATT 사무총장의 종합 타결안이 제시될것으로예상함, 동 타결안에 괄호가 없거나 있더라도 많지는 않을 것으로 생각함

나. 10.11-12 개최된 EC 비공식 무역이사회에서 집행위보다 융통성 있는 협상 MANDATE 를 받았으나 협상방향에 관한것이지 감축율등에서 구체적인 지침을 받은것은 아님. 따라서 집행위로서는 여사한 테두리내에서 협상한후 그결과를 이사회에 올려 승인을 받아야하는 절차를 거치도록 되어있음

다. 한국이 쌀에 큰 어려움이 있음은 충분히 이해하나, 관세화의 예외를 인정할 경우 EC 도 당연히 낙농분야에서 예외를 요구할 것이고 그렇게되면 연쇄효과 때문에 농산물협상은 결코 타결될수 없을것임. EC 로서도 관세화를 수용하고 그테두리 내에서 고관세와 유효시장접근 허용(MMA 등) 을 통해 급격한 개방과 피해를 막는 방안을 강구하고 있음

라. 한국의 경우도 쌀에대한 충분한 보호를 허용해준다면 관세화를 수용하겠다는 입장을 제시하고 쌀에대해 TE 관세율보다 높은 관세율을 부과하거나 TE 를 내리더라도 상징적으로만 내리는 방안을 검토할수 있을것임 (EC 로서는 높은 관세율 부과를 수락할수 있는 입장임을 표명)

마. 한국이 개도국임은 인정하나 농산물쪽에서 타국의 양보를 얻어내기 위해서는 여타 협상분야에서 균형된 양보를 제시해야 할것임

바. 한국의 쌀이 제반여건에 비추어 일본의 쌀과 다르다는것은 인정하나 원칙문제에서는 동일시 되고있음. 일본은 언젠가는 쌀에대한 예외주장을 포기할것임. 한국이 일본보다 먼저 관세화를 수용하는것이 정치적으로 어렵겠지만 조건을제시하면서 먼저 수용할 경우 크게 평가를 받을수 있을것이며, 조건 교섭에도 유리한 입장에 서게 될것임

사. EC 는 11.2(C) 조항의 개선이나 수정은 이미 포기하겠음. 동 조항은 결국 현행대로 남을것으로 보며, REBALANCING 의 중요성도 관세화 수용으로 크게 감소되었으나 곡물내에서의 균형차원에서 계속 REBALANCING 을 교섭할 것이며

PAGE 3

0120

이문제는 협상 마지막 단계에서 타결될 것으로 보고있음

　아. 농산물협상이 년내 타결될 것인지는 아직 유동적이나 농산물분야가 타결되면 여타 협상분야는 쉽게 타결될 것으로 보고있음. 끝

　(대사 권동만-장관)

　예고: 91.12.31. 까지

관리 번호	91- 141

외 무 부

종 별 : 긴 급

번 호 : GVW-2200   일 시 : 91 1031 1530

수 신 : 장관(봉기,경기원,재무부,농림수산부,상공부,특허청,청와대 외교안보,

발 신 : 주 제네바 대사   경제 수석),사본:수신처참조

제 목 : UR 협상의 교착상태 타개를 위한 DUNKEL 총장의 새로운 작업계획

   연: GVW-2150

   대: WGV-1454   일반문서로 재분류(1991. 12. 31.)

   1. 10.30(수) DUNKEL 총장은 본직을 포함한 18 개국 주요대사를 자신의 사저로 초청, WORKING DINNER 를 가졌는바, 만찬석상에서 DUNKEL 총장은 그의 만찬초청 이유는 협상자들에게 중요한 멧세지를 전달하는데 그목적이 있다고 전제하고, 지난 9.20. 협상 전략을 가동한 이래 지난 수주간의 협상은 예정과는 전혀다른 방향으로 표류하고 있어, 자기로서도 실망을 금할 수 없다고 언급함.

   최근의 독일, 불란서의 태도변화와 WB, IBRD 등 주요 국제회의에서의 주요국 외상및 통산성들의 공개적 언동은 확실히 우루과이라운드의 성공을 촉진시키는 방향으로 이루어지고 있고, 또 주요국의 상층부에서는 확실히 긍정적인 움직임이 있음에도 불구하고 협상 LEVEL 에서는 아무런 긍정적인 움직임이 없어 자기로서는 크게 당황하고 있다고 말함.

   2. 그는 자신의 관찰 평가가 정확한지 여부에 대하여 우선 EC, 미국, 일본 순서로 논평해 줄것을 요청한바 그들의 논평 요지는 아래와 같음.

   0 EC: EC 는 농업분야에서 참다운 의미에서의 협상(REAL NEGOTIATION)을 할용의가 있으며, 가장 중요한 문제를 풀어갈 준비가 되어 있으나(TRY TO UNBLOCK THE MOST DIFFCULT ISSUE) 더 구체적인 세목은 말을 할수 없음. 한가지 확실히 단언 할 수 있는 것은 EC 는 정치적 결심(DETERMINATION)이 서 있으며, EC 의지도부에서도 미국과 적극적인 자세로 협의를 하고 있다고 말할수 있음.

   0 미국: 정치적 풍향에 큰 변화가 오고 있음에도 불구하고(ENORMOUS SHIFT IN POLITICAL WIND), 협상 LEVEL 에는 그것이 반영되지 않고 있음은 사실이나, 그럼에도 불구하고 브랏셀회의시와 다른점은 농업문제에 대한 인식 차이(GAP OF UNDERSTANDING

통상국 안기부	장관 경기원	차관 재무부	1차보 농수부	2차보 상공부	외정실 특허청	분석관 중계	청와대	청와대

PAGE 1   91.11.01   05:57

                                          외신 2과 통제관 CA

                                                        0122

ON AGRICULTURE)가 많이 줄어졌는바, 진지한 협상이 다음 수주안에 이루어져야 하며 그렇지 않으면 UR 은 실패할 것임. EC 와 미국은 현재 여러차원에서 진지한 협의가 진행되고 있음.

0 일본: 척도에 따라서 상이한 평가가 가능할 것이나 여러협상 분야에서 상당히 진전이 있는 것으로 보이며 입장의 차이점이 현저할 경우에도 최소한, 문제의 성격을 정확히 규정할 수 있게 되었음.(THINGS HAVE PROGRESSED AND AT LEASTWE WERE ABLE TO DEFINE THE DIFFERENCES WHEN THINGS ARE STALLED.) 그런면에서 농업, 섬유, TRIPS, 시장접근분야 등에서도 진전이 있다고 보아야 함.

0 LACARTE 대사(제도분야 의장) 및 ANELL 대사(TRIPS 의장) : 지적소유권 및 제도분야에서는 별다른 진전이 없는바, 이는 전문가들이 협상에서 기존의 입장만 되풀이하기 때문인만큼 앞으로는 실질적인 결정권을 가진 협상대표가 협상에 참여하여야 할 것임

0 기타대사: 대체적으로 과거의 입장이 되풀이 되고 있어, 협상의 진행이 예상만큼 빠르지 못하고 따라서 협상이 다소 표류하고 있다고 경고하면서도 주요국가들의 협상 성공에 대한 정치적 결의의 존재, 모든 분야에서의 OPTION 의 감소, 또한 농업분야에서의 기술적 작업의 완결등 브랏셀 시와는 비교가 되지 않을정도로 진척이 있다고 평가함(본직도 같은 취지의 평가를 함)

3. DUNKEL 총장은 각 대사들의 평가를 청취한후 자신과는 아무런 사전협의가 없었다고 전제하고 동석한 CARLISLE 사무차장, HUSSAIN 차장보, BROADBRIDGE 차장보등의 솔직한 논평을 요청한바, 그들은 공통적으로 첫째 현재 난관을 초래하고 있는 정치적 문제를 전부 기술적 문제라는 명목으로 숨기고 있는 실정(HIDING THE POLITICAL PROBLEMS BEHIND THE THECHNICAL PROBLEMS)이며, 둘째, 협상은 세미나 같은 형식의 회의가 되고 있는 것이 현실이므로 앞으로 수주내에 획기적인 조치가 없을 경우에는 UR 이 실패할 것이라고 경고함.

4. DUNKEL 총장은 UR 은 "중대한 위기에 처해 있다"(THE ROUND IS IN REAL TROUBLE.) 고 경고하고 현재까 단 한사람의 의장도 최종협상안을 예정 기간내에제출할 수 없게 되었음을 개탄하면서 자기로서는 남에게 책임을 돌리고 싶지는않으나 농업분야가 핵심인만큼 동분야 협상에서 "현재 고립되고 있는 국가들" 은 (일본과 한국을 암시) 브랏셀에서와 같은 SCAPEGOATING 을 피하기 위해서도 앞으로의 10 여일간에 보다 신축성있는 입장을 취해야 할것이라고 주장하고 앞으로 협상 그룹들은

PAGE 2

0123

CONSENSUS 가 있다고 생각하는 바(BEST POSSIBLE EXPRESSION OF TECHNICAL AND POLITICAL PAPER ON EMERGING CONSENSUS)에 따라 최종협상안을 만들지 않을 수 없다고 지적함.

주전처:주미, 이씨, 일, 호주, 독일, 카나다 대사(본부중계필)(GVW-2201 로 계속됨)

관리 번호	91- 142

외　무　부

종　별 : 긴급

번　호 : GVW-2201　　　　　　　　　　일　시 : 91 1031 1530

수　신 : 장관(수신처참조)

발　신 : 주 제네바 대사

제　목 : GVW-2200 의 계속

　　5. 그는 이상의 긴박한 상황에 비추어 아래 작업 절차(WORKING PROCEDURE)를 제시함.

　　가. 협상은 늦더라도 4-5 주내에 완료하겠음.(12.3-5 간 체약국 총회가 있고 또 중순에는 성탄절 휴가가 시작되는바, 12 월 2 주간과 1 월 4 주간은 MARKET ACCESS 에 대한 양자 및 다자협상에 활용되어야 함) 만약 년말까지 성공치 못하면 UR 실패를 선언하겠음.

　　나. 협상 시한은 정할 필요가 없이 명백하며, PACKAGE 의 정리 및 완료에 대한 최대한의 기간은 92.2. 임.

　　다. 92.2 에는 종합적인 협상안에 대한 INITIALING 을 완료하며, 93.1. 까지는 동 협상안의 발효조치를 끝냄.

　　라. 내주 화요일(11.5) 또는 수요일(11.6)에는 TNC 를 소집하여 모든 협상 분야에 대한 자기의 솔직한 평가를 제출하고, 해결 되어야 할 많은 기본적인 현안문제 (NUMEROUS BASIC QUESTIONS: 그는 "기본적"이라는 표현에 역점을 둠)를 표출시킴과 동시에 작업 계획을 PNC 에서 승인 받도록 할 예정임.

　　마. 또한 TNC 이후 내주 중반부터 7 개 협상 그룹의장이 동시 다발적으로 "주야를 가리지 않고" 자신들이 판단하는 가장 적합한 방법으로 각국 협상 대표와쌍무, 다자 또는 전체(PLENARY) 협상(CONSULTATIONS)을 시작할 것이며, 이러한협상을 통하여 가능한 AGREED TEXT 를 도출할 것이며 결코 밀어 부치는 식으로(STEAMROLLING) TEXT 를 억지로 만들지는 않을 것임. 따라서 이러한 협상에 대비하여 권한 있는 본국대표의 파견이 필요한 국가는 11 월 중순내외로 그들을 제네바로 오도록 요청해야 할 것임. 특정분야에서 BLOCKAGE 가 생길 경우에는 항시TNC 를 개최, 이를 점검토록 하겠음.

　　그는 이상의 작업 계획을 제시하면서 금번 조치의 성패여부는 KEY PLAYERS 에

통상국 안기부	장관 경기원	차관 재무부	1차보 농수부	2차보 상공부	외정실 특허청	분석관 중계	청와대	청와대

전적으로 달려 있다고 강조하고 협상의 실패를 방지하기 위하여 내주 월요일까지 주요국가 (미국, EC, 일본이라고 지적)들은 특히 농산물 분야에 관한 그들의 분명한 반응을 알려줄 것을 단호한 어조로 요청함. (참석대사들은 비공식적으로 미국, EC 등은 호의적인 반응을 보일 것 같으나 일본의 경우에는 마지막까지 특별한 반응을 보이지 않을 가능성이 많다고 관측)

6. 이러한 DUNKEL 총장의 단호한 입장 천명에 대하여 일본 대사는 일본 의회에서의 법안, 협정안 처리에 관련된 기술적 설명을 시도하면서 설령 협상이 내년 2 월까지 완료되더라도 일본의회는 시간적 절차적 이유로 인하여 93.1 까지 동협상안을 비준 발효시킬수 없다고 지적했던바, DUNKEL 총장은 그러한 일본 대표의 태도를 공개해도 좋으냐고 반론하였고, 미국대사는 내년 2 월 협상이 완료될 경우 의회의 비준이 가능하다는 반응을 보였음. 또한 일부 대사들은 본부 대표의 협상 참가 시기와 관련, 당지의 HOTEL 사정에 비추어 본국 협상 대표들의 출장시기를 정확히 건의할 필요가 있다고 지적했으나, DUNKEL 총장은 자기로서는동시 다변적인 본격적인 협상을 내주 후반부터 시작한다고 선언했으므로 각국이 적의 대처하여야 한다고 강조할 뿐 구체적인 시기를 지정치 않았음. (대부분 대사들의 공통된 의견은 11.11 시작주 부터 11 월말까지가 가장 INTENSIVE 한 협상 기간이 될것이라는데 의견을 같이함)

7. 한편 DUNKEL 총장이 만찬 과정에서 농산물 협상과 관련 일본과 아국을 암시하는 듯한 발언을 수차 하였으므로 본직은 동 총장의 협상 전략및 작업 일정에 대한 지지와 아국의 UR 협상 성공을 위한 정치적 결의를 다시 다짐하고 지금까지의 협상 결과에 대해서도 다소 긍정적인 평가를 하면서, 국회의 비준동의 절차에 관련하여서는 93.1. 까지 아국 국회가 비준 동의하는데는 기술적으로는 별 문제가 없으나, 그것은 국회가 3 회에 걸쳐 쌀 시장 개방을 반대한 만큼 쌀시장에 관한 아국의 입장이 반영된다는 전제하에서만 가능하다고 언급하였음.

8. 동 총장은 금일 만찬에서 밝힌 작업 계획은 TNC 회의때까지 비밀로 해줄것을 간곡히 당부하고 만약 그것이 누설될 경우에는 앞으로 주요 대사들과의 주요 협의조차 할수 없을 것이라고 강조함.

9. 참고로 상기 만찬 참석자는 브라질, 항가리, 카나다, 멕시코, 스웨덴, 인니, 스위스, 일본, 알젠틴, 우루과이, 미국, 인도, 모로코(개도국 의장국), EC, 콜럼비아, 뉴질랜드, 호주, 한국등 18 개국 대사 및 갓트 사무차장, 사무차장보 2 인이었음.(ASEAN 에서는 1 명, 아프리카 그룹에서 1 명만 초청된데 대하여 총장은 동

PAGE 2

만찬이 참석면에서 불균형적이라고 자평)

10. 대호 대표단 파견시기에 대하여는 상기 협의 내용을 참조하여 본부에서적의 판단하되, 11 월 11 일 시작주로 부터 본격적인 협상이 예상되는만큼 동시기에 대표단을 파견함이 가장 적호 할 것으로 사료됨.

(대사 박수길-장관)

예고: 91.12.31. 까지

외 무 부

종 별 :

번 호 : AUW-0922 일 시 : 91 1105 1600

수 신 : 장 관(봉기,아동)

발 신 : 주 호주대사

제 목 : UR 농산물협상에 관한 외무장관 발언

1. 주재국 EVANS 외무장관은 11.4 자신과 호주고위 외교관인 BRUCE GRANT가 공동집필한 책자 'AUSTRALIA'S FOREIGN RELATIONS:IN THE WORLD OF THE1990S' 출판기념회 연설을 통해 현재의 UR협상이 실패할경우 호주는 미국과 같은 나라들과 쌍무무역협상을 갖는것을 배제하지 않을 것이라고 말함.

2. EVANS 장관은 UR 협상의 결과를 예측하는것은 시기상조이지만 UR 협상의 대안은 의심할 여지없이 역내국가 뿐만 아니라 전 세계적으로 다수의 국가와 쌍무 무역관계를 맺는것이며, UR 협상의 실패는 무역문제를 일방적인 조치와 차별적인 양자협상및 내부 지향적인 지역협정을 통해 해결하는 결과를 초래할 것이라고 말함.

3. EVANS 장관의 여사한 발언에 대해 이롭 언론에서는 동발언이 북미 FTA를 염두에 둔 발언인 것으로 보고 있는 바, EVANS 외무장관 저서는 추후 송부 예정임.끝.(대사 이창범-국장)

통상국 2차보 아주국 청와대 안기부

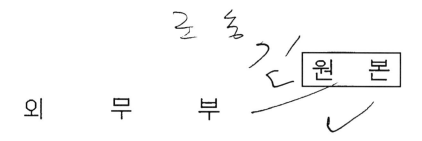

외 무 부

종   별 :

번   호 : ECW-0893   일   시 : 91 1105 1730

수   신 : 장 관 (봉기, 경기원, 재무부, 농림수산부, 상공부)

발   신 : 주 EC 대사   사본: 주미(본부중계필), 제네바(중계필)

제   목 : GATT/UR 협상

　　1. 11.3. EC 무역 이사회는 VAN ROOY 의장 (화란봉상장관) 주재로 ANDRIESSEN 대외담당 집행위원 참석하에 표제협상에 대한 비공식 협의를 가진데 이어, 11.4. 속개된 동일반 이사회에서는 상기 비공식 협의결과를 공식적으로 채택한바 요지는 아래와 같음

　　가. 연내에 표제협상, 특히 시장접근, 농업, 서비스, TRIPS 분야에서 구체적이고균형되며 포괄적인 결과를 달성하여야 하며 어느 한 특정국가가 일방적 조치를 취하는 것을 배제할수 있는 GATT 체제를 구축하기 위해 협상 대상국들과 긴밀히 협력할것을 공약함

　　나. EC 집행위가 표제협상 진전을 위해 계속적인 노력을 해온데 대해 만족함

　　다. EC 집행위는 표제협상의 진전을 이루기 위한 모든 가능한 수단을 효과적으로 사용할것을 다짐하며, 특히 11.9. 헤이그에서 개최되는 미-EC 정상회담이 시장접근, 농업, 서비스, TRIPS, GATT 규범에 있어 미.EC 간의 입장차이를 대폭 축소할수 있는 계기가 되어야 함

　　라. EC 집행위는 협상경과를 이사회에 수시 보고하여야 함

　　2. 한편, VAN ROOY 의장은 동 이사회 종료후 가진 기자회견에서 금반 EC 12개국이 채택한 현실적인 UR 협상 추진방향은 동 협상을 연내에 종결시키려는 정치적인 의지의 표현이며, 동 결정은 여하한 경우에도 준수되어야 할것이라고 강조하면서 아래와같이 언급함

　　가. UR 협상이 최종단계에 접어들고 있음을 감안할때, 여타 협상 참가국들도 최근 EC 가 농산물 분야에서 보여온바와 같은 FLEXIBILITY 를 보여야 하며 공(BALL) 은더이상 EC 코트에 있지 않음

　　나. 11.9. 미-EC 회담은 UR 협상 성과에 가장 중요한 계기가 될것이며 동

통상국	장관	차관	1차보	2차보	외정실	분석관	청와대	안기부
경기원	재무부	농수부	상공부					

91.11.06   03:40 FN

외신 1과 통제관

0129

회담에서의 EC집행위 역할은 이제까지 취한 EC 의 진취적 입장을 다시한번 천명한후 미국의 써비스분야 에서의 대응을 기다리는 것이며 미국은 이제 협상진척을 위해서는 그들의 지금까지의 과시적인 태도를 정치적인 결단으로 표출해야 하며, 우유부단한 (ABEYANCE) 태도를 포기해야 함 ①

다. 농산물 협상에서 REBALANCING 원칙의 도입 필요성과 미국이 이제까지 누리고 있는 WAVER 에의한 혜택을 억제 (SUPPRESSION) 하는 방안이 토의되어야 하며, EC 의 이러한 주장이 DUNKEL문서에 감안되어야 함

라. DUNKEL 문서가 각국의 이해 관계를 완전히 무시하고 너무 서둘러서 작성되거나 일방적인 내용이 될 경우, 오히려 다른 협상 상대국들은 유연한 입장을 취하기 보다는 그들의 기존입장을 고수하려 할것이기 때문에 성공적인 UR 협상타결은 기대하기 어려움

3. 한편 EC 와 우루과이와의 쌍무협정 체결차 브랏셀을 방문중인 ESPIELL/TNC 각료회의 의장(우루과이 외무장관) 은 농산물분야에서 EC 가 갖고있는 사회적 측면의중요성에 이해를 표명하고 제네바 에서의 협상진척은 만족스럽지 못하다고 평가되나연내에 협상종료 가능성은 있다고 낙관적인 견해를 피력함

4. 한편, 11.9. 화란의 헤이그에서 개최될 미-EC 정상회담에는 미국측에서 BUSH대통령과 BAKER 국무장관이, EC 측에서는 LUBBERS EC 이사회 의장 (화란 수상), DELORS 집행위원장, VAN DEN BROEK 일반 이사회 의장및 ANDRIESSEN 집행위 부위원장이 참석할 예정이며, 11.8. 양측은 만찬회담을 갖고 UR협상, 소련및 동구국가 개발지원 문제및 미-EC 쌍무현안등을 사전에 협의할 것이라 함. 동건관련 UR 농산물협상등 아국관심사항이 동 정상회담 이전에 별도 협의될 것인지등에 대해서는 관계관 접촉등을통해 수시 파악보고 하겠음

5. VAN ROOY 무역 이사회 의장 (화란 봉상장관)은 이병석 농림수산차관을 단장으로 하는 UR협상 정부사절단이 당지 방문시 지난 10.30.면담하고 우리나라의 쌀개방문제를 협의한 인사임을 참고로 첨언함. 끝

(대사 권동만-국장)

외 무 부

종 별 :

번 호 : GVW-2247

일 시 : 91 1104 1940

수 신 : 장 관(통기)

발 신 : 주 제네바 대사

제 목 : UR/ 그린룸 회의

　　딘켈 사무총장은 11.7(목) 개최 예정인 TNC회의에 대비, 11.6 (수) 오전 9:30 각 협상단 수석대표급 비공식 그린룸 회의를 개최할 예정임을 통보하여 왔는 바, 회의 결과 추보하겠음. (대사 박수길-국장)

통상국

PAGE 1

분류번호	보존기간

발 신 전 보

번   호 :   WUS-5030   911104 1639 BE   종별 :

WEC -0694   WHO -0396

수   신 :   주   미, EC, 화란   대사. 총영사   (사본 : 주 제네바-1529)

발   신 :   장   관   (통 기)

제   목 :   UR/협상 관련 미.EC간 협의

1. 최근 언론 보도에 의하면 부쉬 미국 대통령은 금주 화란 헤이그에서 개최되는
    미.EC간 정상회담에 참석하는 기회에 11.9(토) Delors EC 집행위원장과 회담,
    UR 농산물 협상과 관련한 정치적 타결을 모색할 예정이라 하며, 동 회담에 즈음하여
    미.EC간의 농업 및 무역담당 각료들간에도 다각적인 접촉이 이루어질 것이라 함.

2. 상기 미.EC간 협의 내용은 UR 협상의 향방에 중대한 영향을 미칠 것으로 사료
    되는바, 동 회담의 동향, 결과등을 예의 주시 관련사항 보고바람.   끝.

(통상국장   김 용 규)

일반문서로 재분류 (1991.12.31.)

		기안자 성명		과 장	심의관	국 장		차 관	장 관	보 안 통 제	
앙고재	91년 11월 4일 통기과	조규현			출장중	전결					외신과통제

0132

외 무 부

관리
번호 91-194

종 별 : 지 급

번 호 : USW-5449

일 시 : 91 1105 1843

수 신 : 장 관(미일,정총,아일,통이,통일,기정)

발 신 : 주 미국 대사

제 목 : 베이커 장관 아주순방

1. 주재국 베이커 국무장관은 11.7-8 일간 로마에서 개최되는 NATO 정상회담 참석후, 11.9 헤이그에서 EC 와의 고위협의에 참석한뒤, 일본(11.10-12), 한국(12-15), 중국(15-17)을 순방할 것으로 알려짐.

2. 한편, 국무부 동아. 태국 솔로몬 차관보및 NSC PAAL 보좌관은 헤이그에서 베이커 장관 일행과 합류, 동북아 순방에 수행하게 된다함.

3. 베이커 장관 방한시의 의제와 관련, 베이커 장관이 EC 와의 고위협의에서 UR 을 성공시키기 위한 방안을 중점 협의하게 되므로 방일, 방한시에도 이와관련 농산물 시장개방 문제를 집중 거론할 것으로 전망되며, 북한 핵개발 문제와 관련하여서는 6 자회의 방안도 제기할 것으로 관측됨. 끝.

(대사 현홍주-국장)

예고: 91.12.31. 일반

일반문서로 재분류(1981 .12.51.)

미주국 분석관	장관 정와대	차관 안기부	1차보	2차보	아주국	통상국	통상국	외정실

PAGE 1

91.11.06   10:05

외신 2과 통제관 BS

0133

| 관리
번호 | 91-764 |

외 무 부

종 별 :

번 호 : GVW-2263   일 시 : 91 1106 1900

수 신 : 장 관(통기,경기원,재무부,농림수산부,상공부,특허청,청화대외교안보,

발 신 : 주 제네바 대사   사본:주미,EC 대사(중계필)   경제수석)

제 목 : UR/그린룸 회의

　　1. DUNKEL 총장은 금일 그린룸 회의 개최 목적은 명 11.7(목) TNC 회의에 제기할 문제를 협의하는데 있다고 전제하고, 명일 TNC 에 보고할 사항과 입장을 밝혔는바, 요지 아래와 같음.

　　0 협상 현황에 대한 평가(STATE OF THE ROUND)

　　0 협상을 종결하기 위한 구체적 제안(SUGGESTIONS IN RESPECT OF HOW TO GO TO THE CONCLUSION OF THE ROUND)

　　0 앞으로의 수주간이 UR 협상을 종결키 위한 최후의 기회(THE LAST WINDOW OF OPPORTUNITY)이며 협상 종결의 DEADLINE 은 아래와 같은 이유에서 사실상 정해져 있다고 보아야 함.

　　- 주요국가의 지도자들이 현싯점에서는 UR 협상의 타결에 최우선 순위를 부여하고 있으나(BUSH 대통령의 유엔 연설, 11.3 자 EC 무역 이사회 성명, 미테랑 대통령, 콜수상, 미야자와 총리등의 태도를 예로 지적) 금년이 지나가면 우선 순위는 여타 문제로 옮겨갈 것이라는 사실

　　- 협상의 장기화로 인하여 냉소주의, 피로(CYNICISM, FAGIQUE) 현상의 현저한 증가

　　- MFA 연장이 내년 12 월말까지로 되어 있는바, 그것은 UR 협상 결과가 93.1 부터 발효한다는 전제에서 출발한 사실

　　0 앞으로 타결하여야 할 주요 문제를 구체적으로 지적할 것이며, 협상 방안은 7 개 협상 그룹의장이 가장 접합하다고 판다는하는 바에 따라 진행될 것인바, 사무국으로서는 모든 편의(LOGISTICAL SUPPORT) 제공 예정

　　0 BLOCKAGE 를 점검하기 위하여 TNC 회의를 신축성었게 활용

　　0 브랏셀 회의에서는 협상자가 각료들에게 보고하고 각료들이 협상할수 있는

| 통상국 | 장관 | 차관 | 1차보 | 2차보 | 경제국 | 외정실 | 분석관 | 청와대 |
| 정와대 | 안기부 | 경기원 | 재무부 | 농수부 | 상공부 | 특허청 | 승겨 | |

PAGE 1   91.11.07   07:27

기간은 5 일간이었으나 현상황은 지난 수개월동안 모든 분야에서 상당한 협상이 이룩한데다가 아직 5 주의 기간이 남아 있으므로 국면은 보다 유리하다고 보아야 함. 앞으로의 5 주가 가장 중요한 협상 기간이 될것인바, 협상의 성패는 이기간중 결정될 것임.

O 명일 TNC 회의는, 첫째 CONFRONTATIONAL 한 회의가 되지 말아야 하며, 앞으로의 생산적인 협상을 위한 계기를 마련하는데 역점을 두어야 함. 둘째 모든 협상자들이 협상 타결을 위한 명백한 멧세지와 결의를 표시해야 할 것임.

O 모든 단계에서 회의의 명료성이 보장되도록 할것임.

2. 이상 설명에 대하여 모로코 대사는 개도국 그룹을 대표하여 명일 TNC 회의에서 개도국의 관심사항을 STATEMENT 로 발표할 것이며, 동 STATEMENT 에는 협상 성공을 위한 개도국 그룹 결의의 표시, TRANSPARENCY 의 확보 필요성, 협상의다자화(MULTILATERALIZATION) 요청등이 포함될 것이라고 설명함.

3. 다른 한편 자마이카, 탄자니아, 우루과이, 에집트 등 4 개국 대사만이 첫째, 협상이 모든 분야에서 균형되게 진행될 것인지, 둘째 정확하게 5 주후에 REV 2 가 나올것인지, 5 주만을 협상 시한으로 정한 이유, DEADLINE 이 있는지의 여부 및 DISPUTE SETTLEMENT, FINAL ACT 등에 관한 합의도 5 주안에 이루어져야 하는지 등을 질문한바, DUNKEL 총장은 나무 하나하나를 보는 대신 숲을 보는 방식의 협상이 필요할 것이라는 점, REV 2 의 출현 여부는 협상자에 의존한다는 점, 형식적으로 DEADLINE 을 정한 것이 아니지만 실제로 5 주 밖에 협상 기간이 없다는 점, FINAL ACT 등 처리문제는 큰 줄거리 문제에 합의가 이룩되는 한 그때 상황에 따라 신축성있게 대처한다는 방향에서 답변함.

4. 금일 그린룸 회의는 10.30 일자 본직등이 참석한 DUNKEL 총장 사저 만찬 석상에서 밝힌 방침을 관례에 따라 또한 TRANPARENCY 제고를 위해서 재확인, 설명하는데 불과 했고, 특별한 새로운 사항은 없었으나, 7 월 TNC 회의에서의 결정 사항, 또 9.20 및 10.11 그린룸 회의에서 밝힌 작업 계획등에 비추어 자기로서도 CREDIBILITY 를 많이 잃었고 "CRYING WOLF" 의 상황이 되었으나, 이번 작업 계획은 최후의 시도로서 아직도 존재하고 있는 "WINDOW OF OPPORTUNITY" 를 놓치지 말아야 한다는 점을 강조하였음. 끝

(대사 박수길-차관)

예고: 91.12.31. 까지

PAGE 2

0135

조, 흥, 이

외 무 부

종 별 :

번 호 : GVW-2266
일 시 : 91 1106 1930

수 신 : 장관(봉기, 경기원, 재무부, 농림수산부, 상공부, 청와대외교안보,

발 신 : 주 제네바 대사 경제수석), 사본:주미,주이씨대사중계필

제 목 : UR/던켈 사무총장 면담

연: GVW-2263

1. 본직은 명일 TNC 회의에서 던켈 사무총장이 행할 UR 협상 평가와 관련, 금 11.6(수) 17:30 던켈 총장을 긴급 면담 요청하여 아국의 쌀 시장 개방문제와 관련한 네차례에 걸친 사절단의 방문으로도 확인 될수 있는바와 같이 쌀 시장 개방 문제는 아국으로서 UR 협상중 가장 중대한 문제임에 비추어 농산물 시장접근 분야 평가에 있어 "예외없는 관세화에 CONSENSUS 가 이루어졌다"고 평가하는 것은 한국등 일부 국가가 아직도 이에 강력히 반대하고 있으므로 적절치 못할 것이라는 점을 지적하고 이점에 관한 아국정부의 관심을 전달키 위해 왔다고 말함.

2. 이어 본직은 11.12-14 간 서울에서 개최되는 APEC 각료회의와 관련 동 회의가 UR 협상이 막바지에 와 있는 시점에서 개최되는 가장 중요한 국제 회의인만큼 아국은 의장국으로서 동 회의가 UR 의 성공적 타결을 강력히 지지하는 정치적 SIGNAL 을 보낼수 있도록 각국과 협의하고 있다고 말하고, 이러한 점에서도아국은 UR 성공에 대해서 어느나라보다 확고한 COMMITMENT 가 있음을 재삼 강조함.

3. 이상 본직의 발언에 대해 던켈 총장은 명일 행할 평가는 현시점에서 문서로 사실상 준비된 상태이며, 자기는 TNC 의장으로서 각 정부의 관심을 전부 반영하기 시작하면 끝이 없으므로 독자적으로 할수 밖에 없다는 점을 강조하고, 명일 발표 내용은 명일 가서 명백해질 것이라고 말함.

4. 이어 그는 또한 한국 및 일부 국 만이 관세화에 반대하는 것을 보고에 명기 하기를 바라느냐고 반문하면서 SHORT NOTICE 요청에 불구 본직과 만나 협의하는 것은 한국의 심각한 입장을 알기 때문이라고 부언함.

5. 본직은 명일 평가에서 "예외없는 관세화에 CONSENSUS 가 이루어 졌다"는언급이 있을 경우에는 아국이 앞으로의 협상에서 더욱 불리한 입장에 놓일 가능성이 있을

통상국 안기부	장관 경기원	차관 재무부	1차보 농수부	2차보 상공부	외정실 특허청	분석관 중계	청와대	청와대

것이라는 점을 감안, 우리의 입장을 다시한번 확실히 해 두는 것이 좋다고 판단,
동인과 긴급 공식 면담한 것임을 참고로 보고함. 끝

    (대사 박수길-차관)

    예고: 91.12.31. 까지

PAGE 2

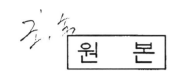

외 무 부

종 별 : 지 급

번 호 : JAW-6303   일 시 : 91 1107 1450

수 신 : 장 관(봉기)

발 신 : 주 일대사(일경)

제 목 : UR 협상

1.당지 언론보도에 원하면, 일 정부는 금 11.7(목)09:00-09:40간 수상관저에서 미야자와 수상 주재하에 외무, 농수산, 봉산, 관방장관등 15개부처장관이 참석한 가운데UR 협상 대책회의를 개최하여1) UR 협상 전분야에서 가능한한 일본의 주장이 반영되도록 노력해 나가되, 2)일본이 GATT체제하에서 받은 혜택을 고려, 협상이 성공리에타결되도록 최대한의 노력을 경주해 나간다는 기본방침을 정한것으로 알려지고 있음. 2.또한, 동 회의에서는 와타나베 외상이 UR협상 진전 상황을 보고하면서 현재서비스, 지적소유권 협상도 부진한 양상을 보이고 있으므로,농업협상만이 부진한 것은아니다 라는 인식을 표명하였으며, 타나부 농림수산상은 수출보조금에 대한 명백한조치가 없이 농산물무역의 관세화만을 실현시킴은 불공평하므로, 앞으로도 계속 완전관세화안에 반대해 나가겠다는 입장을 표명하여, 내각의 양승을 얻은 것으로 알려지고 있음.

3.상기 UR 관계 대책회의 상세 결과등 일측의 UR 농산물 협상 대처 방침 및 동향은 금명간 일정부 관계자를 접촉, 보고예정임.끝

(대사 오재희-국장)

통상국   2차보   외정실   청와대   안기부   장관 차관 1차보

PAGE 1   91.11.07   15:33 WH

외신 1과 통제관

0138

외 무 부

종 별 : 긴 급

번 호 : GVW-2278　　　　　　　　　일 시 : 91 1107 1900

수 신 : 장 관(통기,정총,경기원,재무부,농수부,상공부,특허청,청와대 외교안보,

발 신 : 주 제네바 대사　　　　　　　경제수석)사본:주미대사(직송필)(

제 목 : UR / TNC 회의

　　연: GVW-2263

　　1. 던켈총장은 금 11.7(목) 10:00 개최된 TNC회의에서 UR 협상 진전 평가와 앞으로의 협상 일정을 밝힘(STATEMENT TEXT 첨부)

　　2. 동 총장은 11월초까지 REV 2 도출을 목표로 삼았으나, 각 협상 그룹의장들은주요 미결문제에 대한 합의 도출에 필요한 충분한 기초를 마련치 못하였음을 보고하였다고 하면서, 깊은우려를 표시하고, 지금부터 GLOBAL PACKAGE 도출을위한 협상 노력을 일층 강화해야 할것을촉구하고, 협상 분야를 시장접근,규범제정,농산물 및 섬유, 제 도분야등 4개로 분류, 앞으로 해결 해야할 문제점을 지적하고, 11.11(월)부터 11월말 까지 7개 협상 그룹 의장들이 AGREEDTEXT 를 만들기 위하여 협상노력을 경주해야 하 며11월말경 TNC 를 개최, 전분야에 걸친협상결과를 논의하겠다고 하였음.

　　3. 동인은 1년전 REV.1 을 브랏셀 각료회담에제출하였을 당시는 각료들이 5일동안 협상을종료시킬 것을 목표로하였으나 지금은 동일한목표를 달성하기 위하여 여러주간(SEVERAL　　WEEKS)이남아있으며, 11월이 DEAD-MAKING 을 위한 최적의기회라고, 균형되고, 공정하며, 일반적으로 수락가능한(BALANCED EQUITABLE AND GENERALLY ACCEPTABLE)최종 PACKAGE 마련이라는 협상 목표를 달성키위하여 각 협상 그룹이 노력해 줄것을촉구하였음.

　　4. 금일 회의에서 모로코 대사가 개도국을 대표해서발언한바, 개도국들은 UR 협상 성공을 위해최대한 협조할 용의가 있다는 점, 시장접근,RULE 분야의 중요성을 언급하고, 개도국 우대조치최빈국의 이해 반영 필요성을 밝힘

　　5. 던켈 총장은 특히 협상의 마지막 질주(FINALSPRINT)를 위하여 협상분야별 미결 사항을구체적으로 기술한 문서(MTN.TNC/W/89/ADD.1) 를별도로 제출하였음

통상국	장관	차관	2차보	외정실	청와대	청와대	안기부	경기원
재무부	농수부	상공부	특허청	상황실				

PAGE 1　　　　　　　　　　　　　　　　　91.11.08　　05:03 FO

　　　　　　　　　　　　　　　　　　　　외신 1과 통제관

0139

6. 던켈 총장의 분야별 UR 협상 현황에 대한평가에 대해서는 아국 입장과 관련 분야별로분석, 별전 타전하겠음.

    첨부: MTN.TNC/W/89 및 ADD.1 각 1부

    (GVW(F)-0493)..(대사 박수길-국장)

PAGE 2

ち VW (不)- 04/3   11/07/p

MULTILATERAL TRADE

NEGOTIATIONS

THE URUGUAY ROUND

RESTRICTED //GVW-2278

MTN.TNC/W/89
7 November 1991
Special Distribution

Trade Negotiations Committee

STOCKTAKING OF THE URUGUAY ROUND NEGOTIATIONS
BY THE CHAIRMAN OF THE TRADE NEGOTIATIONS COMMITTEE
AT OFFICIAL LEVEL

1.   This is the fifth meeting of the Trade Negotiations Committee since
the Brussels Ministerial Meeting of December last year. From now on, we
will be meeting more frequently and at short notice. Indeed, the Committee
has a critical rôle in ensuring the conclusion of the Uruguay Round well
before the end of this year.

2.   In July, I had laid out a negotiating strategy for the second half of
this year. The essence of that plan was - and still remains - that
governments use October and November as the "deal-making stage" of the
Round. In proposing this I had based myself on a widely shared perception
among negotiators that November is our best available window of opportunity
for this purpose. I know that this perception is even stronger today.

3.   Let me, therefore, take stock of where we are in the negotiating
process and, more importantly, try to identify the points on which
decisions must be taken now. I am doing so in order to direct the
negotiating process towards ensuring a balanced, equitable and generally
acceptable final package of results. Needless to say, I am working
hand-in-hand with the Chairmen of all the Negotiating Groups. Needless to
say also, I will, and they will, spare no efforts to ensure transparency in
the process.

4.   As you will find out, this stock-taking will be more specific than any
we have undertaken before. This is possible only because the work which
has been done in the most recent past -- in Geneva as well as in capitals
-- has been useful. However, the Chairmen of the Negotiating Groups have
informed me that progress so far has not been such as to offer a sufficient
basis for compromise solutions on the essential substantive issues. This
causes me -- and should cause you -- serious concern. It is no secret that
I had set early November as our goal for putting forward a complete
revision of MTN.TNC/W/35/Rev.1, a document which, one year ago, was meant
to bring Ministers to conclude the Round in five days of intensive
negotiations. Today, I propose not five days, but several weeks, to
achieve the same goal. I know that your governments are ready for this
challenge.

5.   Let us, therefore, get down immediately to business. To do so means,
first of all, to avoid the trap of looking at the negotiating process
solely in terms of the negotiating structure. In other words, attention
should be more and more addressed to the basic elements of the global
package which is our goal. These elements are:

GATT SECRETARIAT
UR-91-0150

0141

/7-/

MTN.TNC/W/89
Page 2

    (i)   market opening, a traditional and central part of all
            multilateral trade negotiations;

    (ii)   rule-making, which in this Round means (a) establishing
            multilateral rules and disciplines in areas of increasing
            trade importance; (b) strengthening existing rules in order
            to underpin and secure the higher levels of market opening
            and competition which will be achieved; and (c) putting in
            place a dispute settlement system capable of dealing with
            future challenges to the multilateral system;

    (iii)   bringing agriculture and textiles and clothing under
            improved multilateral rules and disciplines; and

    (iv)   the institutional support necessary for implementing and
            securing the results of the negotiations.

6. I am going to take these four elements one by one. Let me, however,
remind you that they have to be considered against the needs of the world
economy -- a world economy in urgent need of stimulation and greater
growth, a world economy in which radical economic reforms are occurring in
a large number of countries in Asia, Africa, Latin America and Central
Europe, not to speak of the Soviet Union, reforms which involve adoption of
the basic GATT philosophy.

7. The Uruguay Round offers us, therefore, an historic opportunity to
establish a strengthened multilateral trading system, broader in scope and
more universal in membership.

MARKET ACCESS

8. Market access cuts across virtually the entire negotiating agenda:
manufactured products, tropical products, natural resource-based products,
textiles and clothing and agriculture. Market access negotiations involve
not just the reduction and elimination of tariffs and non-tariff measures
at the border, but also corresponding commitments at the level of domestic
policies that distort trade and competition. It is therefore central to
the balance that every government would like to achieve in the overall
package.

9. The immediate problem is to set the scene for an effective negotiating
process involving broad-based exchanges of concessions on the basis of the
most-favoured-nation principle, taking into account the particular needs
of developing countries.

10. One trigger to start the process lies in an early agreement on
modalities, including tariffication, for negotiating market access
as part of the reform programme being negotiated in agriculture.

11. A second trigger is agreement on modalities for liberalizing trade in
textiles and clothing, and for integrating this sector into the GATT.

17-2

0142

MTN.TNC/W/89
Page 3

12. The opening up of markets through the reduction of existing barriers
is a key element of the negotiations in services. This is the purpose
behind the initial commitments negotiations which will be an integral part
of the General Agreement on Trade in Services (GATS).

RULE-MAKING

13. The establishment of multilateral rules and disciplines in areas of
increasing trade importance brings me to two key subjects of the Uruguay
Round -- Services and Trade-Related Aspects of Intellectual Property
Rights, including Trade in Counterfeit Goods (TRIPS).

     In Services, governments must adhere to the application of
unconditional most-favoured-nation treatment as a general obligation and
sharply restrict exemptions. This applies especially to such important
service sectors as maritime transport, basic telecommunications, and
audiovisual services, as well as to the movement of personnel related to
the supply of a service.

     Technology and creativity have become, like services, a critical
factor in international economic relations and competition. The TRIPS
negotiations have brought within grasp an international consensus on a very
wide range of issues concerning the impact of protection and enforcement of
intellectual property rights on international competition. To bring this
work to fruition three basic decisions have to be made. First, the level
of protection must be adequate; this will require significant changes in
national legislation in all countries. Second, governments must be
convinced that the new consensus will be operational; this will require an
effective multilateral dispute settlement mechanism and a commitment to use
it as the means of settling disputes on TRIPS matters. Third, for a number
of governments which are mainly importers of technology, the commitments in
this area will have to be viewed in the context of the overall results of
the Round.

14. A central part of the negotiating agenda concerns strengthening of
existing rules and disciplines in the GATT system. In anti-dumping, the
main task is now to find an acceptable compromise between the objective
pursued by many governments of strengthening existing rules in such areas
as the determination of the existence of dumping and injury, and the
objective pursued by others of introducing new rules to ensure that the
enforcement of legitimate anti-dumping measures is not circumvented.

     In the area of subsidies and countervailing measures the key question
is whether the negotiators are ready to accept, in return for improved
disciplines on the use of subsidies in general, that some subsidies which
are not meant to have any trade distorting effects may be non-actionable
(i.e., neither countervailing measures nor multilateral countermeasures
will normally be taken against them). The second key question is the
scope of special treatment for developing countries. If a satisfactory
solution is found to these two issues, participants will have got
parameters indispensable for resolving other outstanding problems.

/7-3

0143

1991-11-07 19:55 KOREAN MISSION GENE A 2 022 791 0525 P.04

MTN.TNC/W/89
Page 4

In the safeguards negotiations, the three main outstanding issues are: "quota modulation" (i.e., whether in an overall import quota, the share allocated to countries found to be contributing more to global injury could be lower than the share allocated to them on the basis of recent trade patterns); the time period allowed for phasing out "grey area" measures such as voluntary export restraints and orderly market arrangements; and the provisions which would preclude the use, for safeguards purposes, of measures other than those provided for in the agreement.

Texts of revisions to seven GATT Articles are awaiting adoption -- on Articles II:1(b), XVII, XXIV, XXV:5, XXVIII, XXXV -- as well as a revised text for the Protocol of Provisional Application. These would contribute greatly to the strengthening of the GATT system. With the same objective in view, governments also have before them proposals to improve the functioning of the provisions relating to measures taken for balance-of-payments purposes.

Concerning Trade-Related Investment Measures (TRIMS), though there are different opinions on a TRIMS agreement, the questions which must be addressed are: the specification of measures inconsistent with Articles III and XI of the GATT; the establishment of disciplines on export-performance requirements; the transitional arrangements needed in respect of measures to be eliminated; and the institutional support for any further work in this area.

15. Still in the broad area of rule-making, and effective implementation, governments have to put in place a reinforced and credible dispute settlement system for dealing with future challenges to the multilateral trading system. The degree to which the dispute settlement process should be automatic and binding, and the linked question of doing away with unilateral measures, are two major questions to be resolved. A third key question is the application of the dispute settlement process across the board to the package of the Uruguay Round results, particularly if all the results must be accepted as a single undertaking.

16. I could not leave this fundamental area of rule-making without drawing your attention to another major challenge that negotiators will have to confront -- and this is the relationship between basic improvements sought in a number of rules and disciplines contained in the GATT treaty on the one hand, and, on the other, the special rules and disciplines being considered as part of the reform programmes in agriculture and in textiles and clothing.

AGRICULTURE, TEXTILES AND CLOTHING

17. Let me now turn to agriculture. At the TNC in February this year I noted participants' agreement to negotiate specific binding commitments in each of the three areas of domestic support, market access and export competition, and to reach an agreement on sanitary and phytosanitary issues. Major elements of the reform programme have emerged through the intensive work carried out since then, including broad consensus on the product coverage of the agriculture negotiations. As agreed, special and differential treatment will apply in respect of developing countries. In

17-4

0144

UR(우루과이라운드) 협상 동향 및 TNC(무역협상위원회) 회의, 1991. 전4권(V.3 9-11월) 151

addition to the fundamental point concerning market access to which I have
already alluded, three further political decisions are key to bringing all
the elements together and finalizing the package:

- the direct payments to be exempted from reduction commitments on
  domestic support;

- the policy coverage of reduction commitments in the export
  competition context; and

- the amount, base period and duration of commitments to reduce
  support and protection.

18. In textiles and clothing, the central problem is the so-called
"economic package", consisting of the product coverage of the agreement,
the percentages for integration of products in stages, growth percentages
for quotas on products not yet integrated, and the duration of the
agreement. Successful conclusion of the textiles and clothing negotiations
will bring this sector within GATT rules and disciplines after decades of
managed trade. Trade in this sector amounts to almost a tenth of world
trade in manufactures and is of crucial importance to a large number of
participants.

INSTITUTIONS

19. I now come to the last of the four elements of the negotiations -- the
institutional support necessary for implementing the results. A very well
coordinated approach is essential in respect of the infrastructure that
will be put in place to fulfil the requirements of notification,
monitoring, surveillance, and dispute settlement arising from a large
number of Uruguay Round agreements. Agriculture, textiles and clothing,
TRIPS, TRIMS and services come immediately to mind and there are others as
well.

* * *

20. As you would have noticed, I have tried, in my presentation, to bring
back our negotiating process to its basic aims. However, as we all know,
in a multilateral trade negotiation with the degree of ambition and
foresight that this Round has every detail matters. This is why I have
established, in cooperation with the Chairmen of the negotiating groups, a
document elaborating an annotated negotiating agenda for our final sprint.
This document -- MTN.TNC/W/89/Add.1 -- is available in the room. The size
of the document is misleading. It takes more space to describe the problem
than to write a solution for it !

21. And now a word about the negotiating strategy for November. Starting
from Monday, 11 November, the seven chairmen will be conducting continuous
and simultaneous negotiations in this building with a view to establishing
agreed texts in the individual areas. By the end of this month, and on the

11-5

0145

understanding that nothing is final till everything is agreed, we must be
in a position to consider in the Trade Negotiations Committee the results
achieved across the board.

22. In any case, the TNC remains on call and will be required to review
the process at any time during this period if deadlocks occur. This is, of
course, in addition to the functions which the GNG and GNS have been
charged to perform in terms of their mandates.

RESTRI___
MTN.TNC/W/89/Add.1
7 November 1991

Special Distribution

Trade Negotiations Committee

PROGRESS OF WORK IN NEGOTIATING GROUPS: STOCK-TAKING

MARKET ACCESS

Issues where substantial breakthroughs are needed:

On tariffs: improve and confirm offers; reduce the number of tariff items where no offer has been made; ensure that high tariffs, tariff peaks, low tariffs and tariff escalation are adequately addressed and to increase bindings at meaningful levels and for a substantial proportion of national tariffs;

On sectoral plurilateral negotiations, including NRBPs: clarify the status of proposals (confirm or otherwise the offers), relating to the plurilateral sectoral negotiations aimed at either reducing tariffs to zero or at their harmonization; ensure that particular interests of participants are adequately addressed; decide whether or not the results of these negotiations are supplementary to the mid-term review target of tariff reductions;

On tropical products: confirm and improve the conditional offers; deal with specific problems, i.e. tariff escalation, quantitative restrictions, selective internal taxes and levies, and compensation for the erosion of preferential arrangements and GSP margins;

On credit for tariff bindings: develop practical guidelines for assessing, in the bilateral negotiations, the adequacy of the scope and levels of tariff bindings by developing countries; credit to be given for such bindings towards the mid-term review target of tariff reductions;

On non-tariff measures: deal with outstanding product specific NTMs in bilateral negotiations; decide on how to deal with security of NTMs concessions and their binding, on the application of Article XXVIII to the withdrawal or modification of concessions and on the possibility of granting credit for these concessions;

Recognition for autonomous liberalization measures taken by many developing countries since the beginning of the Uruguay Round;

Recognition by participants of contributions by developing countries in accordance with the principle of special and differential treatment;

GATT SECRETARIAT
UR-91-0151

/1-7

MTN.TNC/W/89/Add.1
Page 2

Decisions on the modalities for the final stage of the market access negotiations, that is, a global auction process where the package of agreements in the tariff and non-tariff measure areas should be arrived at.

TEXTILES AND CLOTHING

The central problem is the so-called "economic package", consisting of the product coverage of the agreement, the percentages for the integration of products in stages, growth percentages for quotas on products not yet integrated, and the duration of the agreement.

The following are the other main outstanding problems:

Reconciling the fact that less than a third of the participants in the Uruguay Round are members of the MFA, while the terms and conditions of the liberalization process and the integration of the textiles and clothing sector into GATT should be treated as part of a single undertaking. Linked to this issue are problems such as:

- the coverage of the transitional safeguard mechanism;

- the handling of non-MFA restrictions on textiles and clothing products;

- the handling of fraud and circumvention;

The operation of the transitional safeguard clause as it relates to the finding of serious damage and the application of actual restrictions; the reference period for, and the duration of safeguard measures, and the terms to be provided for growth and flexibility;

Special and differential treatment for special categories of exporters;

Issues linked to other GATT rights, obligations and procedures:

- recourse to additional trade measures on products covered by this agreement, such as anti-dumping measures;

- recourse to GATT Article XIX during a certain period following the date of removal of all quantitative restrictions on the product concerned;

- the possibility of adjustment of provisions of the agreement with respect to a party found not to be complying with GATT rules and disciplines;

- the rôle and location of the relevant body or bodies within the GATT structure; in this transitional agreement a speedy dispute settlement procedure will be essential.

17-8

0148

MTN.TNC/W/89/Add.1
Page 3

AGRICULTURE

Without attempting to be exhaustive, and in addition to the points raised in MTN.TNC/W/89, the following issues must be addressed:

In the domestic support area, the basic approach centres on the concept that all domestic support at national and sub-national level will be subject to reduction except for policies causing minimal distortion of trade and production ("Green Box"). The Green Box will be defined by a combination of an illustrative list and criteria.

The size of the Green Box is crucial. If it is opened up too widely, trade-distorting support may be perpetuated to an extent which might undercut the value of the commitments in the other areas. But an appropriate Green Box is an important tool in facilitating structural adjustment in agriculture while being an efficient tool in the pursuit of non-trade concerns, such as environmental issues, regional problems and aspects of food security.

The reduction commitments on domestic support outside the Green Box ("amber" policies) are to be expressed through an Aggregate Measure of Support (AMS) or through equivalent commitments where the calculation of an AMS is not practicable. The AMS would cover market price support, non-exempt direct payments and any other non-exempt support. This basic approach would not necessarily exclude scope for negotiating specific commitments on components of the AMS.

In addition to agreement on the size of the Green Box, other issues remain to be resolved include:

- What would be the appropriate product breakdown for commitments on domestic support?

- Would amber support below a certain (small) percentage of the value of production be exempt from reduction ("de minimis" provision)?

- Should any special provision be made concerning the actionability of green or amber policies?

In the area of market access, the concept of tariffication is emerging as the fundamental pillar of the reform process. It involves a full package of its own, including the conversion of non-tariff measures into customs duties ("tariff equivalents"); the binding of these tariff equivalents; the maintenance of current access; new minimum access opportunities through tariff quotas; and, as an important additional element, a special safeguard mechanism designed to prevent disruption of domestic agriculture in the course of the reform process. Its key features

11-9

0149

MTN.TNC/W/89/Add.1
Page 4

includs triggers based on import volume and prices (c.i.f. import prices in
domestic currency) and a surcharge as remedy. Recourse to it would not
require compensation.

The crucial point of the product coverage of tariffication aside,
decisions are needed on certain details of the methodology to be applied
for tariffication and:

- What would be the conditions for, and the size of, the minimum
  access commitments and on what basis would they be undertaken?
  Would minimum access opportunities expand over time?

- What would be the quantity and price thresholds which would
  trigger the special safeguard, and the specific features of the
  surcharge in any price-based safeguard action?

- What modalities would apply for reducing tariff equivalents?
  Would the same modalities apply for agricultural products subject
  to ordinary customs duties only?

- Should there be some flexibility in reducing tariff equivalents
  for selected items, e.g. through some delay in implementation?
  If so, which items would qualify and subject to what conditions?

- Would all existing customs duties be bound?

Turning to export competition, substantial and progressive reduction
of support is as much of concern to exporters as it is to importing
countries who are expected to gradually open their markets.

In addition to reduction commitments on support, the emerging building
blocks of a solution in this area include separate disciplines on certain
specific export subsidy practices; general anti-circumvention provisions;
and provisions concerning possible negative effects of commitments on
net-food importing developing countries, and in particular on the
least-developed countries.

The gaps in positions among participants have to be further narrowed
before these building blocks can be put into place. Questions include:

- Would the policy coverage of reduction commitments be established
  through a generic definition plus an illustrative list or through
  a definitive list?

- Should the reduction commitments operate on the quantity of
  products exported with subsidies or on the budgetary outlays
  involved, or on a combination of the two? Could reductions
  in budgetary outlays for individual product sectors be
  combined with a ceiling commitment on quantity, or
  vice-versa?

17-16

0150

- Should there be upper limits on export subsidies in per unit terms in order to circumscribe targeting practices?

- Should there be limitations on the extension of export subsidies to new products? In this respect; what about new markets?

- How would export subsidies on agricultural primary products incorporated in exported processed products be treated?

- Finally, what would be the future framework of rules governing the export competition area?

This substantial list of questions related to the three areas of domestic support, market access and export competition does not detract from the great degree of progress that has been achieved in identifying the political options and clarifying the technical possibilities. However, the political choices have now to be made.

The same holds true for the fourth leg of the negotiations on agriculture, sanitary and phytosanitary issues. A detailed draft agreement covering this area was already tabled last year. Final consensus requires agreement on a few outstanding issues, on which consultations are currently under way.

The participants in the negotiations on agriculture have recognized that developing countries should have some flexibility concerning commitments, in line with the agreement that special and differential treatment is an integral part of the negotiations.

RULE-MAKING

Anti-Dumping

Underlying the large number of issues yet to be resolved in the anti-dumping negotiations is the difficulty of finding an acceptable compromise between the objective pursued by many participants of a reform and strengthening of existing multilateral rules in such areas as the methodology for determining the existence of dumping and injury, and the objective pursued by other participants of introducing new provisions in order to address certain practices which are perceived to undermine the effective enforcement of anti-dumping measures. Thus major outstanding questions concern the proposed changes to the rules for the determination of dumping and the possible introduction of measures to prevent circumvention of anti-dumping duties which allegedly occurs when, following the imposition of an anti-dumping duty, exporters of the product subject to such a duty assemble the product (in the importing country or in a third country) from parts or components originating in the country subject to the anti-dumping duty. Other issues which remain to be resolved relate to:

> the rules in Article 3 of the current Code regarding the determination of the existence of injury;

17-11

0151

-   criteria and procedures for determining whether a petition is
    filed "on behalf of" a domestic industry;

-   de minimis margins of dumping and the possible quantification of
    a negligible level of import volumes;

-   the modalities of imposition and assessment of anti-dumping
    duties and the duration of anti-dumping duties;

-   retroactive application of anti-dumping duties; and

-   dispute settlement.

Subsidies and countervailing measures

In the area of subsidies and countervailing measures, the key question
is: are the participants ready to accept, as a counterpart for improved
disciplines on the use of subsidies in general, that some subsidies which
are not meant to have any trade distorting effects may be non-actionable
(i.e., neither countervailing measures nor multilateral countermeasures
will normally be taken against them). The second key question is the scope
of special treatment for developing countries. If a satisfactory solution
is found to these two issues, participants will have indispensable
parameters to resolve other outstanding problems. These other problems
have been identified in the commentary to the subsidies and countervailing
section in MTN.TNC/W/35/Rev.1 and in communications from several
delegations. In particular, among the issues on which further work has to
be done are such questions as: specificity in the case of subsidies
granted by sub-federal authorities; territorial application of the concept
of specificity; subsidy disciplines for economies in transformation to
market economy; transitional arrangements for the full implementation of
new disciplines and certain procedural aspects and questions of definition
relating to countervailing measures.

Safeguards

The three main issues which the participants have to resolve are:
quota modulation (i.e., whether in an overall import quota, the share
allocated to countries which are found to be contributing more to global
injury, could be lower than the share allocated to them on the basis of
recent patterns of trade), the time period allowed for phasing out grey
area measures such as voluntary export restraints and orderly market
arrangements, and the provisions which would preclude the use for safeguard
purposes of measures other than those provided for in the agreement. Other
issues in the safeguards area include a waiving of the right of retaliation
under certain situations (i.e., contracting parties agree not to exercise
their right of using retaliatory action against a safeguard measure
provided the duration of the measure is less than an agreed time period),
quantitative definition of domestic industry for the purpose of injury
(i.e., what proportion of the relevant domestic industry should be injured
to justify the use of safeguard measures), the question of whether
safeguard measures should be limited to border measures (e.g., tariffs) or
should include internal measures (e.g., subsidies) for assisting

11-12

0152

adjustment, the duration of initial safeguard action and of the extension period allowed under specific circumstances for further use of these measures, and the provision of special and differential treatment to developing countries.

TRIMS

The questions which must be resolved in order for a TRIMs agreement to be possible are: the nature of disciplines in regard to measures inconsistent with Articles III and XI of the GATT - whether a list of such measures should be explicitly specified as being prohibited; the nature of disciplines on export performance requirements - whether they should be prohibited or subjected to the condition that they should not cause adverse trade effects for other countries; the design of a test to determine whether such adverse trade effects are being caused including the specification of which TRIMS it would apply to; any special provisions for developing countries; the transitional arrangements needed in respect of any measures which are to be eliminated; and the future work of a TRIMs Committee.

GATT articles

Among the seven texts on GATT provisions which are now awaiting adoption, two require decisions to be made before they can become effective. On Article XXV:5 (waivers) it is necessary to decide whether an expiry date can be agreed for existing open-ended waivers, and in relation to the Protocol of Provisional Application, where the proposal is to abolish the "grandfather clause" under which legislation inconsistent with Part II of the General Agreement has been maintained, the date on which such abolition would take effect has to be decided. The remaining texts relate to Articles II:1(b), XVII, XXIV, XXVIII and XXXV.

With respect to GATT's balance-of-payments provisions proposals have been made to clarify and strengthen the existing provisions and procedures without undermining recourse to balance-of-payments measures. The proposals relate to the procedures for consultations in the Balance of Payments Committee, including their nature, timing and periodicity, to the notification and documentation to be provided as a basis for consultations, and to Committee conclusions. They also contain some elements relating to the use of balance-of-payments measures, essentially intended to clarify and confirm understandings contained in the 1979 Declaration on Trade Measures Taken for Balance of Payments Purposes.

Other subject-areas covered by the Negotiating Group on Rule-Making and Trade Related Investment Measures[1]

Regarding the draft text on technical barriers to trade, there is an outstanding question concerning the treatment of local and non-governmental

---

[1] Technical barriers to trade, customs valuation, government procurement, import licensing, preshipment inspection and rules of origin.

11-13

0153

MTN.TNC/W/89/Add.1
Page 8

bodies. Corrections of a purely technical nature have been made to the texts on import licensing procedures and preshipment inspection; such corrections may also need to be made to the draft text on rules of origin. Finally, with respect to a number of these subject-areas, the question of the final legal form of the texts remains to be decided.

TRIPS

Decisions are required on three categories of issues to complete the TRIPS negotiations.

First, decisions are required on some twenty key issues concerning the level and nature of the standards of protection of intellectual property rights to be included in a TRIPS agreement. The main points for decision lie in the areas of copyright, geographical indications and patents, although there are some outstanding issues in other parts as well. In the patent area, for example, it remains to be decided to what extent it will be possible to agree that patents shall be available and patent rights enjoyable without discrimination as to the place of invention, the field of technology and whether products are imported or locally produced, as well as to determine the term of patent protection. In the area of geographical indications, it has to be decided whether additional protection should be available for wines and spirits, and the scope of and conditions on exceptions to such protection. In the area of copyright, outstanding issues include the nature of protection of computer programs and of rental rights. Since the outstanding issues are still essentially as contained in the Chairman's commentary to the text in MTN.TNC/W/35/Rev.1, a full list is not included here.

The reason why the list is essentially unchanged is that there has been a general reluctance to settle these issues until there is a perception that the Uruguay Round negotiations as a whole are in their final lap. While these TRIPS issues, which will essentially determine the level of commitment in a TRIPS agreement, are therefore linked in terms of globality with the Round as a whole, some have a more specific linkage, for example that between agriculture and geographical indications and that between textiles and TRIPS provisions on trademarks, industrial designs and enforcement.

A second category of decision that remains to be taken are those that will govern the timing of the economic impact of the results. This concerns not only the duration of the special transition periods that developing and least-developed countries will be entitled to, but also the extent to which the new obligations will apply to existing works, inventions and other subject matter as well as certain specific proposals regarding products whose marketing is subject to delay due to regulatory requirements. In regard to these matters, it is clear that participants are not only sensitive to the specific issues arising in regard to the phasing-in of TRIPS commitments, but also to how the timing of their economic impact compares with that of commitments that will be entered into in other areas of the Uruguay Round.

17-14

0154

MTN.TNC/W/89/Add.1
Page 9

The third set of issues that have to be settled concerns the
institutional framework for the international implementation of the results
of the negotiations on TRIPs. These matters are under discussion in the
Negotiating Group on Institutions. Closely related to the outcome on this
matter are the arrangements for the multilateral settlement of disputes.

INSTITUTIONS

In the area of dispute settlement, the Negotiating Group on
Institutions has succeeded in revising the Brussels Understanding and
setting up a Consolidated Text on dispute settlement rules and procedures.
Controversial issues still outstanding in the dispute settlement area are
as follows:

-   The quasi automaticity of the decision-making process to set up
    panels and adopt panel or appellate body reports which has been
    linked to the renunciation to apply unilateral measures
    inconsistent with the General Agreement. Several participants
    feel that this issue is linked to the overall results of the
    negotiations.

-   The maintenance of the 1966 dispute settlement procedures for
    developing countries. Some participants oppose the idea of a
    two-tiered dispute settlement mechanism. Developing countries
    have insisted on the need to maintain these procedures as a
    special and differential treatment option which would still be
    subject to the existing non-quasi-automatic rules.

-   The procedures that will govern non-violation complaints.

-   The application of coordinated dispute settlement principles and
    rules to all the agreements negotiated in the Uruguay Round.

In the area of the functioning of the GATT System, participants in the
Negotiating Group have recommended that the TPRM be confirmed and have
supported the adoption of a decision aimed at improving the notification
procedures. Discussions are continuing on the contribution of the GATT to
achieving greater coherence in global economic policy-making.

In the institutional area, the Group has been considering the Final
Act and possible institutional arrangements. The idea of a single
undertaking which would cover all results of the negotiations including
TRIPS and Services, and which all participants in the negotiations would be
required to accept, continues to be controversial. A proposal to include
in the Final Act an outline of provisions establishing a new institutional
framework with overall responsibility for an integrated dispute settlement
procedure and a regular TPRM is currently under consideration.

13-15

0155

SERVICES

The General Agreement on Trade in Services (GATS) will be built on
three pillars: the Articles of the Agreement, the sectoral annexes or ·
annotations dealing with the specificities of certain sectors and initial
commitments to liberalize trade in services. The acceptability of the GATS
will depend upon the strength of these three pillars. They are
inextricably linked. Further work and decisions are required with respect
to each of the three pillars.

A great deal of work has been carried out in arriving at over 30 draft
Articles of Agreement (a number of which are now completed). While further
work is required with respect to some of the Articles, much of the work is
of a technical nature and can be completed soon. Important decisions will
be required, however, with respect to some outstanding matters. In
particular, the circumstances under which governments can apply
restrictions to protect their balance of payments, whether general
exceptions can be taken from the obligations of the Agreement on cultural
grounds and under what circumstances governments would not have to apply
the provisions of the GATS to the services provided by another Party.

While the work relating to Articles on the scheduling of commitments
is close to completion, a further clarification of considerations relating
to the negotiation of commitments additional to those provided for in the
Articles (i.e., relating to market access and national treatment) is
required before the need for, and/or, content of, such an Article could be
decided.

An article which is critical to the Agreement relates to the extension
of most-favoured-nation treatment. The approach adopted in the recent
discussion of m.f.n. has concentrated on identifying, in the light of
confidential submissions by governments to the Chairman of the GNS, the
legal possibilities for dealing with requests for, and disciplines to
limit, any such exemptions. While this technical work is highly developed,
the critical decisions to be taken relate to the nature and extent of
measures which governments will seek to exempt from the general m.f.n.
obligation. The linkage being made to the completion of the initial
commitments negotiations and exemptions from m.f.n. is also critical in
nature.

The second pillar relates to annotations and annexes. The annexes
which were sent to Brussels included those containing procedures relating
to m.f.n. exemptions (Basic Telecommunications, Audiovisual Services and
the Transport Services sector), those considered necessary to take account
of sectoral specificities (Telecommunications Services and Financial
Services) and the Annex relating to the movement of persons as a mode of
delivery.

In the final analysis, the nature of, or need for, annexes providing
for m.f.n. exemptions will to a large extent depend on the outcome of the
work relating to the legal possibilities for seeking m.f.n. exemptions.
With respect to those annexes taking account of sectoral specificities, the
Telecommunications Services Annex is highly developed. Despite recent

17-16

0156

positive movement in the direction of completing outstanding work, the
Financial Services Annex still requires important decisions to be taken;
in particular, as to whether the Annex itself should be trade liberalizing.
In respect of the Annex relating to the movement of persons providing
services, the principal decisions have been taken.

Third, the work on initial commitments has progressed since Brussels
and the number of offers tabled to date exceeds 40. There has also been
progress in the consultations as reflected in the revision of offers and
the requests for improvement in offers. The extent of liberalization of
trade in services that will follow from the Uruguay Round, however, will
depend not only on the initial commitments to comply with the concepts,
principles and rules as elaborated in the Articles of the Agreement and the
Annexes, but also the extent to which participants will seek exemptions
from the m.f.n. obligation. Important negotiating relationships exist
between the negotiation of initial commitments and the taking of exemptions
from the general obligations.

17-17

0157

長官報告事項

報 告 畢

1991. 11. 8.
通 商 局
通商機構課(62)

題 目 : UR/TNC 會議(11.7 제네바) 結果 및 評價

1. 던켈 總長의 協商 現況 評價 및 向後 協商 計劃

   ㅇ 協商그룹별 實質 問題 妥結을 위한 妥協 基礎 마련이 未洽하여 11月初까지 妥結案을 導出하려던 當初 目標를 達成치 못한데 憂慮(分野別 現況 評價 및 未決爭點 摘示)

   ㅇ 11.11부터 數週間 未決爭點에 대한 合意 導出을 위해 集中 協商 推進
   - 11月末頃 TNC를 開催, 全分野에 걸친 協商 結果 論議

2. 던켈 總長의 評價中 農産物 協商 關聯 特記事項

   ㅇ 關稅化, 許容對象 直接 所得補助, 減縮對象 輸出補助 範圍, 減縮 基準 年度·幅·期間을 政治的 決斷이 必要한 核心 爭點으로 지적

   ㅇ 關稅化가 改革의 基本義(fundamental pillar)이라고 言及

3. 評 價

   ㅇ 當初 豫想되었던 "例外없는 關稅化"와 協商의 大勢 또는 consensus라는 表現이 使用되지 않은 것은 最近의 我國·日本等의 集中的인 協商 努力이 多少 反映된 結果라고 評價

   - 向後 我國 立場을 繼續하여 主張할 수 있는 協商 餘地 提供

4. 國會 및 言論對策 : 別途 措置 不要.   끝.

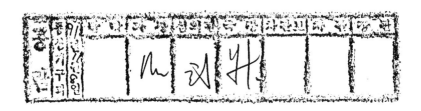

0158

원 본

외 무 부

종   별 : 지급

번   호 : GVW-2280   일   시 : 91 1107 2300

수   신 : 장관(봉기,경기원,재무부,농림수산부,상공부,청와대경제수석)

발   신 : 주 제네바 대사 사본:주미,주EC,주일대사중계필)

제   목 : 던켈총장의 UR협상 보고 평가

연: GVW-2278

금 11.7(목) 개최된 TNC 회의결과에 대한 당관 종합평가를 아래 보고함(7 개 협상분야별 당관 분석보고는 추보 예정)

1. 금일 회의후 두개의 문서를 배포한바, 하나는 던켈총장 자신이 직접 낭독한 것으로(MTN.TNC/W/89) 분야별 핵심쟁점사항을 강조한 것이며, 다른 하나(MTN.TNC/W/89/ADD.1)는 7 개 협상 분야별로 세부 미결사항을 종합한 것임

2. 던켈총장이 비중을 두고 낭독한 것은 종래의 7 개 협상분야별 접근방식이 아닌 시장접근, 규범제정, 농업및 섬유, 제도분야의 4 가지로 분류하여 평가하고 있는것이 특징임.

가. 시장접근 분야에서는 종래의 MARKET ACCESS 분야에서 다루던 공산품, 열대산품, 천연자원, 이외에 농산물, 섬유, 서비스등 시장접근 분야와 연관되는 모든분야를 언급하고 있는바, 이는 주로 개도국들이 종래의 시장접근분야 협상에서 타협상분야에서 다루어지고 있는 분야도 연계하여 다루어져야 한다고 주장한것과 관련, 시장접근 차원에서 각국이 수용할 수 있는 전반적인 PACKAGE 가 되어야 한다는 점을 고려한 것으로 보임

나. 규범제정에서는 현재 규범이 없는 서비스, TRIPS 를 한항으로 하여 이분야에서의 규범제정 필요성을 먼저 강조하고 다음항으로 종래의 규범분야에서 다루어오던 반덤핑, 보조금, 상계관세, 세이프가드 및 TRIMS 에 대한 평가를 하고 별도항으로 분쟁해결 분야에서의 두가지 쟁점(절차의 자동화 및 일방주의)을 강조하였으며, 특히 씨비스분야에서 해운, 기본통신, 오디어 비쥬얼에서의 조건없는 MFN 적용을 강조하고 있어 미.이씨간 중요쟁점 현안을 언급하고 있는것이 주목됨.

다. 농업 및 섬유는 종래 갓트체제 밖에 있던 분야로서 금번 협상에서 주요한

통상국	장관	차관	2차보	외정실	청와대	청와대	안기부	경기원
재무부	농수부	상공부	특허청	중계				

PAGE 1   91.11.08   07:53

쟁점사항이며 현재까지의 협상결과와 앞으로 정치적 결단이 필요한 내용을 잘지적하고 있음.

　　라. 끝으로 제도분야에서는 협상결과를 이행할 제도적 측면을 간단히 언급하고 있음.

　　3. 우리의 최대관심사인 농업분야에서 던켈총장은 직접 낭독한 내용 및 문서로 배포한 분야별 협상진전 상세(MTN.TWC/W/89/ADD.1)에서 모두 "예외없는 관세화"에 대한 합의운운등 직접적인 표현은 하지 않았으며, 관세화문제가

　　(1) 국내보조중 삭감약속에서 제외되는 직접보조, (2) 수출 보조삭감대상정책 범위,(3) 삭감폭, 기준년도, 이행기간 문제등과 함께 4가지의 정치적 결단이필요한 분야로 강조하고 있음.

　　4. 금일 TNC 회의는 지난 9.20 그린룸 협의시 제시한 던켈총장의 1차 전략이 성사되지 못한가운데 새로운 시도로서 제시 된것인 바, 과연 금번 전략이 계획대로 성공을 거듭수 있을것인지의여부에 대한 당지에서의 평가는 나누어져 있으며(일반적으로 50 : 50 이라고 말하고 있음), 협상에 참여하고 있는 주요국 대사들의 반응은 조심스러운 낙관론임.끝

　　(대사 박수길-차관)

　　예고:91.12.31. 까지

외 무 부

종 별 :

번 호 : USW-5522

일 시 : 91 1107 1939

수 신 : 장 관 (봉기, 봉이, 봉삼, 경기원, 농림수산부, 상공부, 재무부)

발 신 : 주 미국 대사   사본: 주 제네바, EC대사(중계필)

제 목 : UR 협상 동향

대: WUS-5099(1), 5041(2), 5098(3)
연: USW-5490

금일(11.7) 당관 장기호 참사관은 SUZAN EARLY USTR 농업담당 대표보와 MARY RYCKMAN USTR 다자무역협상담당 과장을 각각 면담, UR 농산물 분야 협상등 UR 협상의 전반적인 추진 동향에 관하여 의견 교환을 가졌는바, 동 요지 하기 보고함. (서용현 서기관과 장원삼 서기관 각각 동석)

1. SUZAN EARLY 대표보 면담

- 동인은 대호 런던 4 국 회담 결과등 UR 농산물 협상 진행현황에 대해 연호 보고와 같이 동 4 국 회담에서 상호 견해차를 좁히기는 했으나 숫자문제등 구체적 사항까지는 협의가 진행되지 못하였으며, 따라서 구체적인 성과를 거두지는 못했다고 언급하였음. 그러나 금주말에 예정되어 있는 부쉬 대통령과 DELAR EC 집행위원장간의 회담이 매우 중요한 계기가 되기를 바란다고 하였음.

- 한편, 장참사관이 최근 언론보도등이 UR 의 전망을 다시 비관적으로 보는 경향이 있다고 하면서, UR 실패가 내년도 미국의 선거에 줄 영향을 감안하여 미국측에서 UR 의 협상목표를 보다 현실적으로 조정하여 협상을 조기 타결코자 하는 동향이 없는지 타진한데 대해, EARLY 대표보는 불만족스러운 UR 협상결과를 미국 여론에 제시할 경우의 정치적 부담이 UR 협상 실패에 따른 정치적 부담보다 더 클 것이기 때문에 협상 조치 타결을 위한 협상목표를 축소하지는 않을 것 이라고 언급함.

- 참고로, 동인은 UR 협상 타결의 돌파구 마련을 위해 미야자와 신임 일본 수상이 11.6. 기자회견에서 농산물 분야의 예외없는 관세화와 관련 일측이 보다 유연한 입장을 취할 것임을 시사했다고 언급한후, 동 기자회견 요지(별첨 FAX 송부)를 전달해 왔음.

통상국 분석관	장관 정와대	차관 안기부	1차보 경기원	2차보 재무부	경제국 농수부	통상국 상공부	통상국 중계	외정실

PAGE 1

91.11.08   13:07

외신 2과 통제관 BS

0161

2. MARY RYCKMAN 과장 면담

가. 미.EC 정상회담

- 동 과장은 금주말 미.EC 정상회담에서 부쉬 미 대통령은 UR 협상의 성공적 타결의 중요성과 이를 위한 미측의 강한 MESSAGE 를 EC 측에 전달할 것으로 보이며, 특히 시장접근 분야, TRIM, TRIPS, 분쟁해결 절차, 반덤핑, 보조금, 긴급 수입제한 조치등 각종 의제를 망라하는 포괄적인 패키지 타결의 필요성을 강조할 것이라고 하면서, 금번 정상회담이 좋은 결과를 가져오길 희망하나 설사 미.EC 간 특정사항에 대해 합의가 이루어지더라도 여타 국가의 동의가 필요한 만큼 조심스럽게 동 정상회담 결과를 지켜보고 있다는 반응을 보였음.

나. 던켈 협상안

- 동 과장은 던켈 사무총장의 협상 초안이 예상부터 수주 늦어진 11 월말 정도에 제출될 것이며, 일본이 최근에 농산물 분야 실무회의에서 예외없는 관세화와 관련 예외가 인정되어야 한다는 주장을 제시하였으나 던켈 총장으로 부터 상당한 비난을 받은바 있다고 하고 농산물 분야에서 예외없는 관세화가 포함될 것으로 본다고 언급

- 동인은 특히 일본, 한국의 경우 국내정치적으로 농산물 분야의 양보가 어렵다는 점은 이해하나 미국도 농산물 분야에서 국내설탕및 땅콩 재배업자로 부터 강한 압력과 항의를 받고 있는등 정도에 있어서는 다소 떨어지지만 한국과 유사한 문제를 가지고 있다고 지적

다. UR 협상 타결전망

- 동인은 현재의 제네바 분위기는 상당수의 협상 참가국가들이 예년에 비해 UR 협상 타결의 필요성에 대해 강한 인식을 같이하고 있으므로 타결 전망이 다소 밝아졌다고 할수 있으나(이를테면 EC 는 동구권 국가의 경제문제 해결에 EC 이외의 다자간 무역체제를 통한 해결이 필요하다고 인식하고 있고 라틴제국들도 다자간 무역체제를 통한 경제성장 필요성 인식), 궁극적으로 농산물, 시장접근 분야등 주요 이슈에 관한 참가국들의 정치적 결단이 필요하다고 언급

- 동인은 또한 금번 UR 협상을 꼭 타결시켜야 한다는 명제에도 불구 동 협상이 실패로 끝나는 경우 GATT 체제가 붕괴할지 모른다고 전망

라. HILLS 대표의 APEC 연설내용

- 사이 면담에서 동인은 APEC 각료회담에 참석 예정인 HILLS 대표가 동 회담시 UR 의 성공적 타결이 필요하다는 강한 멧세지를 전달하고 특히 UR 관련 시장접근, 포괄적

PAGE 2

0162

타결, 무관세 협상및 예외없는 관세화등에 대한 미국 입장을 표명할 것이며, TRIPS/SVC 등에 있어서 인도, 브라질, 알젠틴등의 입장 변화등 최근의 협상 진전 상황 지적과 함께 앞으로 던켈 리더쉽을 SUPPORT 해야 한다는 점을 강조할 것이라고 하였음.

　마. 한편, LAVOREL 대사는 UR 협상 관계상 APEC 회의에 참석할 수 없다고 함.

　첨부: USW(F)-4818(1 매). 끝.

　(대사 현홍주-국장)

　예고: 91.12.31. 까지

During a November 6 press conference, Prime Minister
Miyazawa was asked about his views on rice tariffication. The
following is a rough embassy translation of what the Prime
Minister said on rice. We do not have the transcript of what
he actually said so this is a reconstruction from rough notes
of a rapidly delivered response to a question.

Begin statements:

The Uruguay Round is now at the end stage. Japan must work
to conclude the round by the end of this year. We cannot fail
in this task.

Concerning the Agricultural talks there are many difficult
issues. For the United States there is the question of whether
they will eliminate their waivers, and the EC faces the
difficult issue of variable levies. Japan also has difficult
issues in agriculture.

While maintaining our present policies, we must make the
maximum effort possible to conclude the Uruguay Round
successfully.

Concerning te concept of tariffication itself, GATT experts
have been holding theoretical discussions on conversion of
barriers to tariffs. The advantage of this concept is that
tariff barriers are visable and can be reduced gradually.
There is the practical problem of how to assign tariff levels
to various forms of protection such as variable levies. Also
there is the issue of how to treat export subsidies. These
debates among GATT experts are good because they have helped
clarify many issues. There is still a question however of
whether tariffication can be applied to all import barriers.

(In response to a question of what Japan will do on rice
tariffication)

This matter is under negotiation. WE must see how much the
US and the EC will do and respond accordingly. We must work as
hard as possible to make sure the Round does not fail.

0164

| 관리
번호 | 91-786 | | | | 원 본 |

외 무 부

종 별 : 지급

번 호 : ECW-0908

일 시 : 91 1108 1600

수 신 : 장관 (통기, 경기원, 재무부, 농림수산부, 상공부)

발 신 : 주 EC 대사   사본: 주 미, 일, 제네바대사-중계필)

제 목 : UR 협상

대: WEC-0697

UR 협상과 관련한 EC 의 주요회원국 동향및 대외교섭 동향및 협상전망에 관하여 최근 당관이 EC 집행위및 당지주재 주요국 대표부 관계관들과 접촉, 파악한 내용을 아래 종합 보고함

1. 주요 EC 회원국의 입장

가. 독일은 최근 CAP 비용의 급격한 증가가 심각한 재정적자의 주요원인으로 작용하고 있고, 특히 통일이후 농업비중이 상대적으로 큰 동독지역에 대한 과중한 재정지원등으로 UR 농산물협상 타결을통한 재정부담의 완화를 기대하게 되었음

나. 농산물분야에서 가장 강경한 입장을 견지해온 불란서의 경우에는 아래와 같은 국내외적 사정으로 그들의 입장을 완화하게 된것으로 분석됨

O 지난 1 년간 주요 국제문제 (걸프전쟁, 소련쿠테타, 발트 3 국 독립등) 발생시 미테랑대통령이 외교적으로 적절히 대응치 못함에따라 국제사회에서 불란서의 영향력이 크게 감소되었다는 국내적 비판이 고조되고 있음

O 최근 불란서가 EC 와 동구 3 국 (폴란드, 체코, 헝가리) 간의 제휴협정 체결교섭 과정에서 교역량이 미미한 농산물문제로 이를 지연시킴으로서 다자간 협력증진에 방해자 역할을 한다는 국제여론의 비난도 받게 되었으며, 특히 10.11-12 비공식 EC 통상장관 회담을 계기로 독일의 태도가 완화된 이후 농산물협상과 관련하여 EC 내에서도 고립상태에 빠지게 됨

O 또한 EC 정치동맹 추진과정과 NATO 의 장래문제등과 관련하여 불란서의 입장을 보다 많이 반영하기위해 독일과 영국에대해 UR 농산물 협상과 관련한 입장을 완화하겠다는 TRADE-OFF 의사를 밝혔다는 추측도 있음

다. 대부분의 여타 EC 회원국들도 아래와같은 배경으로 금년말까지의 협상시기를

| 통상국
안기부 | 장관
경기원 | 차관
재무부 | 1차보
농수부 | 2차보
상공부 | 경제국
중계 | 외정실 | 분석관 | 청와대 |

PAGE 1

놓쳐서는 안된다는 일종의 강박관념을 갖고 있음

0 92 년부터는 소련을 포함한 대동구 협력증진, 새로운 구주안보 체제및 EEA 추진등 보다 긴박한 EC 내부의 주요문제들로 인하여 UR 문제에 전념한다는 것이 물리적으로 어렵게 될것임

0 지난 5 년간의 UR 협상결과에 대해 모든 회원국들이 좌절과 실증을 느끼고 있어 더이상 실기할수가 없음

2. EC 의 대외교섭 동향

가. 대미교섭 동향및 자세

0 주요 회원국들의 농산물협상 입장이 완화됨에 따라 EC 집행위는 미국과 조용하고 비공식적인 접촉 (QUIET AND INFORMAL NATURE) 을 통해 UR 의 연내타결을 위한 양측의 첨예한 입장을 조정중에 있는것으로 분석됨

0 EC 측은 농산물분야에서 미.EC 간 타협이 이루어진 것으로 보는 일부 추측을 강하게 부인하고 있으나, 최근 미.EC 간 고위급접촉이 계속 이루어지고 있으며 당지의 일부 전문가들은 명 11.9 미.EC 정상회담에서 EC 측이 농산물분야에서 90.12. 각료회의시보다 양보된 안 (향후 5 년간 국내보조의 30% 감축및 수출보조 분야에서의 상당한 감축대상및 범위) 을 제시하고, 미측으로 부터는 서비스분야 (특히 해상운송분야) 에서 양보받는 타협방안을 모색할 것으로 전망하고 있음

0 한편 대부분의 당지 전문가들은 EC 의 직접소득 보조제도를 GREEN BOX 에 포함시키는 문제가 미.EC 간 타협의 관건이 될것으로 보고있음

나. 한. 일등 주요협상 참가국에 대한 자세

0 미.EC 간 기본적인 입장조정을 통해 타협이 이루어질 경우 일본과 한국을 포함한 대부분의 협상 참가국들은 대세에 따를수밖에 없을것으로 보고 있으며, 특히 일본의 경우 이러한 가능성에 대비한 대책을 이미 강구한 것으로 추정하고 있는듯함

0 또한 국내정치적 사정으로 일부 협상분야에서 소극적인 자세를 보이고 있는 국가들의 경우 TAKE IT OR LEAVE IT 방식의 TEXT 가 마련될 경우 국민들에게 국제적 태세에 따르기위한 불가피한 선택으로 정당화시켜주는 효과도 얻을수 있다고 보고있음

다. 개도국에 대한 자세

0 미.EC 의 타협안에대해 반발할 가능성이 있긴 하나, 대부분의 개도국들이 농산물분야에서는 CAIRNS 그룹과 유사한 입장을 갖고 있으므로 미국이 수용가능한 내용이라면 이들 국가도 무난히 수용할수 있을것으로 봄

O 또한 개도국들은 미.EC 등 선진국들의 관심이 소련과 동구에 집중되고 있고 앞으로도 더욱 소외될 것으로 우려, 이번 UR 타결에 적극적 자세를 취할것으로 기대하고 있음

3. EC 의 UR 협상전망

가. 11.9. 미.EC 정상회담 이후 2-4 주내에 주요 정치적문제에 대한 합의가 이루어진후 GATT 총회 (CP) 가 소집될수 있을것으로 전망하고 있음. 그러나 최종적인 합의가 이루어 지더라도 서비스분야에서의 R/O, 시장접근, 일부 농산품의 관세문제등 기술적 사항의 협상을위한 시간이 필요하므로 92.3 월 경에나 모든 협상이 종료될수 있을것으로 봄

나. 한편, EC 집행위 관계관들은 EC 가 최근 농산물분야에서 보다 적극적이고 신축적인 자세를 보이고 있음을 강조하면서 UR 협상의 연내타결에 대해 대체로 낙관적인 견해를 보이고 있는바, 일부 전문가들은 이러한 자세가 UR 협상의 현재 추진상황에 비추어 볼때 협상실패시 책임을 회피하려는 전략의 일환일 가능성도 있음을 지적하고 있음. 끝

(대사 권동만-차관)

예고: 91.12.31. 까지

원 본

외 무 부

종 별 :

번 호 : USW-5554   일 시 : 91 1108 1901

수 신 : 장 관 (봉기),봉이,미일,경기원,농수산부,외교안보,경제수석)

발 신 : 주 미 대사 사본: 주 제네바,EC대사 중계필)

제 목 : 미국의 UR 협상 대책

대: WUS-5098

연: USW-5522

대호 미국정부의 UR 협상 대책에 관한 당관의 관찰및 평가를 하기 보고함.

1. UR 협상 성패가 미 국내정치에 미칠 영향

- UR 협상은 그 내용이 전문적이고 추상적이며, 또한 너무 많은 사안들을 망라하고 있기 때문에 오히려 촛점이 흐려지는 측면이 있어 미 국내정치상 뜨거운 쟁점으로 부각되기는 어려운 상황이며, 더구나 일반 미국인들이 대체로 대외문제에 관하여 무관심하다는 측면을 감안한다면 UR 협상 성패 여부가 미국의 전반적 여론에 미치는 영향은 아주 크지는 않을 것으로 보임.

- 또한, UR 협상에 대한 가장 큰 지지세력이라고 볼수 있는 업계의 UR 협상에 대한 관심이나 기대가 UR 협상 출범 당시에 비하여 현저하게 줄어들고 있는 형편이며, UR 협상이 지연됨에 따라 대외 통상문제를 다자차원에서 해결하는 것이 반드시 효율적인지에 대한 회의가 늘어나면서 양자교섭(또는 압력)에 의하여 대외 통상목표를 달성하는 것이 보다 효율적이라는 생각이 대두되고 있으므로(미의회내의 수퍼 301 조 부활 움직임등), UR 이 실패한다 해도 이에 대한 업계의반발이 크지는 않을 것으로 보임.

- 미국 정부는 그간 농업문제를 UR 의 HIGHLIGHT 로 삼아 UR 에 대한 농민들의 지지를 확보하려고 노력해 왔으나, UR 이 지연됨에 따라 UR 이 미국 농업 전체에 이익을 갖다 준다는 측면은 점점 덜 강조되고, 반면에 낙농업계, 땅콩 생산자등 UR 에 의해 불이익을 받을수 있는 특수집단의 UR 에 대한 반대입장은 점점 더 부각되는 경향을 보이고 있음. 또한 이러한 특수 이익에 영향을 주지 않으면서 농산물 교역자유화를 달성하기 위해서는 다자보다는 양자교섭에 의존하는 것이 보다

통상국	장관	차관	1차보	2차보	미주국	통상국	외정실	분석관
청와대	청와대	안기부	경기원	농수부	중계			

외신 2과 통제관 BD

0168

효율적일수 있다는 사고 방식이 대두되고 있으므로, UR 실패시 농민들의 반발동 심각하지는 않을 것으로 관측됨.

- 다만, 내년 미 대통령 선거에서 BUSH 행정부에 대한 민주당측의 최대의 공세적 ISSUE 는 경제문제가 되리라는 것이 일반적인 관측인바, 이 경우 경제문제의 촛점은 물론 국내 경제문제가 되겠지만 대외 경제관계도 국내경제에 영향을미치는 요인중의 하나로서 ISSUE 화 될 여지는 있다고 보이며, 특히 민주당측에서 BUSH 대통령의 강세분야인 대외관계에서 유일한 약점이 될 수 있는 대외 경제분야에 비난을 집중시킬 가능성도 없지는 않다고 사료됨.

- 그러나, 미 행정부는 UR 과 북미 자유무역협정을 동시에 추진함으로써, 사실상 UR 이 실패한다 해도 기댈수 있는 안전판(북미 자유무역협정)을 마련해 둔 셈이기 때문에 전반적으로 보아 UR 의 실패가 부쉬 대통령에게 심각한 타격을주지는 않을 것이라는 것이 당지의 일반적 관측임.

- 이와관련, 미 상부부의 DUESTERBERG 차관보는 최근 당관 구본영 공사와의오찬석상에서 UR 이 성공하면 부쉬 대통령에 대한 긍정적 자산이 될 것이나, UR 이 실패한다 해도 큰 부담은 되지 않을 것이라고 언급한 바 있음을 참고바람.

2. 협상 목표 하향 조정에 의한 조기타결 시도 여부

- 상기와 같은 미국내 분위기에 비추어 보아 이른바 MINI-PACKAGE 로는 의회나 여론 설득에 사실상 불가능할 것이므로 미측이 협상을 조치 타결키 위하여 협상목표를 낮추지는 않을 것으로 보임.(USTR 의 SUSAN EARLY 대표보가 당관 장기호 참사관에게 동건과 관련하여 언급한 연호 보고 내용 참고바람)

- 특히, 당지의 분석가들은 현재의 미국의 UR 에 대한 입장이 대체로 반영된 이른바, BIG PACKAGE 를 가지고도 의회 통과를 반드시 낙관할 수는 없다고 보고 있으며, 상기 DUESTERBERG 차관보는 UR 이 만족스럽지 않은 수준에서 타결된다면 UR 에 의해 불이익을 받을 수 있는 집단에게 UR 패키지의 의회 통과를 저지시킬 명분을 주게되므로 MINI PACKAGE 는 살아남을 수 없을 것이라 언급하였음을참고바람. 끝.

(대사 현홍주-국장)

예고: 91.12.31. 까지

PAGE 2

0169

외 무 부

종 별 :

번 호 : HOW-0450　　　　　　　　　일 시 : 91 1109 1700

수 신 : 장 관(구일,봉기) 사본: 주EC 대사, 주제네바대사 - 직송필

발 신 : 주 화란 대사

제 목 : 미.EC 정상회담

연: HOW-0444

　1. 연호 부시 대봉령은 예정대로 11.8(금) 저녁 당지에 도착, 1 박후, 11.9(토) 오전 LUBBERS 주재국 수상, DELORS EC 집행위원장등 EC 대표들과 회담, LUBBERS 수상 주최 오찬 참석 그리고 오후에는 기자회견및 당지 미국학교 방문후 주재국을 떠남.

　2. 동 정상회담에서 양측은 미.EC 간 대서양 협력의 중요성, 북대서양동맹의 필요성에 의견을 같이하고, 지역분쟁(중동및 유고)의 평화적 해결 노력을 지지하면서, 아울러 동구.소련의 민주화 및 시장경제 개혁 지원을 위해 공동 노력할 것을 다짐함.

　3. 금번 미.EC 간의 주의제인 GATT/UR 협상문제와 관련, 양측은 금번 정상회담에서 어느정도의 진전이 있었다고 전제하고, 동 협상의 타결을 위해 상호 융통성을 가지고 협상에 임할 용의를 표명하면서, 잔존 이견 분야에 대해서는 제네바 실무협상에서 해소토록 할 것을 밝히는 한편, 여타 국가들도 미.EC 의 여사한노력에 상응하는 자세를 보여줄 것을 촉구함. 동 회담결과에 관한 선언문에서 분야별로 언급된 사항 요지는 아래와 같음.

　0 농업분야: 현재 논의중인 일괄타결안에 대해 미.EC 간에 입장차이를 줄이는데 진전이 있었음.

　0 기존 GATT 원칙 강화 필요성에 공감하고 보조금, 무역마찰문제등 해결을 위한 실천 방안에 의견 접근

　0 관세, 비관세 장벽 해소 필요성에 의견 일치

　- 동 장벽 해소를 위한 과감한 정책 추진키로 결정

　0 모든 국가들이 미.EC 의 시장개방 노력에 상응하는 노력을 보일 것을 촉구

　0 기타 지적소유권, 서비스등 분야 협상 진전 내용 언급

　4. 금번 정상회담 관련 선언문, 미.EC 성명, 오찬연설등 전문 팩스 송부함.

구주국 안기부	장관	차관	1차보	2차보	통상국	외정실	분석관	정와대

PAGE 1　　　　　　　　　　　　　　　　　91.11.10　　01:45

(대사 최상섭-국장)
예고:91.12.31. 일반

외 무 부

종 별 : 지급

번 호 : ECW-0916   일 시 : 91 1109 1900

수 신 : 장관(통기, 경기원, 재무부, 농림수산부, 상공부, 기정동문) 사본:주미, 제네바, ⅲ

발 신 : 주 EC 대사   화란대사(직송필)

제 목 : 갓트/UR 협상

1. 11.9. 화란 헤이그에서 개최된 미.EC 정상회담후 발표한 성명내용중 UR관련내용 요지 하기 보고함

　　가. 다자간 무역체제의 강화는 개도국을 포함한모든 국가들의 경제성장에 기여할것임. 양측은야심적, 전반적및 균형된 UR 협상결과를 다짐하며 양측의 의견차이를극복하기 위한 노력을 계속할 것임

　　나. 최근 DUNKEL 사무총장이 보여준 협상 타결노력을 환영하며, 양측은 연내에 UR 협상의성공적인 타결을 위해 유연하게 대처(FLEXIBILITY)하여 나갈 것임. 양측은 상존하고 있는 의견차이를 해소하기 위해 조속 작업을 추진하도록 제네바의 협상대표들에게 지시하였으며, 양측 정상들은 필요하면 언제든지 다시 직접 관여할준비가 되어 있 다는데 합의하였음

　　1) 농산물

　　0 양측은 일괄타결안에 다소 진전을 보았으며, 양측간에 상존하고 있는 입장차이를 좁히는 것이용이하지는 않을것이나, 계속 노력해 나갈것임

　　2) 갓트규정

　　0 현존 갓트규정의 강화및 최근 경제현실과의조화를 위해 공동 노력할 것임

　　3) 보조금

　　0 무역왜곡 효과를 갖는 보조금제도의개선방안을 모색키로 함

　　4) 분쟁해결

　　0 어느 일방에 의한 보복의 위험을 축소할수 있는보다 구속력이 있는 다자적 규범을 바탕으로 한분쟁해결 체제를 확립함

　　5) 관세및 비관세장벽

　　0 모든 갓트 체약국들에 의한 관세및비관세장벽의 자유화가 세계경제성장을

통상국	1차보	2차보	구주국	외정실	청와대	안기부	경기원	재무부
농수부	상공부							

91.11.10   09:03 BU

외신 1과 통제관

0172

축진하는 첨경임

0 미.EC 간의 시장접근분야 협상에서의 실질적인 진전을 평가하며, 앞으로도 상호 목표달성을 위해 과감히 추진하여 나갈것임. 특히 PEAK TARIFF 의 실질적 인하,주요 분야의관세철폐및 기타분야의 저율관세 조화등을위한 협정을 체결토록 협상을강화해 나갈것임

0 모든 다른 국가들도 관세율의 인하를위해 보다적극적인 자세를 보여야 할것임

6) 신분야

0 양측은 저작권, 특허권, 집적회로, 영업비밀,지리적 표시및 상표권등 지적소유권 분야에대해서는 상당한 수준의 보호를위한 협정내용에 실질적인 합의에 도달하였음

0 서비스분야가 세계경제에 차지하는 점증하는중요성에 비추어 내국민대우및 MFN과 시장 접근문제등에 관한 강력한 FRAMEWORK OF RULES 마련을 위한 공동목표에합의함. 서비스FRAMEWORK 의 포괄범위는 금융서비스를 포함하여 보편적이어야 하며, 다자간 무역체제의 불가분의 요소가 되어야 함. 그러나 주요 서비스분야에서 아직도상존하고 있는 문제점들을 조속히 해결해나가기로 합의함

2. 한편, 정상회담후 가진 기자회견에서 BUSH 미대봉령은 UR 협상이 실패할 경우제기될 심각한 무역전쟁 위험성에 대하여 경고하고 일각에서 대두되고 있는 보호무역주의 경향은 세계경제의 악화를 초래할 것이라고 말함. 또한 DELORS EC 집행위원장은 이 번 정상회담결과로 연내에 UR 협상의 타결 가능성이 높아졌다는 낙관적인 견해를 피력함. 끝

(대사 권동만-국장)

長 官 報 告 事 項

1991. 11. 11.
通　商　局
通 商 機 構 課 (63)

題 目 : 美.EC 頂上會談 結果 (UR 協商 關聯 部分)

1.　會談日字 및 場所 : 1991.11. 9(土), 헤이그

2.　會談 參席者

　　ㅇ Bush 大統領, Baker 國務長官, Madigan 農務長官, Hills USTR,
　　　 Sonunu 秘書室長

　　ㅇ Lubbers 화란 首相, 화란 外務, 農務, 財務, 通商長官

　　ㅇ Delors EC 執行委員長, Andriessen 副委員長, MacSharry 農業擔當執行委員

3.　UR 關聯 共同 聲明 要旨

　　ㅇ 包括的이고 均衡된 UR 協商 結果를 다짐하고 兩側의 意見 差異를 克服키
　　　 위한 繼續的인 努力 傾注

　　ㅇ UR 協商의 年內 成功的 妥結을 위해 兩側이 融通性을 갖고 對處

　　ㅇ 必要時 兩國 頂上이 다시 直接 關與

　　ㅇ 農産物等 各 協商分野別로 協議 內容 言及 (要約 別添)

　　　 - 農産物 分野와 關聯, 多少 進展이 있었으며 兩側의 立場 差異를 좁히는
　　　　 것이 容易치 않을 것이나 繼續 努力해 갈 것이라고 言及

4.　記者會見時 發言 要旨

　　ㅇ Bush 大統領 : UR 協商이 失敗할 境遇 提起될 貿易戰爭 危險性 警告

　　ㅇ Delors 委員長 : UR 協商 年內 妥結 可能性에 樂觀論 披瀝

1

0174

5.　評　價

　　ㅇ 今番 頂上會談은 UR 協商의 成功的 妥結의 政治的 重要性을 強調하기 위한
　　　會談이었으며, 協商爭點에 대한 具體的인 協議는 없었던 것으로 評價

　　ㅇ 따라서, 共同聲明을 통해 UR 協商 全般에 걸쳐 分野別로 兩國이 共感하는
　　　向後 協商 方向을 提示하였으나, 農産物等 兩國間 異見이 큰 分野에서는
　　　立場 差異를 是認하고 劃期的인 協商 突破口를 마련치 못함.

　　ㅇ 다만, 兩側이 앞으로 融通性을 갖고 協商에 임하겠다고 함으로써 兩側間
　　　異見에도 不拘하고 年內 協商 妥結을 위한 努力은 繼續될 것임을 示唆

6.　國會 및 言論對策 : 該當事項 없음.

添　附 : 美.EC 頂上會談 共同聲明의 UR 協商 各 分野別 言及 要旨.　　　끝.

2

0175

미.EC 정상회담 공동성명의 UR 협상 각 분야별 언급 요지

1. 농 산 물

   o 양측은 여러가지 쟁점(a package of measures)에서 다소 진전을 보았음.

   o 양측간의 기존 입장 차이를 좁히는 것이 용이치 않을 것이나 계속 노력할 것이며, 제네바 협상팀간에 이견 해소작업을 계속 진행

2. 갓트 규정

   o 현행 갓트 규정의 강화 및 갓트 규정과 최근의 경제 현실과의 조화를 위한 공동 노력 경주

3. 보조금

   o 무역왜곡 효과를 갖는 보조금 제도의 개선 방안 모색

4. 분쟁해결

   o 어느 일방에 의한 보복 위험을 축소할 수 있도록 구속력있는 다자간 규범에 근거한 분쟁해결 체제 확립

5. 관세 및 비관세 장벽

   o 모든 갓트 체약국의 관세 및 비관세 장벽 완화가 세계경제 성장을 촉진하는 첩경임을 강조

   o 시장접근 분야 협상에서의 미.EC간의 실질적 진전을 평가

   - 특히 고관세(tariff peak)의 실질적 인하, 주요분야의 무세화 및 기타 분야의 저율 관세 조화등을 위한 협정 체결을 목표로 협상 추진

   o 여타국에 대해서도 관세율 인하를 위한 적극적 자세 촉구

6. 신분야

   o 지적재산권 분야에서 상당한 수준의 보호를 위한 협정 내용에 실질적 합의 도달

3

ㅇ 서비스 분야는 내국민 대우, MFN 및 시장접근 문제등에 강력한 규범 마련을
  위한 공동 목표에 합의
  - 주요 서비스 분야의 상존하는 문제점을 조속 해결해 나가기로 합의.
                                                              끝.

원 본

외 무 부

종 별 : 지 급
번 호 : JAW-6399
일 시 : 91 1111 2235
수 신 : 장관(봉기,정총,봉일,아일)
발 신 : 주일대사(일경)
제 목 : 베이커 미 국미장관 방일

방일중인 베이커 미 국무장관은 11.11. 오전 와타나베 미찌오 외상, 와타나베 코오조오 봉산상 및 오후에는 미야자와 수상과 각각 회담을 갖었는바, 이중 주재국 언론에보도된 UR 농산물 협상및 아시아경제협의체(EAEC) 에 관한 양국간 논의 결과를 다음보고함.

1. UR 농산물 협상

가. 와타나베 외상은 (1) 일본이 UR 의 연내 성공적 타결을 위해 노력하고, (2) 쌀시장 개방문제는 각국의 곤란한 문제와 함께 해결해 나갈 예정이나, (3) 쌀의 관세화는 수용 곤란하다는 입장을 전달

나. 이에대해, 베이커 장관은 (1) 11.9.의 미.EC 정상회담에서 농산물 협상등 UR 협상을 둘러싸고 미. EC 간 의견접근에 상당한 진전이 있었는바, 이는 EC 측이 자신들이 전혀 움직이지 않으면 UR 도 성공하지 않을 것임을 알고 있었기 때문임, (2) UR의 성공에있어서 일.미가 글로벌 파트너쉽의 정신하에 협력하여 리더쉽을 발휘해 나감이 중요하며 (3)만일 UR 이 실패할 경우, 커다란 정치문제가 될것이라고 언급하면서, 일본의 양보를 촉구

다. 한편, 베이커 장관이 미야자와 수상과의 회담시, '모든나라가 협력하여 UR 을진전시켜야 한다'고 언급한데 대해, 수상은 '쌀시장 문제는 어디까지나 UR 에서 협의해 나가고 싶다'는 의향을 피력

2. 아시아경제협의체(EAEC)

베이커 장관은 와타나베 코오조 봉산상과의 회담시 'EAEC 가 GATT 의 틀을 벗어나는 것이 아니라면 반대하지 않으나, GATT 의 틀을 넘는 방향으로 나아간다면 일.미관계에도 영향을 미칠것'이라고 하면서, 일본이 이 문제에 신중히 대처할 것을 촉구.끝. (예하-축방)

통상국	장관	차관	1차보	2차보	아주국	외정실	분석관	청와대
안기부								

외 무 부

종 별 :

번 호 : GVW-2321

일 시 : 91 1113 1830

수 신 : 장 관(통기,경기원,재무부,농림수산부,상공부)

발 신 : 주 제네바 대사

제 목 : UR 협상 동향

대: WGV-1589

1. 금 11.13 현재 당지에서의 협상은 제도분야,농산물 분야 협의만이 진행중인 바, 제도분야는 아직도 핵심쟁점에 대한 협의가 이루어지지 못하고 있는 상태며, (LACARTE 의장은 11.15-25 간 이란 개최 77 그룹회의 참석 예정) 농산물 협상은 종전 방식으로 35개국 대표가 참석한 가운데 기술적 협의를 재개하였으나(우선 시장접근분야부터 토의)뚜렷한 진전이 보이지 않고 있음.

2. 전체적인 당지에서의 협상 동향은 던켈총장의 11.11 이후의 협상 일정 제시에불구 11.18주간 이후에나 본격 협상이 진행될 것으로 전망됨.

3. 금 11.13(수) 현재 그룹별 협상 일정은 아래와 같음.

가. 시장접근: 11.15(금) 대사급 회의(1 + 1)나. TRIPS: 내주부터 의장이 개발 국가별 면담예정

(아국은 11.19(화) 오후 5:00)

다. 서비스: 11.14(목) 부터 협상 재개 (금주는FRAMEWORK, 내주는 MFN 관련 부속서)

라. 규범제정: 내주 중반이후 협상 재개 예정. 끝

(대사 박수길-국장)

통상국   2차보   경기원   재무부   농수부   상공부

PAGE 1

91.11.14   09:06 WH

외신 1과 통제관

0179

관리
번호 : 91-801

원 본

외 무 부

종 별 : 지급

번 호 : ECW-0948

일 시 : 91 1115 1730

수 신 : 장 관 (봉기,경기원,재무부,농수부,상공부)

발 신 : 주 EC 대사   사본: 주 미,제네바대사-중계필

제 목 : UR 협상동향

일반문서로 재분류 (1991.12.31.)

연: ECW-0908

연호에이어 당관이 표제관련 EC 집행위및 당지 주요 대표부 관계관과 접촉 파악한 헤이그 미.EC 정상회담 이후의 최근동향을 아래 보고함

1. 미.EC 접촉동향

O 헤이그 미.EC 정상회담에서의 UR 협상의 연내타결이라는 합의정신을 기초로하여 MAC SHARRY 집행위원및 MADIGAN 농무장관과의 로마회담을 비롯, 양측은 고위실무급 접촉을 봉하여 아직 이견을 좁히지 못하고 있는 수출보조금 감축 기준연도및 기간과 감축방법 즉 금액(BUDGETARY) 이 될것인지 또는 물량 (VOLUME) 적인것이 될것인지에 대하여 집중적인 막후협의를 진행중에 있는바 11.14. MAC SHARRY 위원이 FAO 총회참석후 귀임하여, 협상타결의 실마리가 보이기 시작했다 (WE ARE BEGINNING TO SEE THE LIGHT AT THE END OF THE TUNNEL) 고 언급함으로써 미-EC 간에는 구체적이고 실제적인 진전이 있은것으로 시사함

O EC 집행위 GUTH 과장및 미국대표부 관계관은 미-EC 정상회담및 MAC SHARRY/MADIGAN 회담내용에 대하여 구체적인 언급을 회피하면서도 언론보도 내용을 전적으로 부인치는 않겠다고 함으로써 최근 언론에 언급되고 있는 보조금감축 내용및 방법등이 중점적으로 논의된 것으로 보임

O 일본대표부 관계관은 미-EC 양측이 상기 보조금감축 기준연도및 기간과 감축방법을 제외하고는 예외없는 관세화, SPECIAL SAFEGUARD, 직접소득 보조금을GREEN BOX 에 포함시키는 문제에 대하여는 일반적인 합의를 이루었으며, EC 의REBALANCING 요구문제에 대하여도 어떤 형태로든 양해가 이루어진 것으로 추측된다고 함

O 한편 당지 UR 관련 한 전문가 (EDWIN VERNULST 연구소) 에 의하면, EC 측(특히

통상국 정와대	장관 안기부	차관 경기원	1차보 재무부	2차보 농수부	구주국 상공부	경제국 중계	외정실	분석관

PAGE 1

91.11.16   05:03

외신 2과 통제관 FI

0180

불란서) 의 국내 정치적 부담을 고려, 우선 5 년간 30%(또는 6 년간 35%) 감축에 합의하고, 그이후에 추가로 5 년간 유사한 수준으로 감축하는데 대하여 양측간 GENTLMEN'S AGREEMENT 로 합의하고, 대외적으로는 발표치 않는 방안이합의되었을 가능성이 높다고 하면서, 미-EC 는 보조금 감축 숫자에 관하여도 이미 합의를 이루고 CAIRNS 그룹등의 EC 에 대한 추가적인 감축요구를 고려하여 실무협상상 대표를 포함한 집행위 관계관들에게 함구령을 내리고 있을수도 있다고 언급함

  2. 당관관찰및 전망

  0 상기를 종합해볼때, UR 협상의 실질적인 미-EC 두 주역들이 헤이그 정상회담을 통하여 연내 타결이라는 원칙적인 합의를 이루고, 양측이 상금 이견을 좁히지 못하고있는 주요 문제점에 대한 집중적인 막후 조정과정을 거쳐, 여타 협상분야에서 종합적이고 포괄적인 TRADE-OFF 를 완료하는 경우 DUNKEL GATT 총장이 11 월말까지 의장 협상안을 제출할수 있을것이며, 12.9-10 MAASTRICHT EC 정상회에서 최종 GREEN LIGHT 를 받아 12 월 중순까지는 최종 타협에 도달, 92.3. 까지 모든 협상이 종결될수 있을것임

  0 EC 측은 DELORS 집행위원장을 비롯, ANDRIESSEN 부위원장, MACSHARRY 집행위원은 물론, 협상 실무대표등및 집행위 관계관등이 한결같이 UR 협상의 연내타결을 낙관시할 뿐 아니라 때로는 협상타결을 당연시하는 태도를 보이고 있는점은 주목할만 하다고 봄

  0 EC 가 이와같이 적극적으로 연내타결을 낙관적으로 전망하는 또 다른 배경은 미-EC 간 농산물분야에 대하여 이미 합의하였을 가능성 외에도 EC 측 관심분야인 써비스, 분쟁해결및 시장접근분야에서 보여준 미측의 긍정적이며 유연한 태도에서 기인한다고 봄. 한편, EC 측은 지금까지 제네바회의 실무대표로서 부총국장급을 파견하였으나, 11.18 주 부터는 총국장급 (농산물협상 경우 LEGRAS 총국장) 이 참석 예정이라고 한~~것뿐~~ 시사하는바 의미가 있다고 봄

  0 따라서 상기와같이 미-EC 간 농산물분야 및 기타분야에서의 막후조정 단계로 접어들면서 UR 협상의 관심의 향배는 UR 협상타결에 최대의 걸림돌이 되고있는 아국및 일본의 쌀에 대한 관세화 예외 요구문제를 어떻게 처리할 것이냐 하는것이며, 이와같은 아국및 일본의 요구를 CHAIN EFFECT 효과없이 수용할수 있는방안이 있는지와, 예외없는 관세화로 밀고갈 경우 한국및 일본이 국내 정치적으로 아주 어려운 상황에 빠지게 되므로 어떤 형태로든 체면유지(FACE-SAVING) 해 줄수 있는

PAGE 2

0181

방안을 주요 협상국및 GATT 사무국에서 은밀히 검토하고 있지 않느냐는 상기 UR
전문가의 추측도 있음을 참고로 첨언함. 끝

(대사 권동만-국장)

예고: 91.12.31. 까지

관리
번호 91-808

외 무 부

종 별 :

번 호 : GVW-2337   일 시 : 91 1115 1030

수 신 : 장관(봉기,경기원,재무부,농수산부,상공부,청와대외교안보,경제수석)

발 신 : 주 제네바 대사   사본:주미,주 EC대사(본부중계필)

제 목 : UR/미.EC 접촉 및 전망

일반문서로 재분류(91.12.31.)

대: WGV-1589

1. 헤이그 미.EC 정상회담, 미.EC 간 농업문제 협상 추이, 던켈 총장의 새로운 전략하에서의 UR 협상전망과 미국이 보고있는 핵심쟁점등에 관해 김대사가 금 11.14(목) 당지 USTR 의 차석인 STOLER 공사와 오찬을 갖고 파악한 내용을 아래 보고함.

2. 요약: 당지 USTR 의 차석대표 STOLER 공사는 헤이그 정상회담을 비롯 미-EC 간 협상은 농산물 분야에 집중되고 있고 이분야 협상에서 많은 진전을 보이고 있음이 사실이라고 하고, 그럼에도 불구하고 아직도 농산물 분야에서 극복해야 할 많은 문제점이 남아 있으며, 또 미-EC 간 어느정도 합의를 이룬다고 해도 UR 협상은 케언즈 그룹, 수출국 및 개도국 입장등이 다양하게 대립되어 있어 UR협상의 성공적 타결 여부를 단정하기는 어렵다는 평가이었음.

3. 미-EC 간 협상

0 헤이그 정상회담 결과 공동 발표에는 농산물 분야 이외에도 여러가지 분야가 고루 언급되어 있으나, 최근 미-EC 간 협상은 농산물 분야에 집중되어 있고또 상당한 진전을 보이고 있음.

0 숫자에 대한 협의(5 년간 30 퍼센트등)가 있었고 어느정도의 의견 접근이있었던 것 처럼 보보도되고 있으나, 이는 사실과 다르며 숫자를 협의하기 이전에 선결되어야 할 문제점 즉 REBALANCING 문제, 기존년도, 보조금 계산방법(수량기준-미국 또는 보조금액 기준-EC)등에 대한 합의가 없는 상황하에서의 수자는 무의미하며, 미-EC 간에 아직도 극복해야 할 많은 문제점이 남아 있음.(숫자에 대한 협의 및 의견 접근 여부는 EC 의 입장을 기정 사실화 하려는 측면에서 F.T. 등 구라파 언론이 의도적으로 보도하고 있다는 분석도 있고, 또 미.EC 는 협의후미국이 양보한 것으로 비쳐지는

통상국	장관	차관	1차보	2차보	구주국	경제국	외정실	분석관
청와대	청와대	안기부	경기원	재무부	농수부	상공부	중계	

PAGE 1   91.11.15   20:58

외신 2과 통제관 CH

0183

문제점 때문에 미측이 의도적으로 이를 부인하고 있는 것이 아닌가하는 평가도 있음)

 0 헤이그 정상회담 이후 MADIGAN-MACHARRY 회담이 계속되고 있으나, 양인간의 회담에 있어 대쏘 식량지원문제가 더 높은 우선순위를 가지고 논의되고 있고, 또 그렇게 되지 않을수 없는 상황인 것으로 알고 있음.

 0 작년 12 월 브랏셀 회의전에는 미-EC 간 중요문제에 대해 사전 협상이 없어 UR 의 실질적 진전을 기대할 수 없다는 점이 지적되었으나, 최근에는 미-EC 간 협상내용을 공개하지 않고 있다는 점을 지적. 많은 비난을 받고 있음.(금 11.14. 자, F.T 지는 브라질 농무장관이 미-EC 간 농산물협상 관련 UR 다자협상 차원에서 다루어져야 한다는 주장 보도)

 4. 농산물 이외 분야에 대한 입장 및 평가

 0 농산물 다음으로 중요하고도 어려운 문제는 특히 서비스(미-EC 간 대립) 분야이며 이외에도 반덤핑, 보조금 문제등이 있음. 시장접근 분야에서 미국은 협상이 원만히 진행되는 경우 PEAK TARIFF 분야에서 양보할 준비가 되어 있음.

 0 반덤핑 분야는 실제 반덤핑 발동 사례는 미-EC 간에 가장 많고, 덤핑청원이 어느 한 기업의 특정한 이익때문에 발동되어 공정, 개방무역에 문제가 많다는점을 미국도 인정하고 있으며, 따라서 적절한 규정 개정이 이루어 져야 한다고믿고 있으나, 최근 협상에서 전혀 진전이 없고, 8 개국 비공식 협의에서도 진전이 없음.

 0 분쟁해결 조항과 미국의 입장

 (GATT 상의 분쟁해결 조항 강화와 궁극적인 미 봉상법 301 조 및 미 해운관련 일방 조치 법규의 GATT 와의 일치 문제를 문의한데 대해)

 - 미국으로서는 다른 분야 협상 결과를 모두 본후 그리고 GATT 분쟁해결 조항의 유효성, 강제성등 모든 면이 만족스러운 경우 이문제에 대한 회답을 할 수 있을 것임

 - 미국의 경우 봉상관련 협정은 EXECUTIVE AGREEMENT 로서 의회의 승인 여부와는 무관하게 미국내법이 EXECUTIVE AGREEMENT 보다 우선하므로(TREATY 는 미국내법에 우선한다고 함) 모든 나라들이 불만스럽겠지만 EXECUTIVE AGREEMENT 보다 우위에있는 미국내법을, 더욱이 결과가 불명확한 상황하에서는, GATT 규정과의 일치를 위한 조치 여부를 언급할 수 없음.

 5. 향후 UR 협상 전망

 0 다음주 부터는 협상이 본격화 하여 12.20 경 까지 계속될 것으로 보며, 미국은 현재 워싱본으로 부터 24 명이 와있고, 내주에는 30 명이 더 올것인바, 미국을 포함한

각국이 향후 협상 동향을 정확히 알지못해, 언제 본국에서 대표가제네바에 와야 하는지를 고민하고 있음(미국은 브랏셀지 300 명선이 참가) 정치적 의지와 실무교섭 대표에 의한 실제 협상간에는 상당한 거리가 있다는 지적은 미국 대표의 경우에도 마찬가지이며, 실무대표에게 맡겨두면 진전이 잘 안되고, 그렇다고 고위정치적 수준에서의 협상을 통한 실질적 진전은 더욱 기대할 수 없다는 것이 브랏셀에서의 경험인바, 향후 협상에서 이러한 문제점을 어떻게 극복해 나갈것인가가 중요함.

O 미-EC 간 농업분야에 대한 진지한 협의와 상당한 진전에도 불구하고, 궁극적으로 UR 이 성공적으로 타결될 것인지의 여부는 단정키 어려움(사견으로 성공확률을 70 퍼센트 정도라고 말함), 끝

(대사 박수길-국장)

예고:91.12.31. 까지

長 官 報 告 事 項

報 告 畢

1991. 11. 18.
通 商 局
通商機構課(65)

題 目 : UR 關聯 Hills USTR의 對日本 要求事項

　　　　11.15-16間 訪日中인 Carls Hills USTR은 渡部(와타나베) 通産相과의 會談

및 11.16 午後 駐日 美國 大使館에서 行한 記者會見에서 UR 關聯 美 政府의

立場을 밝히고 日本 政府에 대한 要求事項을 提示한바, 同 要旨를 아래 報告

드립니다.

1. Hills USTR의 發表內容

　　O 美國側의 協商 方針

　　　- UR 農産物 協商에서 例外없는 關稅化 推進

　　━ 纖維 分野에서 關稅 引下 用意 示唆

　　　- 海運, 基本通信等 서비스 分野에서 MFN 逸脫 主張

　　O 日本에 대한 要求事項

　　　- 音盤 著作權 保護 强化

　　　- 쌀을 포함한 農産物의 例外없는 關稅化

　　　- 非鐵金屬, 林産物에 대한 相互 關稅 撤廢

2. 國內 措置事項 및 言論對策 : 該當事項 없음.　　　　　　끝.

공 람	몽 상 기 一 과	8 년 11 월 18 일	담 당	과 장	심 의 관	국 장	차관보	차 관	장 관

0186

長官報告事項

報告畢

1991. 11. 19.
通商局
通商機構課(66)

題 目 : UR 協商 動向

　　最近의 UR 協商 動向에 관한 주 제네바 大使 報告 및 言論 報道 內容을
綜合, 아래 報告 드립니다.

1.　農産物 協商 動向

○ 美.EC間 農産物 分野에서 상당한 進展이 있는 것으로 報道되고 있으나 아직
　　다수 問題에 異見 尙存

- 輸出補助金 削減幅, 基準 年度, Safeguard 制度, 直接 所得 支援 및
　　rebalancing 問題

○ MacSharry 執行委員은 美.EC間에 爭點이 4-5개밖에 남지 않았으며 UR 協商이
　　年內 妥結될 수 있는 것으로 樂觀한다고 言及

○ 日本 요미우리 新聞은 11.19字 報道를 통해 日本 政府와 自民黨이 쌀의 關稅化
　　協商에 응하고 國內消費의 5%(50만톤)의 市場開放을 決定 하였다고 報道
　　(駐日 大使館에서 內容 確認中)

2.　主要 協商 日程

○ 던켈 事務總長의 協商 草案 : 11月末까지 提示되기는 어려우며, 12月初에
　　提示될 可能性이 높음

○ 4極(美, EC, 日本, 카나다) 次官 會議 : 11.20(水), 제네바 開催 豫定

○ EC 農務長官 會議 : 11.18-19, 브랏셀 開催 豫定

○ 케언즈 閣僚會議 : 12月初 開催 豫想

○ UR/市場接近 協商 : 11.18(月)부터 兩者 및 多者間 協議 集中 進行.　끝.

0187

報 告 畢

1991. 11. 19.
通 商 局
通 商 機 構 課 (66)

長 官 報 告 事 項

題 目 : UR 協商 動向

最近의 UR 協商 動向에 관한 주 제네바 大使 報告 및 言論 報道 內容을 綜合, 아래 報告 드립니다.

2. ^{주토} 協商 日程

o 던켈 事務總長의 協商 草案 : 11月末까지 提示되기는 어려우며, 12月初에 提示될 可能性이 높음 ~~(12月이 協商 妥結의 重要 時期가 될 것으로 展望)~~

o 4極(美, EC, 日本, 카나다) 次官 會議 : 11.20(水), 제네바 開催 豫定

o EC 農務長官 會議 : 11.18-19, 브랏셀 開催 豫定

o 케언즈 閣僚會議 : 12月初 開催 豫想

o UR/市場接近 協商 : 11.18(月)부터 兩者 및 多者間 協議 集中 進行

농산물 양상 동향

1. 協商 展望

o 美.EC間 兩者 接觸을 통해 農産物 分野에서 상당한 進展이 있는 것으로 ~~보도되고~~ 다섯 문제에 대해 상존 있으나 아직 異解差가 큰 部分이 남아 있는 狀態

  - ~~등~~ 輸出補助金 削減幅 및 基準 年度, Safeguard 제도, 직접소득자원, rebalancing 문제 등

o MacSharry 執行委員은 ~~FAO 總會 參席後~~ 美.EC間에 爭點이 4-5개밖에 남지 않았으며 UR 協商이 年內 妥結될 수 있는 것으로 樂觀한다고 言及

o ~~따라서 美.EC間의 남은 爭點이 妥結되는 境遇 UR 協商은 急進展 할 可能性도 있으나 協商 妥結의 重要 時期는 11月末 또는 12月初가 될 것으로 豫想~~

o 日本 ~~외기우리신문~~은 11.19자보도를 통해 日本政府와 자민당이 관세와 협상에 응바고 국내소비의 5%(50만톤)의 시장개방을 결정하였다고 보도 (주일대사관 에서 내용확인중) 끝

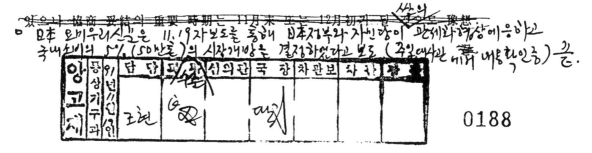

외 무 부

종 별 :

번 호 : USW-5705   일 시 : 91 1119 1812

수 신 : 장 관(봉기, 경자, 경기원, 농리수산부, 수산청, 경제수석) 사본:주미대사

발 신 : 주 미국 대사대리

제 목 : 주미 일본대사관 경제공사 접촉결과

　　11.19 당관 구본영 공사는 일본대사관 히라바아시 공사와 오찬을 함께 하며 상호 관심사에 대하여 의견을 교환하였는 바, 히라바야시 공사 발언 내용중 주요사항을 참고로 하기 보고함.

　　1. UR 협상에서 쌀문제는 결국 MINIMUM MARKET ACCESS (WITH GROWTH) 형태로 타결될 것으로 기대함. 일본의 입장에서는 조건없는 관세화는 정치, 경제적으로 절대 수용 불가하며, 미국내에서도 USTR 등의 봉상관련 실무자들은 강경입장이나 백악관은 다소 융통성있는 입장을 보이고 있는 것으로 알고 있음.

　　2. 유자망 조업금지 문제는 92 년말 까지 조업을 전면금지하는 것을 모표로 일본의 국내관련 어민들과 정치인들을 설득하고 있음. 한국이 UN 에서 93 년이나 94 년까지 조업기간을 연장하려고 하는 경우 미측의 반대 때문에 성공 가능성이 매우 희박하다고 판단됨. 끝.

　　(대사대리 김봉규-국장)

　　예고: 91.12.31 까지

통상국 분석관	장관 정와대	차관 정와대	1차보 안기부	2차보 경기원	아주국 농수부	미주국 수산청	경제국	외정실

PAGE 1

91.11.20   09:00

외신 2과 통제관 BS

0189

외 무 부

종 별 :

번 호 : FRW-2514   일 시 : 91 1121 1830

수 신 : 장관(봉기)봉삼)

발 신 : 주 불 대사

제 목 : UR 협상

1. 최근 BUSH 미 대통령과 DELOR EC 집행위원장간 협의를 계기로 UR 협상 년내타결 가능성이 조심성있게 관측되고 있는 가운데, ANDRIESSEN EC 집행위 부위원장은 본격적 협상 재개를 앞두고 11.19 파리를 방문, CRESSON 총리, STRAUSS-KAHN 대외무역장관등을 면담코 불입장을 타진한 것으로 알려짐.

2. 동 면담에서 불측은 BUSH 대통령의 양보제안에도 불구하고 미측 협상자세에 별다른 변경이 없음에 따라 기존입장의 고수와 공세적인 협상자세 필요성을 강조하였다 함.

3. 하편 MERMAZ 농업장관은 미국이 REBALANCING 등 EC 의 핵심적 요구사항에 계속 반대하고 있음을 지적코 미측이 요구하는 수출수량 감축(보조금 35 프로감축과는 별도), 최소 시장접근 및 DEFICIENCY PAYEMENT 의 GREEN BOX 포함에 대한 수락 불가입장을 표명코 "양보에 의한 협상타결 보다는 협상실패가 바람직 하다"고 주장함. 끝.

(대사 노영찬-국장)

예고:91.12.31. 까지

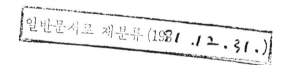
일반문서로 재분류 (1991.12.31.)

외 무 부

종 별 :

번 호 : GVW-2438   일 시 : 91 1125 1930

수 신 : 장관(통기, 경기원, 재무부, 농림수산부, 상공부, 특허청)

발 신 : 주 제네바대사

제 목 : TNC 회의 개최

연: GVW-2427

1. 당관에서 파악한바에 의하면, 던켈 총장은 지난 11.22(금) 각협상 그룹의장 및 보좌관을 소집한 가운데 11.29(금) 또는 11.30(토) TNC 회의를 개최할 예정임을 밝히고 동 회의시 전 협상분야의 WORKING PAPER 제출을 요청하였다함.

2. 한편 11.27(수)에도 던켈총장은 각협상 그룹의장 및 보좌관 회의를 소집할 예정이라함. 끝

(대사 박수길-국장)

예고: 91.12.31. 까지

통상국	장관	차관	1차보	2차보	외정실	분석관	청와대	안기부
경기원	재무부	농수부	상공부	특허청				

PAGE 1

91.11.26   07:14
외신 2과   통제관 BD

0191

관리
번호 *91-851*

외 무 부

종 별 : 지 급

번 호 : ECW-1007   일 시 : 91 1125 2000

수 신 : 장관 (봉기,농림수산부,기정동문)

발 신 : 주 EC 대사 사본: 주 미,제네바대사-중계필

제 목 : UR 협상동향

대: WEC-0757

연: ECW-0991

일반문서로 재분류 (1991.12.31.)

당관이 당지 주요대표부및 EC 집행위 관계관과 접촉, 파악한 표제협상 관련동향을
아래 보고함

1. THOMAS WESTON 미국 공사는 UR 협상타결에 어떤 시한을 정해놓은 것은 아니나
미국과 EC 가 연말까지 UR 협상을 타결하겠다는 의지가 확고한 만큼, 금주중에 (11.25
주) 주요국간에 농산물분야의 주요 쟁점사항에 대한 합의가 이루어져 연말까지는
협상타결이 낙관시 되므로 이에 한국도 대비하여야 하지 않겠느냐고 반문함

2. TOMIO UCHIDA 일본공사는 자신의 입장이 일본정부의 공식입장으로 인용되는
것을 원치 않는다고 전제하고, 일본정부는 국내 정치적이유 때문에 표면적으로는
쌀시장 개방을 반대하고 있으나, 쌀시장 개방을 피할수없는 현실로써 CLEAN
TARIFFICATION 및 MINIMUM MARKET ACCESS 를 받아들일 준비가 돼있다고 말함.
동공사는 한국과는 달리 일본농민들이 쌀시장개방 반대데모도 한일이 없으며,다만 쌀
유통업자들의 로비가 강하여 일본정부는 이들을 무마하는데 주력하고 있다고 덧붙임

3. 한편 METZGER 불란서공사는 대호 DUNKEL PAPER 가 주로 미국의 입장을 많이
반영하고 있어 균형을 상실하고 있다고 평가하고, 미국이 계속 REBALANCING을
거부하고 있으며 환율변동 요소로 CORRECTIVE FACTOR 를 고려하지 않고 수출보조
제한에 있어 수량제한도 병행하려는 등의 입장은 불란서로서는 수용하기 어렵다고
말함. 또한 동공사는 농산물문제에 대한 미-EC 간 이견 외에도 SERVICE분야에서의
미국의 양보가능성이 불확실해 짐에따라 12 월 종반까지의 협상시간이 별로 남아있지
않는등 금년말까지의 UR 협상 완료전망이 불부명하며, 무리한 협상의 강행보다는 과거
동경라운드때와 같이 좀더 시간을갖고 협상이 진행되어도 무방한 것으로 보는 견해도

통상국	장관	차관	1차보	2차보	구주국	경제국	외정실	분석관
청와대	안기부	농수부	중계					

PAGE 1   91.11.26   07:49

조심스럽게 나오고 있다고 언급함

4. EC 집행위의 한 관계관에 의하면 MACSHARRY 집행위원이 금 11.25. 부터 동경에서 개최되는 EC-일 각료회의에 불참하고 미국을 방문, MADIGAN 장관과 회담할 것이라는 보도와관련, 미-EC 간에 대호 DUNKEL PAPER 에 관하여 상당한 이견이 있는것으로 알려지고 있으나, 미-EC 농무장관등이 직접 만나서 해결해야할 만큼의 심각한 이견이 있는것은 아니라고 말하고, EC 로서는 양보할수 있는데까지 양보하였으므로 (THE COMMUNITY HAS GONE AS FAR AS IT CAN GO) 협상의 진전을 위하여 지금이야말로 이러한 EC 의 GESTURE OF GOOD WILL 에 대하여 미국을 비롯한 협상참가국들이 적극적으로 반응해야 할때라고 강조함. 끝.

(대사 권동만-국장)

예고: 91.12.31. 까지

PAGE 2

0193

외 무 부

종 별 :

번 호 : USW-5843   일 시 : 91 1126 1849

수 신 : 장관 (봉이, 미일, 봉기, 정총)

발 신 : 주 미 대사

제 목 : 국무부 부차관등 접촉

일반문서로 재분류 (1992. 6 .30.)

검 토 필 (1991.12.31.)

1. 11.26(화) 구본영 공사는 국무부 FAUVER 부차관및 USTR KRISTOFF 대표보와 오찬을 같이 하였던바, 양국 관심사에 대한 미측 인사들의 견해를 하기 보고함

가. APEC 서울 각료회의에 참석하였던 각료급을 포함한 미측 인사들은 이번회의를 매우 성공적인 회합으로 평가하고 있으며, 특히 한국측의 회의 준비상황과 총회의장을 맡았던 외무.상공장관 그리고 실무책임자였던 이시영 대사의 리더쉽과 역할이 회담을 성공적으로 이끄는 주요 요인이 되었다고 누차 언급함.

나. UR 과 관련, 지난주 미.EC 간의 회담이 결렬된 것처럼 보도되고 있으나, 실상은 어느측도 먼저 구체적 양보안을 제시치 않고 있는, 양측 실무자간의 마지막 힘겨루기의 과정으로 볼수 있으며, 양측은 금주와 내주중 각각 본국 상부보고를 마친후 12.9-20 2 주일간 제네바에서의 최종 협상을 거쳐, 연내 타결을이룰 것으로 전망함.

다. 양자 봉상문제와 관련, KRISTOFF 대표보는 최근 계속 발생하고 있는 검역, 위생검사, 상표문제등 절차적 문제에 대한 USTR 측의 좌절감 내지 불만이 매우 고조되고 있다고 언급하며, (11.22. NANCY ADAMS 대표보의 HERITAGE 재단 발표 내용 USW-5786 참조), 조그마한 문제가 크게 확산될 경우 양국 봉상관계에 좋지 않은 영향을 미칠 것이라고 강력 경고함.

라. 부쉬 대통령 방한과 관련, 안보면에서의 협력(북한 핵문제)이 가장 주요한 의제가 될 것이나 국내 정치적 이유로 경제면에서의 성과도 필요로 하고 있다고 언급함.

2. 정상회담과 관련, 미측은 선거를 앞둔 한국에의 부담을 고려하지 않을수 없고 실제로 양국 대통령 차원에서 나눌 구체적인 문제도 별로 없기 때문에 아직 적절한 방문의 테마를 발굴해 내지 못해 고심하고 있는 것으로 관찰되었으며, 이에따라

통상국	장관	차관	1차보	2차보	미주국	통상국	외정실	분석관
정와대	안기부							

PAGE 1   91.11.27   09:42
                                              외신 2과 통제관 BD

0194

정상회담에서는 UR, APEC 등 다자문제에 대한 협력 원칙은 천명될 것으로 보이나, 양자문제에 대해서는 구체적 거론없이 특별한 주변상황의 변화가 없는한 정상회담 이후 개최될 SUB-CABINET MEETING 에서 양국간 경제통상 관계를보다 발전시키고 원만히 하게 하는 구체적 IDEA 를 논의케 한다는 방향으로 움직일 것으로 예상됨. 끝.

　　　(대사 현홍주-국장)

　　　예고: 92.6.30. 일반

PAGE 2

발 신 전 보

WUS-5397   911126 1850 DW

번 호 : _____   종별 : _____
                                         WGV -1702

수 신 : 주   미   대사. 총영사 (사본 : 주 제네바 대사)

발 신 : 장 관 (통 기)

제 목 : UR 협상

검 토 필 (1991. 12. 31.) 김

1. 11.9. 미.EC 정상회담 이후 양측은 수차례의 고위급 막후 절충을 통하여 UR/농산물
    협상의 타결을 시도해 왔으나 11.18주간 제네바에서 개최된 협상에서는 남아있는
    수개의 핵심쟁점에 대한 합의에 실패함으로써 전체 UR/농산물 협상이 또다시 정체
    상태에 들어간 감이 있으며 이는 전체 UR 협상의 진전과 타결 일정에도 영향을
    미치고 있는 것으로 평가되고 있음.

2. 미국 의회 및 업계 로비세력의 UR 협상에 대한 기대수준과 미국의 국내정치 일정을
    감안할때, 농산물 협상에서 EC측이 제시하는 수준이나 여타 분야에서의 협상 전망이
    흡족치 못할 경우, 미국의 UR 협상에 대한 적극성이나 조기 타결 의지에 변화가
    있을 수도 있는 것으로 평가되는바, 이와 관련한 미측 동향과 귀관의 관찰 사항을
    보고바람.   끝.   (통상국장   김 용 규)

일반문서로 재분류 (1991. 12. 31.)   pa 6. 30

보안통제	1

양고재	91년 월 일	통기과	기안자 성명 조현	과장	심의관	국장 전결	차관	장관		외신과통제

| 관리
번호 | 91-863 |

원 본

외 무 부

종 별 :

번 호 : GVW-2454   일 시 : 91 1126 2230

수 신 : 장관(통기, 경기원, 재무부, 농림수산부, 상공부, 경제수석)

발 신 : 주 제네바 대사

제 목 : 일본, 카나다 대사 접촉

일반문서로 재분류(198 1.12.31.)

　　1. 금 11.26(화) 본직은 지난주 UR 문제 협의차 약 2 주간 동경을 방문하고귀임한 일본대사에게 최근 일본 언론이 일본이 마치 최소시장 개방 방침을 정한 것처럼 보도한데 대하여 문의한바 동 대사는 요지 아래와 같이 말하였음.

　　가. 자기는 최근 다시 동경을 방문, 쌀문제를 비롯한 UR 교섭 현황을 관계 각료들에게 보고하고 또 언론과도 홍보 차원에서 많은 접촉을 가진바 정부 차원에서는 아직도 아무런 새로운 훈령을 받지 않아 일본의 입장이 과거와 다를것이 없으나 언론계에서는 최소시장 접근을 지지하는 논설 농평등이 많아졌음이 최근의 경향임.(그러나 동 대사는 최근의 일본 언론 보도는 액면 그대로 받아드려서는 안된다고 부언)

　　나. 야당에서도 공명당 및 사회당이 최소시장접근을 지지하고 있으며, LDP 에서는 농민의 이익을 대변하는 각료들이 아직도 반대의 입장을 견지하고 있으나여권의 일부 인사들은 일본이 이제는 좀더 신축성이 있는 태도를 가질때가 되었다는 견해를 표명하고 있음이 사실이나 소수라고 할수 있음.

　　2. 동인은 이상에도 불구하고 일본의 입장이 바뀐것은 아니라는 견해를 표명하고 있으나 DUNKEL 총장을 비롯하여 이곳의 유력대사들은 일본의 입장이 실질적으로 상당히 변화하고 있다고 관측하고 있음을 참고로 첨언함.

　　3. 한편 본직은 카나다의 SHANON 대사와도 오찬 협의를 갖고 카나다의 예외없는 관세화 반대에 대한 입장을 타진한바, 카나다는 이미 8 개국 회의에서 관세화에 반대하는 가장 강경한 입장을 밝혔다고 말하고 자기의 감측으로는 일본의 반대 강도가 점점 줄어지고 있다고 관측함.

　　4. 동 SHANON 대사는 금주말 다시 11 조 2 항 보고 관계로 오타와 방문 예정이라함. 끝

| 통상국 | 장관 | 차관 | 1차보 | 2차보 | 외정실 | 분석관 | 청와대 | 안기부 |
| 경기원 | 재무부 | 농수부 | 상공부 |

PAGE 1

91.11.27　08:15

외신 2과　통제관 CA

0197

(대사 박수길-장관)
예고 91.12.31. 까지

PAGE 2

외   무   부

종   별 :

번   호 : USW-5872

일   시 : 91 1127 1809

수   신 : 장관(미일, 봉이, 아이)

발   신 : 주 미대사

제   목 : 미 의회 동향

최근 미 의회 동향을 아래 보고함.

1. 의회 휴회 일정

. 미의회는 금 11.27부터 휴회에 들어가 상원은 1.21, 하원은 1.24 각각 개회 예정임.

. 동 휴회 일정에 앞서 하원 공화당 부총무 GINGRICH 의원을 중심으로 추진되고있는 경제촉진 법안(자본 수익세 감면등) 처리를 위요한 부시 대통령과 민주당 지도부간의 공방으로 12월중 개회 가능성이 마지막 순간까지 거론된바 있으나, 대다수 의원들의 휴회 희망에 따라 하원세입위가 12월중 동 법안 시행관련 청문회를 개최하는선에서 타협이 이루어짐.

. 의회는 금일 휴회에 앞서 FY 92 예산안, 범죄방지법, 고속도로법안(향후 6년간 고속도록등 도로시설 보수, 확장 및 건설을 위해 1,510억불배정), BANKING 법안등필수 통과 법안을 처리함.

2. 수퍼 301조 부활법안

. BAUCUS 상원의원(재무위 국제무역소위위원장)은 작 11.26 WORLD TRADE FORUM 초빙연설시 내년초 의회에 상정될 URUGUAY ROUND시행법안에 SUPER 301 조 부활법안을포함시킬 예정임을 밝히고, 만일 행정부가 이에 반대할 경우 UR 협상 시행법안의 의회통과를 저지해 나가겠다고 말함.

. 동 의원은 일본 시장의 구조적 장벽, 및, EC간 항공기 보조금 관련 분쟁, 중국의 불공정무역관행등 UR 만으로는 해결할 수 없는 중요한 통상문제들이 많다고 지적하고 수퍼 301조법안이 GATT 와 배치되지 않고 GATT 무역분규해결 절차에 보완적으로 적용될 수 있을 것이라고 주장함.

3. 대중국 MFN

미주국	장관	1차보	이주국	통상국	외정실	분석관	정와대	안기부

91.11.28   09:35 WH

외신 1과 통제관

0199

. 하원은 작 11.26 중국에 대한 조건부 MFN연장법안(양원은 협의회 통과안)을 409대21의 압도적 다수로 가결함.

. 한편 상원은 동 법안에 대한 투표를 내년으로 연기키로 한바, 이는 의회 휴회에 임박하여 통과시킬 경우 부시 대통령의 POCKET VETO 가 예상되며, 이경우 동 법안을 처음부터 다시 시작해야하는 상황에 처할 우려가 있기 때문인 것으로 알려짐.

. 하원이 11.26 양원 협의회를 통과한 동법안을 당일중 신속히 승인한 것은 지적소유권문제등 미.중간의 무역회담이 11.26 별진전 없이 끝난데 대해 행정부 MCU 중국 측에 일종의 경고를 보내는데 뜻이 있는 것으로 풀이되고 있음.

(대사 현홍주-국장)

외 무 부

종 별 :

번 호 : GVW-2480   일 시 : 91 1127 1900

수 신 : 장 관(통기, 경기원, 재무부, 농림수산부, 상공부)

발 신 : 주 제네바대사

제 목 : UR/TNC 회의

연: GVW-2438

1. 금 11.27(수) 던켈 사무총장은 수석대표 비공식 TNC 회의가 11.29(금) 17:00에 개최될 예정임을 통보하여 왔음. (각대표단 수석대표만 참석)

2. 동 총장은 통보문에서 금번회의 목적이 UR협상 진전 상황 평가라고 하였는바, 금번 TNC회의에는 그간 당지에서 알려졌던 바와 달리, 각 분야별 WORKING PAPER 는 제출되지 않을것으로 알려짐. 끝

(대사 박수길-국장)

통상국	2차보	경기원	재무부	농수부	상공부				

91.11.28   08:05 WH

외신 1과 통제관

0201

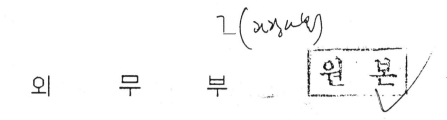

외 무 부

종 별 :

번 호 : GVW-2521   일 시 : 91 1125 2100

수 신 : 장 관(통기, 경기원, 농수부, 상공부, 특허청)

발 신 : 주 제네바대사

제 목 : TNC회의

연: GVW-2480

1. 금 11.29 17:00 TNC 회의가 개최되었는바, 던켈 사무총장은 금번 TNC 회의에서
는 공식적인 결정을 하지 않고 현재의 협상현황을 평가하기 위한 목적이었기 때문에 비
공식으로 개최하게 되었다고 말함.

2. 동 총장은 브랏셀 회의시에는 농산물, 반덤핑, TRIMS 및 BOP 에 대한
협상의기초도 없었으나, 그동안 협상의 결과로 상기분야에 대한 작업문서가
제시되었고, 각분야별로도 상당한 진전이 있었다고 평가함.

3. 동 총장은 그러나 아직도 정치적인 결단을 요하는 미결 사항이
남아있는것은사실이라고 하고(농산물, 섬유, 반덤핑, 분쟁해결, 서비스등)
12.5(목)부터 - 12.20까지 본격적인 협상을 진행, 협상을 성공적으로 타결해야
할것이라고 하고, 자기로서는 성공치 못하리라는것은 상상하지도 않는다고 하였음.

4. 동총장의 발언이후 참석자들은 아무도 발언치 않았는바, 회의 종료후 참석자들
은 던켈총장의 평가에 대체로 동의하며, 특별히 언급할 사항이 없다는 반응을 보였음.

5. 던켈 총장 발언 TEXT 별첨 송부함.

첨부: 동 TEXT 1 부. 끝

(GVW(F)-568)

(대사 박수길-국장)

통상국   2차보   경기원   농수부   상공부   특허청

PAGE 1   91.11.30   09:46 WH

외신 1과 통제관

0202

Statement by the Chairman of the Trade Negotiations Committee, at the informal meeting of Heads of Delegations on 29 November 1991

Introduction

Ladies and Gentlemen,

1. This is an informal meeting of Heads of Delegations to the Trade Negotiations Committee. I chose this way of getting together with you for two reasons.

2. To begin with, of course, I thought it was time for me to share with you my assessment of where we now stand in the negotiations. As on all past occasions, this time too, I will be guiding myself by the perceptions of the Chairmen of the Negotiating Groups and the work that they have been conducting in their respective areas.

3. The other reason why I have preferred meeting you in an informal setting rather than a formal one is that, at this stage, I do not see any formal decisions being considered or taken by the Trade Negotiations Committee.

4. Now, to my assessment if I were to start with a general observation, I would say that there is no doubt that our process has moved forward. And this thanks to the greater readiness of participants to

588-12

0203

show their cards and thanks also to the untiring
efforts and dedication of the Chairmen. The most
visible proof of this forward movement lies in the
fact that, now, finally, we have available a basis for
negotiation in each and every subject of our agenda.
The situation varies, of course, substantially from
subject to subject - in some areas there is much more
work to be done than in others.

5.   However, the fact remains that this major
development has put negotiators in a position to pose
clearly to their capitals the key political issues on
which decisions need to be taken immediately across
the board if we are to succeed in concluding the
Uruguay Round successfully and expeditiously. It is
no accident that, as we enter the final phase of the
negotiations, the highest political levels in the
participating governments are fully engaged and aware
of the compromises which have to be made for solutions
to emerge.

6.   In my view the next hours and days will be
crucial. The annual meeting of the CONTRACTING
PARTIES will give participants a welcome breathing
space - to take stock, to review positions, and to get
new negotiating mandates where necessary.

7.   It is my intention to put the whole negotiating
process back on track on 5 December and push forward
intensively. Our guiding principle continues to be
that nothing is final till everything is agreed. But,
dynamically applied, this means that we must push
forward in all areas with a view to achieving

568 -12 -2

0204

- 3 -

substantial results across the board. My aim is to do just this so that some time before 20 December, we can determine whether we have succeeded and, as you all know, success is at hand.

8. Let me now give you a succinct assessment of the state of affairs in each of the negotiating groups:

Market Access

9. The market access negotiations have now moved into a continuous bargaining process with a view to developing, in the next few weeks, the substantive political package. There are, however, important political breakthroughs to be made before a meaningful overall market access deal can emerge.

10. Among the positive developments, there has been:

- a renewed political commitment among a wide range of participants that a substantial and balanced trade liberalization package is a central element for a successful Round;

- developments in the negotiations in agriculture; these have been helpful in removing doubts on product coverage and negotiating links with access issues in this key area;

- systematic efforts in the last two weeks to

568-(ㄴ-)

0205

advance bilateral negotiations across the
whole range of tariff and non-tariff
measures issues; and,

informal plurilateral stock-taking exercises
held on tropical products, resource-based
products and other sectoral issues, as well
as on other tariff and non-tariff measure
issues.

11. Work is continuing on a set of "Chairman's
Guidelines" on credit for tariff bindings and the
liberalization of non-tariff measures and on
recognition for autonomous liberalization measures
when assessing offers by developing countries. As
these guidelines take account of the principle of
special and differential treatment, they should
facilitate the participation of developing countries
in the market access negotiations, in particular in
respect of increased tariff bindings.

Textiles

12. Since our last stock-taking at the TNC meeting on
7 November, consultations among and between
participants have continued and intensified in the
textiles and clothing negotiations. These have been
useful in clarifying doubts, thus placing the
negotiating text on which we are working in much
clearer perspective. Important concepts and terms in
many provisions of the draft agreement have been
clarified. In addition, through this process,

568-12-4

0206

understanding has been reached in a number of
operational provisions relating to the functioning of
the Textiles Monitoring Body and the working of the
safeguard mechanism.

13. Having said that, I should state very clearly
that the hard-core problems identified at the last TNC
meeting stand unresolved even today. I do not feel
the need to go over these problems again. You all
know them well enough. In fact the political
commentary attached to the Chairman's text in
MTN.TNC/W/35/Rev.1 remains largely still valid. The
breakthroughs must come now and I must stress that
every day counts. As we all know, textiles and
clothing are a central part of the Uruguay Round
package and a balanced result in this sector is
important in itself. But, also, textiles is an
important trigger for developments elsewhere, notably
in the market access negotiations.

14. Once again, you are aware of all this. It is
encouraging that efforts are being directed towards
giving the Chairman's text greater precision and
clarity while preserving its basic framework. Indeed,
even on the central issues, various solutions are
being evolved and discussed. I have suggested some
approaches myself in respect of the economic package.

15. Intensive work has been conducted on the
transitional safeguard mechanism. A large part of the
problem in this area consists not so much in drafting
or finding language as in allaying suspicions,
misgivings and uncertainties that decades of managed

568-1L-5

0207

trade have created in this sector. While, here again, there will be need for improvements, I would caution against trying to find words or phrases to accommodate every specific concern, real or imaginary.

16. The scene is now set for the final negotiations. All the cards are on the table and my sense is that negotiators are ready and waiting to strike the deals.

Agriculture

17. In agriculture, the considerable amount of work that has been done to identify negotiating approaches at the technical and political levels has led to the circulation of "Draft Working Papers " on the Chairman's responsibility.

18. These papers identify the key elements on which political decisions now need to be taken. In addition they provide the basis for the framework of the Uruguay Round agreement on agriculture as well as for focusing negotiations on operational texts. I might add that the papers are not exhaustive in the coverage of issues to be resolved. For example, they do not cover the details of the reduction commitments in domestic support, market access and export competition in terms of either the size of these commitments or their base and implementation periods. Certain legal and institutional aspects are also not included but would have to be looked at later on. Overall, however, I still feel that these papers represent a pragmatic step forward in our common effort to advance

0208

the negotiations. They have been, during the last
days, at the center of intensive informal and formal
discussions on which I have reported regularly in the
Negotiating Group on Agriculture where participants
have put their positions on record.

19. It is my perception that the negotiating process
in agriculture is now engaged at all levels and
proceeding within more clearly defined parameters.
Breakthroughs on the issues I had identified in my
stock-taking at the last TNC (MTN.TNC/W/89 and Add.1)
are now of the utmost urgency. These breakthroughs
are needed not just for the negotiations in this
sector but also for triggering the negotiating process
in a number of other key areas of the Round. Every
day counts.

Rule Making and Trade-Related Investment Measures (TRIMs)

20. In the Rule Making area, we have seen positive
developments since the last meeting of the TNC, but
much more intensive efforts are necessary if we want
to resolve all outstanding issues.

21. In the area of subsidies and countervailing
measures the Group has continued its work on the basis
of the existing text. The Chairman of the Group has
held bilateral and plurilateral consultations, in
particular on the issue of special treatment for
developing countries. While some progress has been
made, there has not yet been enough to enable the
Chairman to produce a revised text.

0209

22. In the area of <u>anti-dumping</u>, the Group has now a draft working paper reflecting the present state of the negotiations. This paper provides the parameters for the final negotiations.

23. In the area of <u>safeguards</u>, the work has concentrated on a major outstanding issue, namely, the prohibition and elimination of grey-area measures. The progress achieved so far has enabled the Chairman to submit a revised version of the Brussels text incorporating a new provision dealing with this question.

24. The negotiating group's work in the area of <u>TRIMs</u> is being conducted on the basis of a draft agreement circulated by its Chairman on 30 October 1991. A number of fundamental decisions have yet to be taken, but there are good grounds for hope that it will be possible to resolve the remaining differences in the near future.

25. In the area of <u>balance of payments</u>, the Group has now available to it a draft text circulated by its Chairman on 25 October 1991. This text deals with procedures in the Balance-of-Payments Committee and the manner in which measures taken for balance-of-payments reasons should be applied. I feel that the text contains both useful clarifications of existing disciplines as well as the strengthening of these disciplines. The fact that consultations are now being conducted in a much more focused and result-orientated manner shows the new mood of flexibility and pragmatism among the participants.

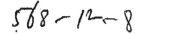

0210

26. Before moving to the next area I would like to draw your attention to a communication on GATT rules and disciplines formally circulated by thirty countries (MTN.GNG/RM/W/8). I consider this to be a positive contribution to our work.

Trade-Related Aspects of Intellectual Property Rights (TRIPS)

27. In the area of TRIPS, the Chairman has held intensive consultations which have, by now, covered the whole of the draft agreement. Work continues to be based on the text that had been sent to Brussels. Useful progress has been made and this has enabled the Chairman to circulate, on 25 November 1991, new language which registers the advance achieved so far. My firm impression is that a substantial and balanced agreement is now within reach and that we can achieve a meaningful result in this area with a final effort in the days ahead.

Institutions

28. I now turn to the negotiations on Institutions. Let me deal with the subjects in this group one by one.

29. In Dispute Settlement, progress has been achieved in a number of secondary issues, and, wherever possible, agreed texts have been incorporated into the consolidated dispute settlement text. Consultations

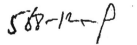

0211

are continuing concerning the question of non-violation and some new proposals are in the pipe-line.

30. The central issues - prohibition of unilateral measures and automaticity in the dispute settlement process - have to be considered further, taking into account the results of the negotiations in other areas. But work on the other difficult questions of an integrated dispute settlement system and cross-retaliation is being pursued.

31. The discussions on the <u>Final Act</u> have led to agreements on some outstanding issues. The essential issue concerning the single undertaking remains unresolved and can presumably be taken up meaningfully only as the contours of the final results become clearer and more solid.

32. A comprehensive proposal for a <u>Multilateral Trade Organization (MTO)</u> has recently been submitted as a basis for further discussion and negotiation among participants. The ideas in this proposal are consolidations and elaborations of earlier suggestions and approaches submitted to the Group from time to time. Here again the work of the negotiators will become more focused and intensive as the results of the Uruguay Round and the institutional requirements to implement these results become clearer.

33. Finally the negotiators will also have to consider the proposal for a decision on greater coherence in global economic policy making prepared by the earlier Group on the Functioning of the GATT System.

Services

34. The drafting of the articles of the General Agreement on Trade in Services (GATS) is at an advanced stage. I can even go further to say that an agreement on the Framework Treaty is within our grasp.

35. It seems more and more likely that there will at least be two sectoral annexes (Telecommunications Services and Financial Services) and a labour annex. The final shape of these is yet to be determined. In some areas - for example in the Financial Services Annex, some final political decisions have yet to be taken.

36. The question of exemptions - time-bound or open-ended - from the most-favoured-nation requirement of the GATS Treaty is one which has to be addressed and accommodated without compromising the basic framework itself. This is a delicate political issue, but I would ask negotiators not to forget that the final commercial value of the agreement will, to a large extent, be determined by how this question is resolved.

588-12-11

0213

37. While the work of creating an agreement to
liberalize trade in services is nearing completion
political will will be necessary to apply the
liberalization concepts of the framework agreement to
sensitive sectors, for example, maritime transport,
basic telecommunications and audio-visual services.
The initial commitment negotiations will be critical
in this regard. It is therefore essential that
immediate impetus be given to these negotiations to
enable participating governments to begin to see
tangible possibilities of liberalization as soon as
possible.

38. This quick run-through of the negotiating
subjects concludes my assessment of where we are now.
As always, I have tried to be frank and business-like.
Clearly many important results are at hand, and many
more are to be seen in the pipe-line. The next weeks
- and your flexibility as negotiators - will determine
whether the Uruguay Round will end with substantial
agreements or whether we will be confronted with the
unthinkable possibility that these negotiations are
merely referred to as a missed opportunity.

0214

관리
번호 *91-879*

발 신 전 보

WGV-1721   911128 1843 BE

번 호 : _____   종별 : _____

수 신 : 주   제네바   대사. /총영사

발 신 : 장 관 (통 기)

제 목 : UR/TNC 회의

최근 주 미 대사관 보고에 의하면, 미국 정부관리들이 12.9.(월) TNC 개최와

동회의시 포괄적 협상안 제출가능성에 대해 언급하고 있는바 관련 사항 파악 보고바람.

동향

끝.   (통상국장 김 용 규)

일반문서로 재분류(1981 . 12 . 31 .)

보안통제	~

앙고재	91년 11월 28일	통기과	기안자성명		과장 심사자		국장 전결		차관	장관

외신과통제

0215

정 리 보 존 문 서 목 록

기록물종류	일반공문서철	등록번호	2020030148	등록일자	2020-03-13
분류번호	764.51	국가코드		보존기간	영구
명 칭	UR(우루과이라운드) 협상 동향 및 TNC(무역협상위원회) 회의, 1991. 전4권				
생 산 과	통상기구과	생산년도	1991~1991	담당그룹	
권 차 명	V.4 12월				

내용목차	* 1.15. TNC 수석대표급 비공식 회의
	  - 수석대표(선준영 주체코대사) 연설을 통해 농산물 협상 입장 전향적 재검토 용의 표명
	2.26. TNC 실무급 공식 회의
	  - Dunkel 의장, UR 협상 재개 및 시한 연장 제의 성명 발표
	4.25. TNC 수석대표급 회의
	  - 협상구조 재조정(7개그룹) 및 각 협상그룹 의장 선임
	9.20. 그린룸 회의
	  - Dunkel 총장, 10월 말~11월 초 마지막 Consensus paper 작성 일정 제시
	11.7. TNC 회의
	  - 11.11.부터 미결쟁점에 대한 합의 도출을 위해 집중 협상 추진 계획 발표
	12.20. Dunkel 총장 UR 최종 협정 초안 TNC에 제시				

0001

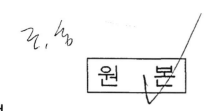

외 무 부

종 별 : 지급

번 호 : ECW-1048   일 시 : 91 1204 1700

수 신 : 장 관(봉기,경기원,재무부,농수산부,상공부)

발 신 : 주 EC 대사   사본: 주 미,제네바-중계필

제 목 : 갓트/UR 협상

당관이 파악한 최근의 표제협상 관련동향을 아래 보고함

1. 미.EC 간 쌍무협의

가. 12.3. 브랏셀을 방문한 KATZ 미무역대표부 부대표와 ZOELLICK 미 국무성 차관보는 EC 의 MAC SHARRY 집행위원, PAEMEN 부총국장및 DELORS 위원장의 특별보좌관인 LAMY 등과의 연쇄접촉을 갖고 양측간 최대현안인 농산물 문제뿐 아니라 서비스, 무역투자분야등 UR 협상 전반에걸친 FRAMEWORK 을 마련하기윈나 의견교환을 가졌는바 금번 양측의 접촉은 농산물분야의 정치적 타결목적 보다는 제네바에서의 마무리협상 과정에서 미.EC 간 긴밀한 협조관계 구축에 주안점을 두었다고 함

나. KATZ 부대표는 KAC SHARRY 위원과 회담후 가진 기자회견에서 금번회담은 주로 농업문제에 대한 이견을 조정하여 UR 협상의 원활한 타결방안을 모색하기 위한것이었다고 말하고 12.9. MAASTRICHT EC 정상회담에서 UR 문제에대한 EC 입장을 논의할 것이라는 보도에대해 동 회담에서는 산적한 많은 현안문제등을 감안할때 UR 문제에대한 집중적인 논의가 현실적으로 어렵지 않겠느냐는 의문을 표시함. 이와관련 EC 집행위 관계관은 농산물 분야에서의 주요문제점에 대한 미.EC간 입장차이의 조정이 그렇게 낙관할수만은 없는 단계라고 말함.

다. 한편 BUSH 대통령의 특사자격으로 브랏셀을 방문한 것으로 알려진 ZOELLICK 차관보와 DELORS EC 집행위 위원장의 특별보좌관인 LAMY 는 금일중 (12.4)별도접촉을 가질 예정이며, 동 접촉에서는 농산물협상 타결방안을 중점 논의할것으로 알려지고 있으며 KATZ 부대표는 의장국인 화란과의 협의차 12.4. 헤이그를 방문예정임

2. 불란서 동향

JEANNENEY 불란서 무역장관은 12.2. 상원연설에서 지난 11 월 헤이그에서 개최된 미.EC 정상회담이후 미국은 UR 협상, 특히 농산물협상 분야에서 전혀 입장의 변화를

통상국	장관	차관	1차보	2차보	외정실	분석관	정와대	안기부
경기원	재무부	농수부	상공부	중계				

91.12.05   05:39

외신 2과 통제관 FI

0002

보이지않고 있으며 오히려 역행하고 있다고 비난하면서 미국이 진실로 UR 협상의 성공적인 타결을 원하고 있는지에 의문을 갖고 있다고 말함. 한편 동인은 불란서가 DUNKEL GATT 사무총장의 농산물협상 PAPER 를 수락할수 없는 이유는 동 PAPER 가 대부분 미국의 제안만을 반영하고 있기 때문이라고 말하면서, 불란서가 맹목적인 희생을 치루면서까지 모든 UR 협상의 결과를 수락할수는 없는것이라고 강조함

　3. EC 농민단체 동향

　0 12.3. EC 농민단체인 COPA 와 COGECA 는 DUNKEL PAPER 와 관련, 성명서를통하여 동 PAPER 에 EC 의 주요 관심사항이 반영되어 있지 않으므로 EC 는 동 PAPER 를 수락해서는 안된다고 주장함

　0 상기단체들은 특히 동 PAPER 에는 EC 측이 요구하여 왔던 CREDIT 문제와 REBALANCING 요구를 무시하고 있는 반면, 미국의 관심사항을 모두 반영하고 있다고 비난함

　4. 기타

　0 12.1. 저녁 EC 무역이사회는 비공식 모임을 갖고 집행위측 으로부터 UR 협상 추진상황에 대한 보고를 받는 자리에서 미국이 충분한 FLEXIBILITY 를 보여준다면 농산물등 양측 현안사항이 금주중 제네바에서의 협상에서 심도있게 다루어질수 있을 것이라는 입장을 보임. 끝

　(대사 권동만-국장)

　예고: 91.12.31. 까지

외 무 부

종 별 :

번 호 : GVW-2550 일 시 : 91 1204 1930

수 신 : 장관(통기, 경기원, 재무부, 농림수산부, 상공부)

발 신 : 주 제네바 대사

제 목 : UR/농산물 협상(미.이씨 협의)

일반문서로 재분류(1991 . 12 . 31 .)

12.3(화) 개최된 미.이씨 협의 관련 파악 내용 하기 보고함.

1. KATZ 미 USTR 부대표는 12.3 막세리 EC 농업집행 위원과 표제 협상에 관하여 협의하였으나 별다른 의견 접근은 없었으며, 미.EC 양측 대표들은 12.4 헤이그로 장소를 옮겨 재협의를 감주말까지 가질 예정이고 (크라우더 미농무관 및 러거러 EC 농업총국장등 농산물 협상 대표들도 참석) 동 재협의에서도 타결점을 찾지 못할 경우는 각각 정상에게 보고, 정상급 개입을 요청할 것이라함.

2. 한편 12.5(목) 던켈 총장이 주재하는 G-8 회의가 당지에서 개최될 예정이나 상기 미.EC 회담으로 인해 각국의 핵심주역들은 참석치 못할 것으로 알려지고 있으며, 한편 12.8-9 기간중 당지에서 케언즈 그룹 각료회의가 개최될 예정인것으로 알려지고 있음. 끝

(대사 박수길-국장)

예고 91.12.31. 까지

통상국	장관	차관	1차보	2차보	분석관	청와대	안기부	경기원
재무부	농수부	상공부						

PAGE 1

91.12.05 06:32

외신 2과 통제관 CA

0004

외 무 부

종 별 :

번 호 : GVW-2551

일 시 : 91 1204 1950

수 신 : 장관(봉기, 경기원, 재무부, 농림수산부, 상공부)

발 신 : 주 제네바대사

제 목 : UR 협상 교섭

대: WGV-1760

일반문서로 재분류(1981 . 12. 31 .)

1. UR 협상 교섭을 위해 당초 12.3-5 간으로 예정되었던 47 차 갓트 총회는 12.4 로 단축 종료되었으며, 던켈 총장은 12.5 부터는 다시 본격적인 UR 협상에 돌입 12.20 까지 막바지 교섭을 통해 협상을 타결해야 한다고 적극 독려하고 있음.

2. 협상이 본격화 될 경우 향후의 협상은 주로 각분야별 협상 초안 세부조문 토의를 중심으로한 협상 형태가 될것이므로, 이를 위하여는 각협상 분야별 전문지식을 갖춘 본부 실무직원 파견이 긴요함.

3. 별전 보고와 같이 헤이그에서 진행되고 있는 미.이씨간 협상결과가 앞으로의 UR 협상 전체에 결정적인 영향을 미치게 될것이므로 동 협상 결과와 추이를 면밀히 검토한후 파견 시기를 결정함이 좋을 것으로 사료됨. 끝

(대사 박수길-국장)

예고:91.12.31. 까지

통상국	장관	차관	1차보	2차보	경제국	외정실	분석관	청와대
안기부	경기원	재무부	농수부	상공부				

PAGE 1

91.12.05   07:19

외신 2과 통제관 BD

0005

最近 UR 協商 關聯 動向

1991.12. 4.
通商機構課

1. UR 協商 日程

   o 11.29 貿易協商委員會(TNC)에서 Dunkel 갓트 事務總長은 12.5-20間 각분야별 集中的 協商을 실시, 協商 成功 여부를 判斷할 것이라고 言及

   o 12.3-12.5 GATT 年次 總會 개최, 각국의 UR 協商에 대한 一般的 평가를 聽取

2. 美.EC間 協議 動向

   o 11.20 美.EC間 農産物 關聯 高位 協議(차관급)에서 양측간 이견 調整 失敗

   - 許容補助金의 범위, 輸出補助金 削減 方法, EC의 rebalancing 許容 與否, 보호 조치 및 補助의 삭감폭, 期間, 基準年度等에 대해 未合意

   o 11.26 週間 부시 大統領 - Lubbers 화란 수상(EC 이사회 의장)간 전화 통화를 통해 양측간 協議 재개에 合意

   o 12.3 브랏셀에서 美.EC간 協議 再開

   - 美側 : Zoellick 국무부 次官, Katz USTR 副代表
   - EC側 : Lamy 執行委員長 補佐官, Paeman 대외담당 총국장

   o 12.5 제네바에서 農務次官級 協議 開催 豫定

   - 美側 : Crowder 農務長官
   - EC側 : Legras 農業擔當 총국장

3. 우리의 對應 措置

   o 12.6(금) UR 對策 實務委員會를 開催, 協商 現況 評價 및 政府 實務代表團 제네바 파견 문제 檢討 豫定.   끝.

0006

228   우루과이라운드 협상 동향 및 무역협상위원회 회의 2

	분류번호	보존기간

발 신 전 보

WGV-1760   911204 1710 FL

번 호 : _____   종별 : _____

수 신 : 주   제네바   대사. 총영사

발 신 : 장 관 (통 기)

제 목 : UR 협상

　　　12.6(금) UR 협상 대책 실무위원회가 개최되어 협상 현황을 점검하고, 본부 협상 대표단 파견 문제등 대책을 협의할 예정인바, 관련 대책에 참고코자 하니 아래 사항에 대한 귀견 보고바람.

1.　12.5-20간 개최되는 분야별 집중적 협상 관련, 본부대표의 파견이 필요한 분야, 기간 및 본부대표 수준

2.　최종단계 협상에 대비 입장 조정이 필요한 분야 및 조정 방향.　　　끝.

　　　　　　　　　　　　　　　　　　　　　　(통상국장　김 용 규)

일반문서로 재분류 (1981 . 12. 31 .)

	보 안 통 제	

앙 고 재	91년 12월 4일	통 상 기 구 과	기안자 성명		과 장	심의관	국 장		차 관	장 관	
											외신과통제

0007

외 무 부

종 별 :

번 호 : ECW-1059　　　　　　　　일 시 : 91 1205 1600

수 신 : 장 관 (통기, 경기원, 재무부, 농수산부, 상공부)

발 신 : 주 EC 대사　사본: 주미, 제네바-직송필

제 목 : 갓트/UR 협상

　　　연: ECW-1048

　　　최근 표제협상 관련동향을 하기 보고함

　　　1. 미.EC 간 접촉동향

　　가. 연호 미국의 KATZ 부대표와 ZOELLICK 특사는 당지 방문후 12.4. 헤이그에서 LUBBERS 화란수상(EC 이사회 의장) 과 회담을 갖고 (미국의CROWDER 차관보, ANDRIESSEN 부위원장과 MACSHARRY 집행위원도 참석), UR 협상 타결의 최대현안인 농업보조금문제를 포함한 협상완결을 위한 방안을 강구 (PAVE THE WAY)하기 위하여 심도있는 논의 를 한것으로 알려짐. 이와관련 EC 집행위 고위관계관은 동회담에서 농산물 문제에대하여 양측간 대체적인 합의를 이루었는지에 대하여 언급을 회피하면서도 양측간에궁극적인 합의방안을 모색하는 중요한 계기가 되었으며 타결의 기미가 보인다 (GLEAM OF HOPE) 고 말함

　　나. 최근 BUSH 대통령은 DELORS 위원장에게 보낸 친서를 통하여 미국이 서비스, 지적 소유권에서 좀더 양보하는 방안을 강구하는 대신에 EC 가 농산물분야에서 양보하여 줄것을 강력히 요청하면서 구체적으로 EC 측에 1) 수출물량을 기준하여 35프로 감축을 받아드릴 것과, 2)REBALANCING 요구를 철회할것을 요구하였다 함

　　다. 한편 미.EC 의 농무장관들은 12.9. EC정상회담 이전에 (금주말) 회동, 농산물문제에 대한 양측간의 최종적 합의를 모색할 것으로 알려졌으며, MAC SHARRY 위원과MADIGAN 농무장관은 수시 전화접촉을 통하여 동문제를 계속 협의하고 있다 함

　　2. 당지 언론에 의하면 BURDON 뉴질랜드 무역장관이 12.8-9 제네바에서 케언즈그룹 각료회의를 개최할 것이라고 말했다 함. 끝

　　　(대사 권동만-국장)

통상국 상공부	장관	2차보	외정실	정와대	안기부	경기원	재무부	농수부

　　　　　　　　　　　　　　91.12.06　　05:47 FN

　　　　　　　　　　　　　　　　　　　　　외신 1과　통제관

0008

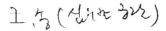

관리번호	91-895

외 무 부

종 별 :

번 호 : USW-6034

일 시 : 91 1205 1919

수 신 : 장 관 (통기,미일,경기원,농수산부,외교안보,경제수석)

발 신 : 주 미 대사   사본: 주 제네바,EC 대사(본부 중계필)

제 목 : UR 협상 동향

연: USW-5758, 5848

일반문서로 재분류(1991. 12. 31.)

당관 장기호 참사관은 12.8 USTR 의 DOROTHY DWOSKIN 갓트 담당 부대표보를 면담, UR 협상및 미-EC 간 절충 관련 동향을 타진한바, 동 결과및 당관 관찰 내용을 요지 하기 보고함. (서용현 서기관 동석)

1. 미-EC 간 농업문제 절충 동향

- 장참사관이 최근 미.이씨간 교섭 내용과 특히 어떤 분야에서의 의견 접근이 있었는지등 구체적인 진전사항에 관해 미측의 논평을 요구한데 대해, 동 부대표보는 ZOELLICK 국무부 경제차관및 KATZ USTR 부대표의 브랏셀 및 헤이그 방문협의 결과에 대한 구체적 언급은 회피하였으나 USTR 은 바로 하루전보다도 UR 협상에 대해 보다 낙관적인 전망을 갖게 되었다고 언급함으로써 동 협의 결과에 진전이 있었음을 시사하였음.

12.7.

- 동인은 또한 금주말에 MACSHARRY EC 농업상이 워싱턴을 방문, MADIGAN 농무장관등과 협의를 갖게 되어 있고 동 회담이 의미가 있는 것이라고 언급함으로써, 동 협의는 브랏셀 차관급 회의에서 이루어진 의견 접근 보다 구체화하여 실무선에서의 절충 노력을 마무리지으려 하는 것으로 감측됨.

- 미.EC 간 미해결 문제 타결 전망과 관련하여 동 부대표보는 양측에 정치적인 의지가 있는 만큼 미-EC 간 타결은 가능할 것으로 본다고 하면서, REBALANCING 문제등 기술적인 사안들은 실무선에서 타결하고 직접 소득 보조의 GREEN BOX 포함문제등 난제들에 대해서는 실무선에서 타결에 실패하는 경우에는 정상간의 정치적 절충이 필요하게 될지도 모른다는 전망을 피력함.

- 한편, 동인은 LAVOREL 갓트 담당 대사가 지난주말에 1 주간 예정으로 귀국했다가 12.2(월) 예정을 앞당겨 제네바로 떠났으며, 브랏셀의 차관급 회의도 갑자기 주선된

통상국	장관	차관	1차보	2차보	미주국	경제국	외정실	분석관
청와대	청와대	안기부	경기원	농수부	중계			

PAGE 1

91.12.06   10:30

외신 2과 통제관 CA

0009

것이라고 하여, 미.EC 가 막바지 절충을 위한 노력에 박차를 가하고 있음을 시사하였음.

2. UR 관련 미국내 동향

- 부쉬 대통령은 오는 12.20 까지는 정치적 타결(POLITICAL PACKAGE)을 마무리 짓도록 노력한다는 DUNKEL 사무총장의 노력을 지지하여 각국 정상들과의 전화 접촉등 UR 의 조기 타결을 위한 개인적 노력을 적극 전개중이며, 미행정부는 UR 진전상황에 대하여 의회측과 긴밀한 협조를 유지하고 있는 바, 현재까지의 미.EC 협상 결과에 대하여는 의회도 대체로 긍정적 반응을 보이고 있다함.

- 또한 USTR 은 업계와도 긴밀한 협의를 진행하고 있는바, 지난 12.2. 각분야 업계 대표들과 가진 협의에서, 업계는 현재까지의 협상 결과를 전반적으로 평가하는 분위기이며, 향후 협상에서 아래와 같은 사항이 감안될 것을 희망해 왔다함.

. 불만족스러운 합의보다는 차라리 합의에 도달치 않는 것이 낫다는 점

. UR 협상의 결과는 농산물뿐 아니라 상품 교역분야, 서비스 분야등 전체에비추어 평가되어야 한다는 점.끝.

(대사 현홍주-국장)

예고: 91.12.31. 까지

발 신 전 보

WGV-1791   911209 1413 FL   종별:

			WUS -5610	WJA -5546
번 호 :			WEC -0800	WCN -1440
수 신 : 주 수신처 참조 대사. 총영사			WAU -0941	

발 신 : 장 관 (통 기)

제 목 : UR 협상

감 도 편 (91. 12. 31.) 2L

1. 최근 UR 협상은 던켈 갓트 사무총장이 협상을 집중 진행하여 연내 타결 여부를
   결정 짓겠다고한 결정적인 시기(12.5-20간)에 돌입한 가운데, 협상 타결의 관건이
   되고 있는 미.EC간의 농산물 막후 협상의 진전 여부에 이목이 집중되고 있음.

2. 아국으로서는 상기 미.EC간의 협상 진전상황과 농산물 협상의 추이를 신속히 파악,
   UR 협상에 적절히 대응하여야 할 것인바, 연내 협상 타결의 고비가 될 향후 2주
   동안 귀주재국을 비롯한 주요국간의 협상 동향을 면밀 주시하고, 진전사항 있을시
   신속 보고바람.

3. 아울러 미.EC간의 연내 농산물 협상 타결 여부등 UR 협상 전망에 관한 귀주재국
   관계 기관의 평가와 귀관 의견도 보고바람.   끝.

(통상국장 김 용 규)

수신처 : 주 제네바, 미국, 일본, EC, 카나다, 호주 대사

0011

관리 번호 91-907

원 본

외 무 부

종 별 :

번 호 : AUW-1033

일 시 : 91 1210 1630

수 신 : 장관(통기)

발 신 : 주 호주 대사

제 목 : UR협상

일반문서로 개봉함 (1991 . 12 . 31 .)

대:WAU-0941

1. 케언즈 구룹각료들과의 회담을 위해 현재 제네바를 방문중인 BLEWETT 주재국 무역장관은 12.9 주재국 언론과의 회견에서 앞으로 10 일이내에 농산물 협상에 돌파구가 마련되지 못할시, UR 협상은 1992 년 이내에 완료되지 못할것이며, 미국 대통령선거가 끝난후인 1993 년에 UR 협상이 다시 재개될수도 있을것이라는 견해에 대해 매우 회의적이라고 말함.

2. BLEWETT 장관은 미국과 EC 간의 합의성사 여부에 관계없이 케언즈 구룹은 DUNKEL 총장의 농산물 문제해결을 위한 노력을 계속 적극 지지할것이며 앞으로 DUNKEL 총장의 TAKE-IT-OR-LEAVE-IT 성격의 문서가 케언즈 구룹을 완전히 만족시키지 못한다하더라도 적어도 지금까지 케언즈 구룹이 주장해온 입장과 대체적으로 방향이 일치할것임으로 DINKEL 총장의 문서를 지지할 것이며 ,12.20 로 예상되는 협상시한전까지 만약 미국과 EC 가 합의에 도달한다면 케언즈 구룹은 이러한 합의가 케언즈 구룹의 이익에 최대한 부합되도록 관련 내용을 개선하기 위한 협의에 적극 참여할것이라고 말하고, 농산물 협상에 있어서의 COSMETIC OUTCOME 은 받아들일수 없다고 말함.

3. 최근 미국이 UR 협상의 여타분야(섬유, 서비스)에서의 자국이익추구를 위해 농산물 수출보조 대폭감축에 대한 기존의 주장을 대폭 수정 또는 철회할지도 모른다는 일부 케언즈구룹 국가들의 우려에 대해서는, 그러한 우려가 있을수도 있겠으나 1979 년 동경 ROUND 당시와는 현재 상황이 다르며 미국이케언즈구룹의 일반적인 이익에 손상을 가하는 DEALING 을 EC 측과 일방적으로 할것으로는 생각치 않는다고 말함.

4. 한편 주재국 외무부 UR 협상문제 관계관은 상기 BLEWETT 장관의 발언내용을 대체적으로 확인하면서 미국이 다른분야에서의 이익을 위해 농산물 수출 보조 대폭감축에 대한 주장을 철회한다는것은 생각하기 어렵다고 말하고, 현재 미국과 EC

통상국 장관 차관 1차보 2차보 아주국 경제국 외정실 분석관
청와대 안기부

PAGE 1

91.12.10 16:00

외신 2과 통제관 BW

0012

는 농산물문제에 관한 의견 절충을 계속하고 있으며, EC 는 동문제와 관련 최근 워싱본회담에서 새로운 제의를 한것으로 알고있다고 하면서 이러한 제의가 농산물문제 3 대분야에 있어서의 케언즈구룹의 관심을 적절히 반영하고 있는것은 아니라고 말하고, DUNKEL 사무총장은 미국-EC 간의 합의내용을 기본바탕으로 하고 농산물문제 관련국의 정치적 결단이 요구되는 내용의 수정된 PAPER 를 12.20 이전에 다시 제시할것으로 예상된다고 하면서, 12.20 이후에는 크리스마스휴가등으로 인해 더이상 협상 계속이 불가능하기때문에 동일자가 사실상 협상의 DEADLINE 이 될것으로 본다고 말함.

5. 지금까지의 주재국 외무.무역부 UR 협상관련 인사 접촉및 관계장관의 발언을 종합해볼때 주재국(케언즈 구룹)은 12.20 까지 GATT 사무국의 어떤 기본적인 문서가 제시될수 있다는데 매우 조심스러우나 계속 희망적인 견해를 갖고 있으며, DUNKEL 의 PAPER 가 케언즈구룹의 이익을 최대한 반영하지 못하더라도 지금까지의 DUNKEL 초안이나 그의 발언을 고려해볼때 12.20 이전에 제출될 PAPER 는 일부 세부기술적인 사항을 제외하고는 11.21 자 PAPER 와 크게 다름없이 케언즈 구룹의 기본생각과 주장을 반영하고 있을것으로 생각하고 있으며, 시간의 촉박성(URGENCY)에 정책의 우선순위를 부여하면서 강제적인(TAKE IT OR LEAVE IT)성격의 PAPER 가 되도록 계속 여론을 조성하고 있는것으로 감지 되고있음.

6. 상기를 종합해볼때 12.20 전에 다시 제출될것으로 예상되는 DUNKEL 의 PAPER 는 기존입장에서 크게 변화된 내용이 포함될것으로는 보이지 않으며, 동 PAPER 는 미국-EC 간의 합의내용 또는 적어도 미-EC 간의 좁혀져가고 있는 의견을 반영할것으로 예상되는바, 여사한 DUNKEL 의 노력이 실패할시 미국내 대봉령선거 일정및 미행정부의 대의회 관계와 미국내 경제상황 악화에 대한 미국민의 우려증대등 제반상황을 비추어 볼때 현재의 협상내용보다 크게 개선된 내용을 목표로한 UR 협상이 가까운 장래에 재개될 가능성은 크지 않은것으로 일반적으로 관측되고 있음. 끝.

(대사 이창범-국장)

예고:91.12.31. 까지.

조흥.

원 본

관리
번호 *91-906*

외 무 부

종   별 : 지 급
번   호 : ECW-1082   일   시 : 91 1210 1630
수   신 : 장 관(봉기, 경기원, 재무부, 농림수산부, 상공부, 기정동문)
발   신 : 주 EC 대사   사본: 주 미, 제네바-중계필
제   목 : GATT/UR 협상

일반문서로 개분류 (19.91 . /2 . 3/ .)

연: ECW-1064

최근의 표제협상 동향을 하기 보고함

1. 미-EC 간의 양자협상

가. 12.7-8 워싱턴에서 개최된 미-EC 농무장관회담 후, MACSHARRY 집행위원과 MADIGAN 농무장관은 농산물문제에 대해 부분적으로 진전이 있었으나 양측간의협의를 계속하여 나가기로 했다고 말하고, 구체적인 내용에 대해서는 언급을 회피함. 한편, 당지 언론에 의하면 양측 관계관들은 동 회담결과에 대해 "비록 협상의 돌파구는 없었으나, 결렬된바도 없다" 고 말하고, 5 년 이후의 보조금 감축 지속방안, 관세화및 최소시장접근 문제에 대해서는 진전이 있었으나, 수출보조금 감축폭, GREEN BOX 및 REBALANCING 문제에 대해서는 좀더 협의가 필요한 사항이라고 언급함

나. 한편, 12.9 EC 집행위 대변인은 금 12.10 CROWDER 미농무차관이 브랏셀을 방문하여 LEGRAS 농업총국장과 회담할 것이라고 발표한바 있으며, 또한 EC 집행위의 한 관계관은 금주내에 MADIGAN 농무장관의 브랏셀 방문등 미-EC 각료급의접촉가능성을 시사한바 있음. 동건 확인되는대로 추보하겠음

2. UR 협상과 EC 정상회담

가. 12.9-10 개최중인 EC 정상회담에 참석하고 있는 MAJOR 영국수상은 ANDRIESSEN 부위원장을 만나 UR 협상 진전사항에 대해 의견을 교환하고, 동 협상의 성공적인 종결을 위해서는 동 정상회담에서 UR 문제가 거론되기를 희망한 것으로알려졌으나, 12.6 미테랑 불 대통령은 농민대표와 만난자리에서 이번 정상회담에서는 UR 농산물 협상및 CAP 개혁문제가 토의되지 않을것이라고 말함

나. 12.9. EC 집행위 대변인은 UR 협상의 타결을 위해서는 정치적인 합의 필요성이 있는것은 사실이나 이번 정상회담에서 동 문제가 거론될 계획은 없다고확인함. 끝

통상국 안기부	장관 경기원	차관 재무부	1차보 농수부	2차보 상공부	경제국 중계	외정실	분석관	청와대

PAGE 1   91.12.11   04:37
외신 2과 통제관 FI

0014

(대사 권동만-국장)

예고: 91.12.31. 까지

외 무 부

종 별 :

번 호 : USW-6116

일 시 : 91 1210 1934

수 신 : 장 관(봉기),봉이,미일,경기원,농수산부,경제수석)

발 신 : 주 미 대사   사본: 주 제네바,EC대사(본부 중계필)

제 목 : UR 협상 동향

대: WUS-5610

연: USW-5758,5848,6034

당관 장기호 참사관및 이영래 농무관은 12.9-10 간 USTR 의 S. EARLY 대표보 및 농무부 GRUEFF 다자협력과장을 각각 면담, 미-EC 농산물 협상등 UR 관련 동향을 타진한바, 동 결과 요지 하기 보고함.(서용현 서기관 동석)

1. MADIGAN - MACSHARRY 워싱턴 회담

- EARLY 대표보는 지난 10.8(일) 오후까지 계속된 MADIGAN 미 농무장관과 MACSHARRY EC 농업상간 회담결과를 'NO BREAKDOWN, NO BREAKTHROUGH'로 표현, 동회담이 당초 기대되었던 것 처럼 미-EC 간 미해결 현안을 타결하는 데에 실패하였음을 암시하였음.

. 동 대표보는 금번 회담에서 EC 측이 주요 현안에 대하여 입장의 변화를 보인 바는 전혀 없으나 그럼에도 불구하고 양측간의 대화는 지속되고 있으며, 금주중 CROWDER 농무차관과 KATZ USTR 부대표가 브랏셀및 제네바에서 EC 측과 절충을 가질 예정이므로 여기에서 양측간 의견 접근이 이루어질 것을 기대한다고 말함.

- 반면에 GRUEFF 과장은 MADIGAN - MACSHARRY 회담의 구체적 결과에 대해서는 언급을 회피하면서도, 동 회담에서 진전이 있었으며, 동 회담후에 UR 의 성공가능성에 대해 다소라도 더 낙관적인 전망을 갖게 되었다고 강조하였음.

. 특히 동인은 양측간 미타결 현안중 소득 보조금의 GREEN BOX 포함문제에 많은 진전이 있었다고 지적하였으나 구체적 진전내용에 대한 언급은 회피하였음.

- 또한 동과장은 금번 회담에서는 문제해결 자체에 있어서의 진전보다는 쌍방간의 의견차를 여하한 방법으로 절충하느냐의 문제에 관한 토의에 진전이 있었다고 언급함으로써, 사실상 금번 회담에서는 앞으로 미-EC 간 협상 최종 단계에서 이루어질

통상국 경기원	장관 농수부	차관	1차보	2차보	미주국	통상국	청와대	안기부

가능성이 있는 주고 받기식 타협에 대비하여 가능한 GIVE AND TAKE 방안을 검토했을 가능성을 시사하였으며, 이때문에 회담 결과에 대한 구체적 언급을 회피하고 있는 것으로 감촉되고 있음.

2. UR 협상 전망

- EARLY 대표보와 GRUEFF 과장은 미-EC 간 절충이 내주까지 완료되지 않을 가능성도 있음을 인정하면서, 이 경우에도 DUNKEL 사무총장이 미타결사항에 관해서는 자신이 최선이라고 생각하는 내용을 반영하여 의장 TEXT 를 12.20. 까지는 제출하게 될 것이며, 미-EC 간 양자적 절충은 다시 다자간 협상으로 환원될 것이라고 관측함.

- 이 경우 미-EC 간 의견차이에 여타 체약국들의 입장까지 덧붙여지면 최종적인 합의도달이 더욱 어렵게 되지 않겠느냐는 아측 질문에 대해, 미측은 미, EC가 몇가지 문제를 제외하고는 원칙적인 문제에서는 의견 접근이 되어 있는 상태이므로, 다자간 협상을 통해 드러날 컨센서스의 향방에 따라 이러한 일부 미해결 문제들의 타결이 오히려 촉진될 수 도 있다고 지적함.

- 한편, 미-EC 절충의 최종단계에서 정상간의 정치적 절충에 의해 미타결 주요문제에 대한 타결을 시도할 가능성 여부에 대한 아측 질문에 대해, 미측은 그러한 가능성을 배제할 수는 없으나 현재로서는 자신들로서는 그러한 계획에 관해 알고 있지는 않다고 언급함(한편, 별첨 12.10 자 FINANCIAL TIMES 지는 BUSH 대통령이 미-EC 간 농산물 협상 타개를 위해 수일내에 EC 의 정상들을 접촉할 예정이라고 보도함)

3. 관세화및 최소시장 접근

- MADIGAN-MACSHARRY 워싱본 회담에서 관세화 문제는 별도로 토의되지 않은것으로 보이며, 미, EC 가 예외없는 관세화 원칙에는 의견이 접근되었으나 관세화의 구체적 방식에 관해서는 아직 의견접근이 이루어지지 않은 것으로 보임.

- 미, EC 가 여타문제에 몰두하고 있는 현 상황에서 관세화와 관련된 수치나 개도국 우대등 세부적 문제는 빠른 시일내에 토의되기는 어려울 것으로 보이며 DUNKEL 총장 TEXT 가 제출된 후의 다자간 협상에서 주로 취급될 것으로 전망되는 바, 일단 미-EC 간 의견접근이 이루어지는 경우에는 관세화등 여타 문제들에 대한 협상이 빠른 속도로 진행될 가능성도 있음을 감안해야 할 것으로 사료됨.

4. 미-EC 간 세부 쟁점사항에 대한 양측입장

- 미-EC 간 농산물 관련 주요 쟁점중에서 미측은 REBALANCING 문제, 삭감 보조금

계산의 기준문제(수량기준인지 예산기준인지의 문제)등에 대해 특히 강경한 입장을 표하고 있으며, 반면 EC 는 직접 소득보조의 GREEN BOX 포함문제에 대하여 강경한 입장을 견지하고 있는 것으로 보임.

- 반면에 농업보조금 삭감의 기준년도 문제나 EC 측의 PEACE PROPOSAL 문제등은 본질적인 문제라기 보다는 협상전술적 문제인 것으로 보이며, 양측간 협상 전개에 따라서는 상호 타협이 가능한 문제인 것으로 감지되었음.

5. 관찰및 평가

- 당초 MADIGAN-MACSHARRY 회담은 미-EC 절충의 전기를 마련할 것으로 기대되고 있었던데 비하여, 실제회담 결과에 대하여 주재국 언론의 보도도 없으며 주재국 정부 관련인사들도 회담결과와 관련하여 양측이 의견접근을 보지 못했으나 앞으로의 진전이 기대된다고 언급할뿐 구체적 결과에 대한 거론을 회피하고 있음.

- 이러한 미측의 발언 자제는 미, EC 양측이 배타적 쌍무교섭에 의하여 UR 협상을 주도하려 한다는 여타 체약국들의 비난과 지난번 헤이그 정상회담후 부쉬대통령이 EC 에 양보하여 종전입장을 굽혔다는 국내적 비판등을 의식하여, 미,EC 쌍무절충에서의 의견접근 내용에 대한 대외 발표에 신중을 기하고 있기 때문일 가능성도 있음.

- 미, EC 양측은 쌍무적 의견접근 내용을 대외적으로는 발표하지 않고 다자간 협상테이블에 올려서 다자간의 컨센서스를 형성하는 형식을 취함으로써, 대외적으로는 미, EC 양측이 배타적으로 협상을 이끌어 갔다는 비난을 불식시키고, 대내적으로는 전체적인 UR 의 성공을 위해 부분적인 양보가 불가피했다는 명분을내세워 일부 협상내용 양보에 대한 여론의 비난을 무마하려 하고 있을 가능성도 있음을 감안해 나가야 할 것으로 사료됨. 끝.

(대사 현홍주-국장)

예고: 91.12.31. 까지

외 무 부

종 별 :

번 호 : GVW-2602   일 시 : 91 1211 1900

수 신 : 장 관(통기,경기원,재무부,농림수산부,상공부,특허청,경제수석)

발 신 : 주 제네바 대사   사본:주미,주이씨,주일대사(중계필)

제 목 : UR/TNC 회의

1. 던켈 사무총장은 금 12.11(수) 14:30-15:00 비공식 TNC 회의(수석대표회의)를 소집, UR 협상 종결 방안을 아래와같이 밝힘.(TEXT 별첨)

- 12.20(금) 오후 TCN 회의를 개최할 예정이며, 동 회의시 UR 협상 전분야에 걸친 포괄적인 최종 협상안(MTN.TNC/W/35/REV 2)을 제시하겠음.

- 동 협상안은 앞으로 남은 기간동안 각 협상 그룹이 집중적인 협의를 통해 합의하여 제출하는 협상안이 되는 것이 바람직하며 불가할 경우에는 각협상 그룹 의장들이 각자 책임하에 미결 분야에 대한 해결책을 강구하여 제출할 수 밖에 없음.(각 그룹의장들도 이에 동의하고 있음)

- 12.20 TNC 회의에서 동 협상안을 채택할 수 있을 것으로 기대하지는 않으나, 모든 참가국 정부는 동 12.20 자 협상안을 최상의 UR 협상 최종결과로 보고, 최고위층에서 신중히 검토하길 바람.

- 92.1.13(월) 내년도 첫 TNC 회의를 개최예정이며, 이때 각국정부가 12.20자 문서를 기초로 1.13 이후 수주내에 UR 협상을 공식적으로 타결할수 있게 되기를 희망함.

2. 동 총장은 앞으로 실제협상 기간은 주말포함 약 1 주일밖에 없다고 하고밤, 낮으로 각 그룹별로 협상을 계속 12.20 까지 협상안을 제출할 것을 독려함.

3. 던켈 총장의 금일 제안의 요체는 (첫째) 12.20 TNC 회의에서 각협상 분야별로 어떤 형태로든 TEXT 를 제시할 것이라는점, (둘째,) 동 TEXT 가 최종적인것이 아니고 추가 협상 가능성을 시사하면서도(시장접근, 서비스에 관한 양자협상 및 여타 기술적 사항 예시) 각국 정부가 동 TEXT 를 거의 최종적인 것으로 간주 92. 1.13 개최되는 TNC 회의에서 수락 여부를 밝힐것을 요망한 것인바, 총장 자신의 STATEMENT 에도 많은 애매한 점이 내포되어 있어 협상 전망을 예단키 어려움.

통상국 안기부	장관 경기원	차관 재무부	2차보 농수부	경제국 상공부	외정실 특허청	분석관 중계	청와대	청와대

4. 한편 본직이 카나다 대사, 홍콩대표등과 접촉한바에 의하면 카나다의 WILSON 농무장관, 홍콩의 무역청장이 최근 당지를 방문, ~~단켈 총장과의 면담시 단켈총장은 농무장관, 홍콩의 무역청장이 최근 당지를 방문,~~ 딘켈 총장과의 면담시 딘켈총장은 12.20 제시될 농산물 협상 TEXT 에 "예외없는 관세화"를 반영하겠다는 점을 분명히 밝혔다함.

5. 본직은 일본, 카나다, 멕시코, 스위스등 예외없는 관세화에 반대하고 있는 나라들의 당지 대사들과 공동으로 관세화 관세화 반대입장을 관철키 위함 현재 협의를 진행중인바 협상이 최종 막바지 단계에 와 있음을 감안 농림수산부 차관 또는 차관보등 고위인사가 당지를 방문, 협상에 참여하는 것이 바람직할것으로 사료됨.

6. 아울러 최종단계에 들어선 여타분야 협상을 위한 본부 대표단의 파견은 본부에서 적의 조치 바람.

7. 갓트 사무국측에 의하면 동 문서의 인쇄등 행정적인 업무에 최소한 48 시간이 소요된다는 점에서 실질적인 협상은 12.17(화) 경 까지 가능할 것이라함.

첨부: 동 발언문 사본 1 부(GVW(F)-0598)

(대사 박수길-차관)

예고:92.6.30 까지

주 제 네 바 대 표 부

번 호 : GVR(F) - 0578   년월일 : 11211   시간 : 1800
수 신 : 장   판 (총기, 경가원, 재무부, 농림수산부, 상공부, 특허청, 경제수석)
발 신 : 주 제네바대사   사본: 주미, 주이씨, 주인대사
제 목 : 첨부

총 6 매(표지포함)

보 안	
봉 재	--

외신괴	
등 재	

0021

<u>Informal Meeting of Heads of Delegations</u>

<u>11 December 1991</u>

<u>Speaking Note for Chairman</u>

1.　This is a continuation of our meeting on
29 November. And, as you were informed, my
purpose, today, is to prepare ourselves for
the final phase of the Uruguay Round.

2.　I will be making concrete proposals in a
moment. But before I do this let me set them
in the general context in which we are all
operating. And, here, my starting point is
the assessment I made, when we last met, of
the state of play in our overall negotiating
process. This assessment remains valid today
as well.

3.　Behind all the details, I had three
essential points to make:

One, progress has been achieved in all
areas of the negotiating agenda during
this one-year period after Brussels. It
is now urgent that we consolidate this
progress by registering it in a concrete
and visible manner.

Two, in all outstanding areas - and this
pertains to each and every subject of our
agenda - we now have available a basis
for negotiations. I should go even
further and say that substantial results

0022

- 2 -

are within our grasp across the board and
that an additional final effort is all we
need. This, too, is a significant
improvement from the situation in
Brussels.

Three, there is a strongly-held and
widely-shared perception - in fact,
desire - among participating governments
that the political understandings in
respect of all the elements of the
overall final package should be reached
before the end of this year. In this
context I had suggested - and you had
accepted - that we push the negotiations
forward in all areas so as to reach
agreements by 20 December.

4.   This is still my objective. And this is,
also, the firm intention of the chairmen of
the negotiating groups with whom I am in
constant contact.

5.   I propose, therefore, to convene a formal
meeting of the Trade Negotiations Committee in
the afternoon of 20 December. This will be
the last such meeting of the year. And, at
this meeting, I propose to put on the table a
complete and consolidated document entitled
the "Draft Final Act Embodying the Results of
the Uruguay Round of Multilateral Trade
Negotiations" - in other words, a complete and
consolidated revised version of

0023

- 3 -

MTN.TNC/W/35/Rev.1, the document which was
sent to the Brussels Ministerial Meeting.

6.   Obviously, my clear preference - and that
of my fellow chairmen - is to have negotiated
and multilaterally agreed, texts in all areas.
I have already said that this is still
possible even though we are, today, the
11th December with less that 10 days to our
target date. Our negotiating time is, in
fact, much less - a week, at the outside,
counting, of course, the coming Saturday and
Sunday, as full working days - because we have
to allow the Secretariat the minimum time they
will need for the purely administrative tasks
of printing, translation, completion and
circulation.

7.   The Secretariat will continue to service
meetings day and night. But even more
importantly, these coming days are virtually
your last opportunity to strike the deals
necessary for the political breakthroughs. I
should tell you that if you fail now the
Chairmen will have no alternative but to
propose their own informed solutions to the
existing gaps and blockages. They are
prepared and ready to assume their
responsibilities should the need arise. For
the moment, the choice is in your hands.
Needless to say, the chairmen and I will be
constantly reviewing the progress you make -
the negotiations - almost on a daily basis.

0024

- 4 -

8. Naturally I would not expect the Trade
Negotiations Committee to be able to adopt the
texts on 20 December. Nor would these texts
mean an end to the negotiating process in its
entirety. For example, I can already see the
negotiations continuing for some weeks in the
beginning of the new year in specific areas
like market access or initial commitments in
services. There will undoubtedly be other
aspects where the texts of 20 December may
need to be clarified, amplified or given more
precision. The question of legal drafting
would, for example also have to be addressed.

9. Having said all this, I must also say
that I do, however, expect that all
governments will regard the 20 December
document as the best possible approximation of
the final package of results of the Uruguay
Round and give it their most serious
consideration at the highest political level.

10. I intend to convene the first meeting of
the Trade Negotiations Committee in the new
year, on 13 January. By then, it is my hope
that participating governments will, on the
basis of the 20 December document, be in a
position to formally conclude the Uruguay
Round negotiations in the weeks to follow.
This process would include the evaluation of
the final results of the negotiations by the
G.N.G in accordance with its mandate under the
Puntal del Este Ministerial Declaration.

598-6-5

0025

- 5 -

11.   So now the cards are on the table.   There
is not an hour to be wasted if the efforts of
the past five years are not to be altogether
lost.

5 f 8 — 6 — 6

관리
번호 *91-913*

외 무 부

종   별 :

번   호 : CNW-1621

일   시 : **91 1211 1800**

수   신 : 장 관(봉기,상공부)

발   신 : 주 캐나다 대사

제   목 : UR 협상

검 토 필 (1991. 12. 31.) 2L

대 : WCN-1440

UR 협상 진전 및 전망관련 하명근 상무관은 12.11. 주재국 외무봉상부 MARIO STE-MARIE 부조정관(MTN BRANCH 농산물 담당관)과 오찬 협의를 가졌는바, 동인의 발언 요지 아래 보고함.

1. 미국.EC 간의 농산물 협상이 최근 워싱턴 DC(지난주말) 및 브랏셀(12.10.)에서 이루어 졌으나 보조금 감축폭, 감축대상 보조금 범위, 보조금 감축기준 년도등 주요 쟁점분야에서 큰 진전이 없는 것으로 평가되고 있음.

2. 금일(12.11.)부터 DUNKEL 사무총장 주도하에 G-8 그룹 농산물 회의가 개최되었으며 내일중 DUNKEL 사무총장은 DRAFT OF WORKING LEGAL TEXT 를 제시, 이를 토대로 12.19 까지 협상이 진행될 것을 예상되고 있으며 이어 12.20. TNC(무역협상위원회)로 연결될 것으로 관측되고 있음.

3. 12.20. TNC 이후 연말까지 추가 협상은 크리스마스등으로 실질적으로 어려울 것으로 보고있으며 내년 1.13. 부터 협상이 재개될 것으로 전망됨.

4. 미.EC 간의 연내 농산물 협상 타결 여부에 대한 전망관련 질의에 대해 동인은 전망하기가 용이하지 않다고 하면서 직접적인 언급은 회피하였으나 제네바 현재에서의 다수의 협상 관계자들은 연말까지의 기한에 크게 기속되는 것 같지 않는 것으로 인식되고 있다고 언급함으로써 금년내 타결 전망이 밝지많은 않다는 것을 직접적으로 시사하였음. 끝.

(대사-국장)

예고문 : 92.6.30. 까지

예고문에 의거 재분류 1992.6.30.
직위   성명   이시형

통상국	장관	차관	2차보	미주국	경제국	외정실	분석관	정와대
안기부	상공부							

PAGE 1

외   무   부

종   별 :

번   호 : USW-6140   일   시 : 91 1211 1839

수   신 : 장 관(봉기, 경기원, 재무부, 농수산부, 경제수석)

발   신 : 주 미국 대사

제   목 : UR 협상

    대: WUS-5610

    연: USW-5758, 5848, 6034, 6116

1. 금 12.11 당관 구본영 경제공사는 외교단 경제공사 모임에 참석, CARLE HILLS USTR 대표의 최근 UR 동향에 관한 연설 (원고 없었음)을 청취하였는 바, 동 주요 내용을 참고로 보고함.

  . 미국 정부는 이라단 12.20 을 협상시한으로 생각하고 (특히 EC 와의) 막바지 협상에 임하고 있는 바, 현재로서는 낙관도 비관도 할수 없는 상황임.

  . 던켈 GATT 사무총장은 내주 중반경 분야별 의장들에게 모든 협상의 종결을 지시하고 그 동안의 협상 결과를 종합하여 12.20 에는 협상 기초 문서를 배포할 것임.

  . 현재 UR 협상의 상태는 연약한 깃털(FEATHER)과 같아서 잡았다 했다가도 놓치고 놓쳤다했다가도 다시 잡히고 하는 매우 어려운 상황이며, 앞으로 10 일내에 모든 GATT 가맹국들의 정치적 의지가 절실히 필요한 싯점임.(지난주 귀중한 기회를 놓쳤다고 언급, MACSHARY 와의 회견에서 BREAKTHROUGH 가 없었음을 암시)

  . 농산물 협상이 특히 관건이 되고 있는 바, 미국- EC 간에도 아직 상당한 이견이 존재하고 CAIRNS GROUP 과 EC 사이에는 더욱 큰 이견이 남아 있어 우려를불러 일으키고 있음. (구체적 문제로는 수출보조금 결정 기준, GREEN BOX 포함범위, 관세화 산정방식, REBALANCING 등을 지적)

  . 미국은 상당한 양보를 하고 있으며 국내 UR 지원 세력들을 확대해 나가기 위해 모든 노력을 기울이고 있음.

  . UR 이 성공할 경우 현재 침체상태에 있는 많은 참여국들의 경제와 세계 경제를 활성화시키는 매우 중요한 계기가 될 것이며 UR 이 실패할 경우에는 자유무역에 대한 강한 반발을 제기시켜 세계경제를 더욱 어렵게 만들것임.

통상국	장관	차관	1차보	2차보	미주국	경제국	외정실	분석관
청와대	청와대	안기부	경기원	재무부	농수부			

. 부쉬대통령은 현재 UR 의 성공을 위해 헌신적으로 노력하고 있으며 이곳에 참석한 모든 나라 지도자들의 정치적 결단을 기대함.(내년 1/4 분기중 까지 의회에 UR 관련 법안제출 목표)

2. 동 대표는 연설후 질의 응답시 다음과같은 입장을 추가로 언급

. 불란서 공사의 "PEACE CLAUSE" 와 관련된 질문에 대하여, 미국 정부로서는 의회의 반대는 물론이거니와 어떤 경우에도 민간의 제소를 막을 수는 없다고 잘라서 언급

. 멕시코 공사의 NAFTA 와 관련된 질문에 관해서는 미국은 의도적으로 NAFTA 체결을 지연시키고 있지 않으며, 내용에 관한 합의만 이루어지면 언제라도 체결 가능하다고 언급 (CONTENTS WILL MOVE DEADLINE, NOT VICE VERSA)

. 일본공사의 모든 협상의 일부 예외인정 필요성 주장에 대해서는 쌀시장 97 % 폐쇄(3% 개방)가 극히 일부 예외인가 반문하고 세계 제 2 위 산업구가인 일본이 대부분 가난한 농산물 수출개도국의 입장을 이해하려하지 않는데 대하여 강한 TONE 으로 비난.(HILLS 대표는 답변에서 "3%만 열고 더이상 확대하지 않는다는 것"이라고 표현하였음을 참고 바람.)

. "최근 소련사태가 UR 마무리 협상에 영향을 미칠 가능성은 없다고 보는가"라는 당관 구공사 질문에 대하여는 소련 사태가 심각하고 시게 정치.경제 상황에 큰 변화를 가져오기는 할 것이나 UR 협상이 실패하면 참여국들의 정치적 의지 결여로 실패하지 소련사태로 실패하지는 않을 것이라고 답변

3. 관찰 및 평가

. HILLS 대표는 그동안 UR 협상을 주도해온 장본인으로서 협상 막바지에 달하여 그 성공적인 타결에 매우 집착하고 있다는 인상을 주었음.(당일 오전 백악관 각료회의에서도 HILLS 대표는 그동안 본인이 추구해온 정책이 옳았음을 참석 각료들에게 강력히 설명하였고 BUSH 대통령도 이를 옹호 하였다고 소개)

. 그러나 구공사가 관찰한 바로는 9.23 FOUR TIGERS' CONGERENCE 당시와 10.18 CSIA "GLOBAL LEADERSHIP 2000" CONFERENCE 당시에 비하여 낙관적인 TONE 이 다소 약화된 느낌을 받았는 바, 막바지 협상이 쉽지 않음을 반증하는 것으로 보임.

. 미국은 내주 중반까지 일단 EC 와의 농산물 협상을 성공적으로 이끌어 UR협상의 MEMENTUM 을 살려놓고 1,2 월에 주요국과 잔여문제에 대한 쌍무적 협상을 계속할 전략인 것으로 감지되었음.끝.

PAGE 2

0029

(대사 현홍주-국장)
예고: 91.12.31 까지

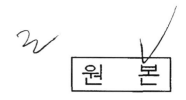

외 무 부

종 별 :

번 호 : GVW-2603　　　　　　　　일 시 : 91 1211 2000

수 신 : 장 관(봉기, 경기원, 재무부, 농림수산부, 상공부, 특허청)

발 신 : 주 제네바 대사

제 목 : UR 협상일정 ⓐ

　　12.11(수) 비공식 TNC 회의에서 던켈 총장은 12.20(금) 개최되는 공식 TNC 회의에 그룹별로 최종 TEXT 를 제출 예정임을 밝힌바, 이와관련 금 12.11 현재 예정 된 12.12(목) UR협상 일정은 아래와 같음.

　　1. 농산물 36개국 비공식 협의

　　2. TRIPS 비공식 협의

　　3. GNS 비공식 협의

　　4. 보조금, 상계관세 비공식 협의

　　5. 분쟁해결 비공식 협의

　　6. 개도국 비공식 협의 끝

　　(대사 박수길-국장)

통상국　　2차보　　경기원　　재무부　　농수부　　상공부　　특허청

PAGE 1

報 告 畢

1991. 12. 12.
通 商 局
通 商 機 構 課 (67)

長 官 報 告 事 項

題 目 : UR 協商 關聯 關係長官 會議(12.12) 結果

검 토 필 (1991.12.31.) 간

1992.6.30.에 예 에
외 반   모 분됨

1. 會議 內容

　가. 政府代表團 제네바 派遣

　　　ㅇ 部處別로 別途로 必要에 따라 제네바에 派遣하되 農産物 分野의

　　　　境遇에는 주 제네바 大使 建議대로 農水産部 次官補를 今週末頃 派遣

　나. 農産物 協商 對應 方案 (非公式 난상 討論)

　　　ㅇ 經濟企劃院, 商工部, 安企部는 92年 2月末 妥結 可能性과 國內政治

　　　　日程을 考慮, 協商에 대한 對應方案을 미리 檢討하고, 事前에 適切한

　　　　國內弘報를 實施할 必要性을 言及

　　　ㅇ 農水産部는 事前 對備가 不要하다는 立場 堅持

　　　ㅇ 外務部는 事前 對備가 어렵다는데 共感하나, 12.20. TNC 會議 및 Bush 방안막의

　　　　그 以後에 대한 具體的 對應 方案 (首席代表 發言 文案等)은 미리

　　　　檢討되어야 함을 言及

　　　ㅇ 經濟企劃院은 UR 協商 動向에 대한 적절한 上部 報告 必要性을 提起한바,

　　　　農水産部는 非公式으로 소상히 報告한 바 있다고 言及

　　　ㅇ 經濟企劃院은 92.1. 부시 大統領 訪韓時 쌀 市場 開放 問題와 關聯

　　　　我側이 취할 立場에 대해 外務部에서도 檢討를 해야 한다고 言及

2. 國會 및 言論對策 : 該當 없음.　　　　　　　　끝.

예 고 : 1992. 6. 30. 일반.

0032

외 무 부

종   별 :

번   호 : GVW-2622   일   시 : 91 1212 2300

수   신 : 장 관(통기, 경기원, 재무부, 농림수산부, 상공부, 특허청)

발   신 : 주 제네바 대사

제   목 : UR 협상 일정 (

연: GVW-2603

12.13(금) UR 협상 잠정일정은 아래와 같으며, 현재 구체적 일정은 미정이나 주말에도 분야별 협의가 계속 진행될 예정임.

1. 농산물 36개국 비공식 협의

2. TRIPS 비공식 협의

3. 반덤핑 비공식 협의

4. 분쟁해결 비공식 협의

5. 갓트조문(BOP) 비공식 협의

6. 세이프가드 비공식 협의

7. 서비스 비공식 협의

8. 서비스 한.핀랜드 양자 협의. 끝

(대사 박수길-국장) G

통상국   2차보   경기원   재무부   농수부   상공부   특허청

PAGE 1   91.12.14   10:38

                                                             외신 1과 통제관

                                                             0033

<u>우루과이라운드 다자간 무역협상 타결의 전망</u>

91. 12. 13

외무장관 K.H.

신년 기자회견 자료

o 당초 4년간 협상시한에 따라 UR 협상을 종결짓고자 개최되었던 90년 12월 브랏셀 각료회의에서 UR 협상이 결렬되고 난 후, 지난해 전반기에는 UR 협상의 기술적인 사항만이 논의되다가 하반기에 들어서면서 던켈 갓트 사무총장이 금년 2월까지 종합적인 협상안을 타결짓겠다는 계획을 발표하고, 지난해 연말까지 각분야별 협상이 집중적으로 진행되었음.

o 그 결과 지난 12월 20일에는 UR 협상의 전분야에 걸쳐 각 협상그룹 의장의 협정 초안이 제시되었으며, 전 협상 참가국들은 이 협정초안을 검토한후 오는 1월 13일 개최되는 무역협상위원회에서 이 협정초안을 기초로한 최종협상을 추진하여 UR 협상을 종결지을 계획으로 있음.

o UR 협상 타결여부는 각 협상 참가국들이 12월 20일 제시된 최종 협정 초안을 어떻게 받아들이는가에 달려있다고 하겠으나, 아직까지 적지않은 국가들이 이 초안중 전체 협상타결의 관건이 되고 있는 농산물분야를 비롯 서비스, 지적 소유권, 섬유, 반덤핑등 주요분야에서 이의를 제기하고 있는 것으로 알려져있어 1월 13일 이후의 협상이 순조롭게 진행되어 협상이 조기에 종결될 전망은 불투명 함.

o 우리나라로서는 UR 협상이 원만하게 타결되는 것이 다자간 무역체제의 강화와 국제무역환경의 개선을 도모할수 있어서 우리의 국익에 보탬이 된다는 판단하에 UR 협상의 조기 타결을 위해 우리의 능력범위 안에서 최대한 기여하고자 함.

o 다만, 우리 농업의 어려운 여건상 농산물의 에외없는 관세화는 받아들이기 곤란한 바, 우리정부는 농산물 협상에서 이를 관철 시키기 위해 계속 최선의 노력을 다해 나갈 계획임. (끝)

0034

GLGL
o0496 ASI/AFP-BB42-----
r f EC-GATT   12-12 0279
  Econews
  EC calls special ministerial meeting on GATT

    BRUSSELS, Dec 12 (AFP) - The 12 European Community (EC) states decided Thursday to convene a special ministerial meeting December 23 on the Uruguay Round of tariff-cutting negotiations, diplomatic sources said here.
    The aim is to work out an EC position in the General Agreement on Tarifs and Trade (GATT) negotiations, the sources said.
    The meeting will group EC foreign affairs and trade ministers, the source said on the sidelines of a meeting of EC agriculture ministers.
    GATT Director General Arthur Dunkel said Wednesday in Geneva he would present a final, complete and consolidated draft agreement on the Uruguay Round on December 20.
    In a move seen as increasing pressure on the contracting parties to make last effort for agreement, he said that his draft would be the best possible approximation of the results of the five years of negotiations.
    Negotiations in December of last year foundered on the issue of agricultural subsidies.
    Pressure from the other EC nations on France, the most combattive state o the issue, will "probably be very strong," at the December 23 meeting, becau the others want to wind up the Uruguay round quickly, one source said.
    French Agriculture Minister Louis Mermaz said Wednesday the Uruguay Round had "no chance" of succeeding on the basis of current positions as regards agriculture.
    Agriculture ministers devoted a large part of their talks here Thursday t GATT. Italian Agriculture Minister Giovanni Goria said they viewed the agreement shaping up on the Uruguay Round as "unacceptable."
    ob/ls/nb
    AFP 121938 GMT DEC 91
AFP 121939 GMT DEC 91

20

0035

외 무 부

종   별 :

번   호 : GVW-2646   일   시 : 91 1213 1930

수   신 : 장관(통기, 경기원, 재무부, 농림수산부, 상공부, 특허청)

발   신 : 주 제네바 대사

제   목 : UR 협상

검 토 필 (1991.12.31.) 긴

    UR 협상은 12.20 TNC 회의에 최종 협상 초안을 제출키 위해 분야별로 비공식 협의가 진행중인바, 각 협상 분야별 진전상황, 아국 관심분야 전망등을 아래 보고함.

    1. 시장접근 분야

    - 미국과 EC 간의 분야별 무관세 제안 및 섬유류 고관세 문제에 대한 이견 차이가 좁혀 지지 않고 있어 12.20 제출될 TEXT 에는 새로운 내용이 추가될 가능성은 희박하다고 보여지며, 내년초 이후 양자 협상이 계속될 것으로 전망됨.

    2. 섬유

    - 품목범위, 통합비율, 쿼타 증가율등 아직도 수입, 수출국간 타협이 이루어지지 않고 있어 의장 책임하의 TEXT 가 제시될 것으로 전망됨.

    - 아국의 관심 사항인 최소 쿼타증가율 1 % 의 확보 여부는 불부명함.

    3. 농산물

    - 던켈 총장의 12.12 자 초안은 11.21 자 작업서 내용을 협정 형태화한 것으로 예외없는 관세화 내용이 포함되어 있음.

    - 미.이씨간 양자 협상결과가 농산물 협상분야 미결 사항 타결에 결정적 영향을 주게될 것이나, 미.이씨간 관세화 문제에 이미 합의가 이루어진 점에 비추어 일부국가의 반대에 불구 예외없는 관세화는 12.20 TEXT 에 포함될 것으로 보임.

    4. 규범제정(아국은 동 갓트 규범 강화를 위해 30 개국과 공동입장 성명을 밝히고, 공동 대응하고 있음.)

    가. 갓트 조문: BOP 에 관한 의장안 채택 가능성이 높음.

    나. 반덤핑: 수입국 및 수출국의 현격한 입장 차이로 합의초안 작성은 거의불가능한 상황이며, 결국 의장 책임하에 의장초안이 제출될 가능성이 있으며, 이경우 우회 덤핑 문제에 관한 수입국측 입장이 반영 가능성이 있다고 전망됨.

통상국	장관	차관	1차보	2차보	분석관	청와대	안기부	경기원
재무부	농수부	상공부	특허청					

PAGE 1

91.12.14   11:14
외신 2과   통제관 BN

0036

다. 보조금 상계관세

- 당초 보조금, 상계관세 분야 협상 초안에 포함된 소득 수준별 개도국 분류 조항(ANNEX 8 항)은 농산물 분야에서의 개도국 우대 문제에 미칠수 있는 부정적영향을 고려, 아국이 주도적으로 이의 삭제를 위해 노력해 왔으며, 결국 이문제는 결실을 보아 아국 희망대로 삭제될 것으로 전망

- 여타 사항에 대해서는 큰 진전이 없으므로 12.20 TEXT 에는 현재의 내용이 거의 그대로 반영될 것으로 전망됨.

라. 세이프가드

- QUOTA MODULATION 문제가 핵심 쟁점으로 남아 있으며, 아국을 포함 이에 반대하는 수출국의 반대 입장이 확고하나, EC 의 입장도 강경하고 미국도 내심 EC 입장에 동조하고 있어 전망이 다소 불투명함.

- EC 측은 타협상(반덤핑, 섬유등) 결과와 연계코저 하고 있어 타협상 결과도 변수로 작용 예상됨.

마. TRIMS

- 91.10.30 자 현재의 의장안에 대해 선.개도국간 의견 차이가 있으나, 동의장안이 그대로 제시될 전망

- 동의장안은 아국 입장과는 큰 차이가 없음.

5. 제도 분야

- 일방 조치 억제 공약문제는 미국입장이 강경하여 전망이 불투명함.

- 절차 자동화 문제는 상기 공약과 연계되어 있기는 하나 자동화가 대세임.

- 통합분쟁 해결 절차 및 교차 보복문제에 대해갠고ㅜ들이 반대하고 있으나 선진국들이 일치된 입장으로 강력하게 요구하고 있어 의장이 제출하는 TEXT 에 어떤 형태로든 포함될 가능성이 높음.

나. MTO 문제

- 많은 국가가 모든 협상 분야 결과가 나온후에나 검토할수있다는 입장에 있고, SINGLE UNDERTAKING 문제, 통합분쟁해결 절차 등 어려운 문제와 연결되어 있어, 1.13 이후에 구체적으로 협의하는 방향으로 추진될 가능성이 있음.

6. 지적 재산권

- 아국관심분야인 EC 분야에서 부분적으로 아국입장이 반영되어 최소한 침해 IC 를 선의로 구매한 업자는 보호될 수 있을 것이며 국경조치에서 SAFEGUARD 조치 강화

PAGE 2

측면에서 보완될 것으로 보임.

- 대여권 허가 금지권 또는 보상 청구권이 선택적으로 규정될 것으로 보이며, 경과규정은 아국으로서는 큰 문제 없을 것으로 보임.

7. 서비스

- FRAMEWORK 및 인력이동 부속서는 합의된 TEXT 또는 이에 가까운 TEXT 가 제시될 전망임.

- 금융 부속서는 의견 대립이 심하고, 협상일정이 짧아 의장 TEXT 가 제시될 가능성이 있음.

- 정치적 쟁점인 MFN 일탈은 그 성격상 의장 TEXT 제출도 어려울 것으로 보이며, INITIAL COMMITMENT 협상과 병행 계속 협상이 진행될 가능성이 많음.

- 아국의 관심 사항인 정부조달의 포함은 UR 이후 협상 대상으로 포함될 예정이며, 분야별 협정 적용 배제는 아국 입장대로 배제될 것으로 전망됨. 끝

(대사 박수길-국장)

예고 92.6.30 까지

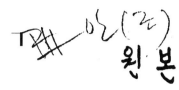

외 무 부

종   별 :

번   호 : GVW-2624   일   시 : 91 1214 1200

수   신 : 장 관(통기,경기원,재무부,농수부,상공부,특허청)

발   신 : 주 제네바 대사

제   목 : UR / 최종의정서

　　12.13(금) 14:30-17:00 간 LACARTE 의장 주제로 91.3.25자 사무국이 작성한 최종의정서 초안에 대한비공식 협의가 개최된바, 요지 아래보고함. (오참사관 참석)

　　1. 모든 참가국들은 최종의정서는 기본적으로 UR협상결과를 확인하고 동 결과를각국의비준절차에 회부키로 하는 정치적인 문서이며,각국에 법률적인 의무를 부과하는 것이아니라는데 의견을 같이함.

　　2. 초안 1항의 부속서 처리문제와 관련, 당초초안대로 3개의 부속서로 할 것을 주장하는 인도,브라질과 하나의 부속서로 하자는 선진국이대립하였으나, 푼타 선언 및중간 평가협의사항을 언급하고 한나의 부속서로 하기로합의함. (푼타 선언에서 상품분야와 서비스 분야를구분하였고 이행문제는 각료급 회의가 결정키로한점, 중간 평가회의에서 TRIPS 협정이행문제도 각료급 회의가 결정키로 한점을 감안)

　　3. 초안 2항 관련, 최종의정서를 채택함으로써각국은 각기 비준절차에 회부키로합의(AGREE)키로 하는데 의견이 모아짐.

　　4. 초안 3항 관련 UR 협상 결과의 잠정적용에 관한 문구를 삭제키로 합의함.

　　5. 초안 8항 관련, 인도가 모든 협상분야의 결과를보기전까지는 SINGLE UNDERTAKING 에 동의할수없다는 강한 유보 의사를 표명하였으며,선진국들은 SINGLE UNDERTAKING 을 주장하였음.

　　6. 12.14(토) 오후 최종의정서에 관한 협의를계속키로 하였으며, MTO 문제도 협의예정임.끝

　　(대사 박수길-국장)

통상국　　2차보　　외정실　　안기부　　경기원　　재무부　　농수부　　상공부　　특허청

PAGE 1   91.12.15   01:02 FO

외신 1과 통제관

0039

외 무 부

종 별 :

번 호 : GVW-2625 일 시 : 91 1214 1200

수 신 : 장 관(봉기, 경기원, 재무부, 농림수산부, 상공부, 특허청)

발 신 : 주 제네바 대사

제 목 : UR / 협상 일정(금)

12.14 오전 현재 주말(12.14, 15) UR 협상일정은 아래와 같음.

1. 12.14(토) 회의일정

O 시장접근 비공식 협의(의장 주재)

O 농산물 비공식 협의(G-36)는 개최되지않으나, 아래 협의에 참여

- 한국, 일본, 스위스, 멕시코 4개구 대사협의(스위스 대표부)

- 국내 보조에 관한 DRAFTING GROUP (갓트)

O 반덤핑 비공식 협의

- 수출국 회의

- 한국, 일본, 카나다 3개국 협의

O 세이프가드 비공식 협의

- 일본 대표부 주최 13개국 대책 협의

O TRIMS 비공식 협의(의장주재)

O 분쟁해결 비공식협의(의장주재)

O 최종의정서 비공식협의(의장주재)

O 서비스 비공식 협의(의장주재)

- 항공분야

- 조문

2. 12.15(일) 회의 일정

O 농산물 36개국 협의

O 반덤핑 비공식 협의(의장주재)

O 보조금, 상계관세 비공식 협의(의장주재)

O 세이프가드 비공식 협의(의장주재)

통상국	2차보	외정실	안기부	경기원	재무부	농수부	상공부	특허청

PAGE 1

0 서비스 비공식 회의(조문). 끝

(대사 박수길-국장)

0041

외 무 부

종　별 :

번　호 : GVW-2658　　　　　　　　　일　시 : 91 1215 2130

수　신 : 장 관(봉기, 경기원, 재무부, 농림수산부, 상공부, 특허청)

발　신 : 주 제네바대사

제　목 : UR 협상 일정

금 12.15(일) 저녁 현재 파악된 12.16(월) UR협상 일정은 아래와 같음.

12.16(월) 회의 일정

0 개도국 비공식 회의(15개국)

0 농산물 개도국 GREEN ROOM 회의(22개국)

0 TRIPS 공식, 비공식 회의(10 더하기 10)

0 서비스 비공식 협의(금융)

0 제도분야 비공식 협의

- 분쟁해결

- 최종의정서

0 시장접근 비공식회의(의정서)

0 시장접근 양자협의

- 수산물 분야(일본)

0 TRIMS 비공식협의(잠정)

(대사 박수길-국장)

통상국　　2차보　　경기원　　재무부　　농수부　　상공부　　특허청

외 무 부

종 별 :

번 호 : GVW-2679

일 시 : 91 1216 2030

수 신 : 장 관(통기,경기원,상공부,농수부,특허청)

발 신 : 주 제네바대사

제 목 : UR협상 일정

금 12.16(월) 저녁 현재 파악된 12.17(화) UR협상 일정은 아래와 같음.

12.17(화) 회의일정

0 개도국 비공식 회의

0 서비스 비공식 회의

0 제도분야 비공식 협의- 기능강화

- 분쟁해결

- 최종의정서(MTO)

0 규범 제정 비공식 협의

- TBT 협정

0 농산물 G-36 회의 (잠정). 끝

(대사 박수길-국장)

통상국   2차보   경기원   농수부   상공부   특허청

PAGE 1

조.숑.

주 미 대 사 관

USW(F) : 5592 년월일 : 시간 :

수 신 : 장 관 (통기,통상,통이) 상공부, 농수산부,

발 신 : 주 미 대 사 경제기획원

제 목 : UR협상 추진동향 (2매)

(출처 : FT.12.17.91)

보안통제

Dunkel to offer compromise in US-EC farm row

By William Dullforce in Geneva

WITH the EC and US still unable to resolve their differences over farm subsidies, it appeared increasingly likely yesterday that it would be left to Mr Arthur Dunkel, director-general of the General Agreement on Tariffs and Trade, to propose compromises. Mr Dunkel has said he will table final draft agreements on all areas in the Uruguay Round trade talks on Friday.

President Bush exchanged letters on the farm issue with Dutch Prime Minister Ruud Lubbers, the current EC president, last week. EC officials said the two leaders were intent on finding an understanding to open the way for completing the Uruguay Round trade talks.

But, despite intensive talks here over the weekend among the eight principal farm-exporting blocs, EC and US officials said there had been no convergence of positions on the central question of how to cut export subsidies and on the limits the US wants to set on the amounts of EC subsidised exports on world markets.

A basic problem remains how far export subsidy cuts should be tied to budget outlays or to volumes of products exported. Mr Ray MacSharry, EC farm commissioner, has proposed two-thirds of the cuts be related to volumes and one-third to outlays, according to EC officials. But when the 35 per cent reduction over five or six years and the base period from which the calculations would be made are put into the equation, the resulting cuts would not come down to the ceilings the Americans want to reach. In wheat, the differences range between 10m-11m tonnes a year and 13m-15m tonnes.

In addition, Mr Louis Mermaz, French farm minister, has sharply criticised Mr Mac-Sharry for going beyond his mandate with his latest proposals, and warned that France would call for a joint meeting of EC trade and farm ministers immediately after the text of the farm accord was published.

The active engagement of other countries in the farm talks is also complicating the situation. Canada yesterday objected to the conversion of all import barriers into customs duties called for by the US and envisaged in the draft text on farm reform tabled by Mr Dunkel last week.

This "comprehensive tariffication" would effectively make it impossible for Canada to maintain its present agricultural supply management programmes. Japan, Korea, Norway, Switzerland and Israel supported the Canadian call for "carefully circumscribed exceptions". The US, the EC and the 13 other members of the Cairns Group of farm-exporting countries, to which Canada belongs, have all agreed to full tariffication.

Effectively, only two days remain for countries to strike deals on the diversity of agreements that have been under negotiation for the past five years. On Thursday, Mr Dunkel and the chairmen of the negotiating groups start writing their own final texts for submission to delegations on Friday. The EC Commission has asked the trade ministers of the 12 member states to meet in Brussels on Monday to assess the package.

5592 - 2 - (1

외신 1과 종제

주 미 대 사 관

USW(F) :   년월일 :   시간 :

수 신 : 장   관   보   안
발 신 : 주 미 대 사   동   제

제 목 :   (출처 :Jα ,12·17·91)

Canada, Others Try to Block No-Exceptions Tariffication

By JOHN ZAROCOSTAS
Journal of Commerce Special

GENEVA — Canada, Japan and four other nations made a last minute-attempt Monday to reverse a tide of liberalization in the five-year Uruguay Round of global trade talks.

The countries object to the so-called tariffication program favored by most countries and by Arthur Dunkel, director-general of the General Agreement on Tariffs and Trade. The proposal would result in quotas and other barriers being transformed into tariffs which would be reduced over time.

GATT is the Geneva-based body that governs most world trade in goods.

In the Uruguay Round, the United States and the European Community have reached agreement that tariffication without exception should be the norm in the final outcome.

But Japan and South Korea, in particular, along with Norway, Switzerland, Israel and Canada, favor allowing some exceptions to the program.

In their brief meeting with Mr. Dunkel, who is preparing a final negotiating paper for the farm trade talks, these countries pleaded their case. However, trade sources said the final text by Mr. Dunkel will not contain any exceptions.

As a face-saving political formula for the sensitive rice lobbies in Seoul and Tokyo and farm supply management groups in Quebec, Mr. Dunkel's final text will not delete any part of Article XI of the GATT accord which allows for exceptions.

One possible compromise is for sensitive products, such as rice, to be given a grace period before full conversion from quantitative restrictions into visible tariffs take effect. But in return these nations would also need to offer more in terms of opening up their domestic markets to greater farm imports, sources said.

5592 · 2·2)   외신 1과
                    동   제

관리 번호 7-810

외 무 부

원 본

종 별 : 지 급

번 호 : ECW-1125

일 시 : 91 1217 1830

수 신 : 장관 (봉기, 경기원, 재무부, 농림수산부, 상공부)

발 신 : 주 EC 대사 사본: 주 미, 제네바-본부중계필

제 목 : GATT/UR 협상

검 토 필 (1991.12.31.) 권

최근의 표제협상 동향을 하기보고함

1. 미-EC 간 협상동향

가. 12.20 경 MADIGAN 미 농무장관이 브랏셀을 방문하여 MACSHARRY 위원과 회담을 가질 예정임. 금번 미 농무장관의 브랏셀 방문은 12.21. 개최되는 미-EC 각료회담에 참석키 위한것이나, 각료회담에 앞서 양측의 농무장관들은 농산물 보조금 감축문제를 협의할 것으로 알려짐

나. 한편 표제협상이 막바지단계에 접어들고 있는것과 때를 맞추어 12.17 BUSH 미대통령은 화란, 영국, 독일및 불란서 정상들과 전화접촉을 통하여 최고위급에서의 의견조정을 시도하고 있으며 MAJOR 영국수상은 RUBBERS 화란수상과 표제협상 관련하여 전화로 협의하는 한편, BOLGER 뉴질랜드 수상과도 접촉, 케언즈그룹을 설득하고 있는것으로 알려짐

2. 당지 언론에 의하면 12.17. TANABU 일 농림대신은 쌀에대한 관세화를 반대한다는 입장을 재천명하면서 낙농제품에 대해서도 관심을 표명함. 또한 일본 자민당내 농업위원회 의원들이 제네바로 향발한바 있다고 보도함

3. 한편, 12.23. 개최되는 EC 일반 (또는 무역) 이사회에서는 EEA 문제및 12.20 제시된 UR 협상 PAPER 에대해 논의할 것인바, 동 이사회에는 일부 회원국들의 농업각료들도 참석할 것으로 알려짐. 동 이사회결과는 추보하겠음. 끝

(대사 권동만-국장)

예고: 92.6.30 까지

예고문에 의거 재분류 199 . 6. .
직위   성명   이 .

통상국	장관	차관	1차보	2차보	외정실	분석관	정와대	안기부
경기원	재무부	농수부	상공부					

PAGE 1

91.12.18   06:19

외신 2과 통제관 CA

0046

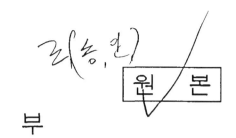

외　무　부

종　별 :

번　호 : GVW-2694　　　　　　　　　일　시 : 91 1217 2100

수　신 : 장관(봉기,경기원,상공부,재무부,농림수산부,특허청)

발　신 : 주 제네바대사

제　목 : 12.20 이후 UR 협상 진행 전망　　검 토 필 (1991.12.31.) 긴

　1. 12.20 제시될 의장문안은 괄호없는 TEXT 가 될것으로 보이며 1.13 이후 기존의 협상그룹은 사실상 해체될것으로 보이는바, 1.13 이후의 협상 전망관련, 당관이 탐문한 바를 우선 아래 보고함.

　2. DUNKEL 사무총장은 12.20 의장 문안은 괄호없는(UNBRACKETED) 문안이 되고 따라서 실질 협상은 사실상 12.20 로 종결되며, 1.13. 이후 협상은 자신이 명시적으로 언급한 분야(MARKET ACCESS 및 서비스 양허협상, MTO 문제)에 국한될 것이라는 확고한 입장을 고수하고 있음.

　가. 12.15 저녁 DUNKEL 총장 주재 협상그룹 의장단 회의에서 ANELL 의장이 TRIPS 분야의 경우 CLEAN TEXT 작성이 대단히 어렵다는 상황을 설명한데 대해, DUNKEL 총장은 여사한 사정은 농산물 분야에도 마찬가지이나, 12.20 제출될 TEXT 는 반드시 UNBRACKETED TEXT 가 되여야 할뿐 아니라 COVER NOTE 등을 첨부하는 것도 곤란하다고 하면서, 불가피한 사항이있을 경우 이를 자신에게 보고하면 자신이 이를 종합 12.20 TNC 회의에서 INTRODUCTORY STATEMENT 형식으로 일괄언급하겠다 했음.(단 이견이 있는 부분에 대해서는 "NOTATION" 을 첨부키로 했다함)

　나. DUNKEL 총장은 일부 협상그룹 의장이 1.13 이후 실질 협상 재개가 불가피할 것이라는 의견을 갖고 있음에도 불구하고(SAFEGUARD 조항 관련 스위스 포함5 개국 대사의 공동 DEMARCHE 시 MACIEL 의장이 언급한 것을 지칭한 것으로 보임) 자신의 입장에서는 92.1.13. 이후 실질 협상은 없을 것이라고 주변인사들에게 강조했다함.

　다. 12.15(월) 가진 평화그룹 대사 오찬에 참석한 대사들의 지배적인 의견은 12.20 일의 TEXT 를 1.13. 이후 재론하기 시작하면 걷잡을수 없는 혼란이 야기될 것이므로 사실상 12.20 TEXT 가 그골격에서는 그대로 유지될 것이라고 예견함.

　라. 한편 미.EC 간의 농산물 협상이 실제로 상당한 진전을 보이고 있고 내년 1.13.

통상국	장관	차관	1차보	2차보	외정실	분석관	청와대	안기부
경기원	재무부	농수부	상공부	특허청				

PAGE 1

이전까지는 돌파구가 마련될 것이라는 견해도 강함

3. 반면 당관 접촉한 일부 인사로 부터는 아직도 1.13. 이후에도 일부 분야실질협상이 불가피할 것이라는 상이한 의견도 있음.

1) MACIEL 의장은 12.16 아침 SG 의 QUOTA MODULATION 문제관련 아국 김대사를 비롯 5 개국 대사가 QM 조 삭제를 요청하기 위해 공동으로 동인을 면담한 자리에서 12.20 로 협상이 완전히 종결되는 것은 아닐것이며 1.13. 이후에도 TNC형태의 협상이 계속될 수 있다는 가능성을 언급하였음.

2) 또한 LINDEN 고문도 12.16 최혁심의관(오참사관, 이참사관 동석)과의 오찬 석상에서 12.15 저녁의 협상 그룹의장단 회의에서 던켈 총장이 확고한 입장을 표명한 것은 사실이나, 자신은 이러한 던켈총장의 강경한 의지표명은 12.20 TEXT 를 가급적이면 합의된 TEXT 인 것처럼 대.내외적으로 보이도록 하려는데 주안점이 있는 것으로 이해되며 각분야 주요 잇슈에 대한 협상이 1.13. 이후에 REOPEN 될수 밖에 없다고 본다는 사견을 피력함. 그러나 모든분야에서 주요 쟁점이 REOPEN 될수 있다는 인상을 주지 않기 위해 협상 그룹별 협상은 지양하고 DUNKEL 의장이 주재하고 필요시 각협상그룹 의장의 조력을 받는 TNC 형태의 협상이 될것임을 가정할 수 있을 것이라고 첨언함.

3) 미국대표부의 STOLLER 공사는 12.16(월) 오후 오참사관의 접촉시 92.1.13. 개최되는 TNC 에서 동 PACKAGE 를 받겠다고 밝힐수 있는 나라가 있을지 의문이라는 점을 지적하고 미국의 경우 분명히 만족스럽지 않을 것으로 보는바(특히 반덤핑, 보조금, 상계관세등 언급) 1.13. 이후 추가협상이 있어야 할것이라고 하고, 12.20 TEXT 는 결국 추후 협상의 기초가 되지 않겠느냐는 사견을 피력함.

4) 12.17 최혁 심의관이 BROADBRIDGE 사무차장과 접촉시 동 사무차장은 1.13. 이후에는 각 협상 그룹은 해체되며, TNC 형태로 협상이 진행될 것이라고 하였음.

4. 1.13. 이후 협상 진행 전망은 12.20 TNC 회의 개최이후 보다 분명해 질것으로 보임. 끝

(대사 박수길-국장)

비고 ; 92. 6. 30 까지

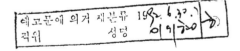

외 무 부

종   별 :

번   호 : GVW-2696   일   시 : 91 1217 2200

수   신 : 장 관(통기, 경기원, 재무부, 농수부, 상공부, 특허청)

발   신 : 주 제네바대사

제   목 : UR 협상일정

　

금 12.17(화) 저녁 현재 파악된 12.18(수) UR 협상일정은 아래와 같음.

12.18(수) 회의 일정

0 시장접근 공식. 비공식 협의

0 서비스 비공식 협의

0 제도분야 비공식 협의

- 최종의정서(MTO 포함)

- 분쟁해결

0 시장접근 복수협의

- 의약품

0 한.EC 시장접근 양자 협상. 끝

(대사 박수길-국장)

통상국   2차보   경기원   재무부   농수부   상공부   특허청

PAGE 1   91.12.18   09:34 WH

외신 1과 통제관

조?용.02.01

관리 번호	91-948

외 무 부

종   별 : 지 급

번   호 : GVW-2717   일   시 : 91 1219 0050

수   신 : 장관(통기, 경기원, 재무부, 농림수산부, 상공부, 청와대 외교안보, 경제수석)

발   신 : 주 제네바대사   사본:주 미, 일, EC 대사(본부중계필)

제   목 : UR 협상

1. 금 12.18.20:00 부터 약 1시간반 동안 DUNKEL 사무총장 주재 협상그룹의장단 그린룸 회의가 개최되어 12.20 제출될 최종협정안(PACKAGE OF DRAFT AGREMENTS) 작성문제를 협의함.

2. 동 협의시 TRIPS 협상담당 의장인 ARNELL 대사가 괄호없는 CLEAN TEXT 작성에 어려움이 있음을 지적하고, 협상안간에 차이가 없도록 통일된 형태로 작성할 것을 요청하여 DUNKEL 의장과 일부 이견대립이 있었던 것으로 탐문되고 있음.

3. 12.18 자정 현재 써비스, TRIPS, 분쟁해결등 3 개분야에서 최종절충을 위한 주요국 협상이 진행되고 있으며(아국참석중), 농산물 분야는 갓트 건물밖에서 DUNKEL 총장이 소그룹 막후협상을 벌리고 있는 것으로 파악되고 있음.

4. 금일밤 협상을 끝으로 협상그룹 의장단이 최종협정문안을 작성하여, 12.19 오전 재차 의장단 회의를 갖고 12.20 제출할 문서를 총체적으로 점검(REVIEW)한후 인쇄에 들어갈것으로 예상되고 있음.

5. 12.20(금) TNC 회의는 16:00 에 개최될 예정이나 문서는 인쇄에 소요되는 시간등으로 인해 TNC 회의시 배부되지 않고 동일 밤에나 배부될 것으로 알려져 있음. 한편 TNC 회의에서는 던켈총장 발언 이외에 협상국 대표에게는 발언권을 주지 않을 방침인 것으로 알려지고 있음. 끝

(대사 박수길-국장)

예고:91.12.31. 까지

일반문서로 재분류 (1991. 12. 31.)

통상국 안기부	장관 경기원	차관 재무부	1차보 농수부	2차보 상공부	외정실 중계	분석관	청와대	청와대

PAGE 1

US official warns on financial services threat to Gatt Round

Nancy Dunne and George Graham report.

NEARLY 100 US businessmen, 30 congressional aides, a Congressional delegation and most US trade officials are converging on Geneva in this final week of the Uruguay Round, hoping delicately-wrought compromises can beat the many obstacles to its completion.

But a US Treasury official warned that the entire round could be hit by an impending stalemate over trade in financial services. Mr Olin Wethington, assistant secretary for international affairs at the Treasury, said he was "quite pessimistic" about achieving an accord on the financial services sector, part of a broader negotiation on trade in services.

Mrs Carla Hills, US trade representative, said she might stay in Geneva on her way to the US-EC ministerial meeting on Saturday. She continued "to plan on success, not to speculate on failure."

On Friday, Mr Arthur Dunkel, Gatt director-general, is to present draft final accords in all areas under negotiation.

Mrs Hills said parts of the text might be changed but not so as to mean reopening the talks. This week is likely to be the Round's last chance. "It's very difficult to continue this process indefinitely," Mrs Hills said. It would not be lack of time which blocked agreement, but nations' inability to summon the will to surmount the "hurdles".

One of those could be financial services Mr Wethington said it was hard to coerce that Mr Dunkel's final text would "have the support of everyone because the differences are too vast. It will certainly not have our support if it does not contain major elements of our position".

The US, a top exporter of financial services, has been fighting for access to financial markets, but has met resistance from countries such as Singapore, Thailand and India. The US is a "problem" country itself, in that foreign banks cannot do many kinds of business across state boundaries.

Wanted: anti-dumping deal by the end of the week

Gatt's Dunkel must find formula on which Uruguay Round's fate may depend, writes William Dullforce

URUGUAY Round negotiations on anti-dumping have ground to a halt, leaving Mr Arthur Dunkel, director-general of the General Agreement on Tariffs and Trade (Gatt), and his aides with the task of formulating by Friday compromises on matters that have defied governments for the past five years.

The issue is particularly delicate because of its importance for Japan and also because it ranges a broad alliance of industrialised and developing countries against the US and the European Community.

The interests of Japan, the world's third biggest economy, have hitherto been overshadowed by the torrid dispute over farm subsidies between the EC and the US which still jeopardises the completion of the trade talks.

Resolution of the EC-US dispute will open the way for an agreement on agriculture that will be extremely painful for Tokyo because it will certainly stipulate that the Japanese rice market be opened to imports. The Japanese government needs to be able to put some solid benefits from the Round on the domestic political scale, in order to temper the expected backlash over rice.

One of Japan's principal negotiating objectives has been to secure clearer rules for grounds and with the fairly obvious intention of protecting domestic producers.

In Europe action against imports of consumer electronics, such as typewriters and video recorders, has been in the limelight but, worldwide, governments have been aiming at an ever wider range of targets, including European and South American steel, Asian sweaters, Venezuelan and Mexican cement and Norwegian salmon. At the end of June 209 anti-dumping measures were in effect in the US, 143 in the EC and 71 in Canada, according to notifications to the Gatt secretariat.

Moreover, governments' appetite for anti-dumping is growing fast. Developing countries are passing their own laws. Last month even Japan announced that it was launching its first ever anti-dumping probe into imports of ferro-silico-manganese from China, Norway and South Africa.

The situation has became grotesque in the context of a Gatt system intended to promote international trade. It was generally accepted five years ago that the anti-dumping code needed to be tightened up and that controversial national laws against dumping should be changed to comply with a credible international set of rules.

international trade that would be less open to abuse. Gatt's anti-dumping code, under which importing countries penalise exporters who dump goods on their markets, is one facet prone to misuse.

The code allows governments to slap extra duties on the products of foreign companies sold on their markets at prices lower than those at which they are sold at home at prices which are lower than the cost of producing the goods.

Dumping, it is agreed, represents unfair competition but the 1960s saw a surge in the use of anti-dumping legislation, notably by the EC and the US, frequently on questionable

which, if an exporter persisted with low prices into a second or third year, dumping might be considered to have occurred and anti-dumping duties could be charged retro-actively.

The big importers want rules against three forms of circumvention: the assembly of imported plants in the importing country, assembly in a third country and "country hopping" in which a globally operating company accused of dumping starts to supply an import market from a factory in a third country.

NEW ANTI-DUMPING CASES INITIATED BY MAJOR GATT TRADING PARTNERS						
	Australia	US	Canada	EC	Mexico	Total*
1980	8	21	25	16	0	72
1981	20	13	24	34	0	84
1982	79	58	79	33	0	249
1983	50	49	26	30	0	158
1984	53	37	27	39	0	158
1985	81	76	37	32	0	208
1986	82	64	18	12	0	157
1987	21	15	32	32	17	123
1988	18	39	15	29	10	124
1989	21	23	13	14	3	85
Total	421	395	294	271	30	1456

*Total includes cases from other countries **first half only. Source: GATT/STC

According to the Japanese, the Americans have hardened their stance in the last few weeks by claiming that anti-dumping duties on assembled products can be automatically applied to imports of components from third countries that go into the product. Charges leveled against, say, a Toshiba computer would also be slapped on components of the computer supplied by firms in Korea or Malaysia without separate investigations being conducted to prove dumping.

Feelings are running high on anti-dumping and the Japanese have strong support. Thirty countries last month singled out revision of anti-dumping rules as one of the areas in which the fate of the Uruguay Round would be decided.

Washington and Brussels said they would agree to revision of the code in return for inclusion of provisions that would allow them to take action against exporters who circumvent legitimate anti-dumping charges by assembling products from imported components in the importing country or by assembling in a third country.

Japan and, with even greater vehemence, other Asian exporters such as Hong Kong and Singapore have said they could agree to reasonable rules against circumvention once they see firm discipline applied to anti-dumping action. Neither side feels that its conditions have been met.

Tentative understandings have been reached on techniques that would force governments to be more stringent in the criteria they apply to determine whether an exporter is dumping and whether domestic producers are suffering injury. Procedures could be simplified and quickened, diminishing harassment of traders. But a draft working paper from Mr Dunkel at the end of November still listed a dozen open issues.

Some issues appear to be completely blocked. Japan insists that it is common and legitimate business practice for companies investing in new products to sell them at prices below costs in an initial marketing phase. The US has refused a compromise under

주 E C 대 표 부

호 : ECW(F) - 0195
신 : 장 관 (통기, 통상) 경기원, 상공부, 농수산부   시 : 1219 1800
발신 : 주 EC 대사
제목 : UR협상

Paris quick to oppose Gatt conclusions

By William Dullforce in Geneva

FRANCE yesterday condemned the results of the Uruguay Round trade talks before they had been published. Prime Minister Edith Cresson told a cabinet meeting that France would oppose a "text" put forward by Mr Arthur Dunkel, director general of the General Agreement on Tariffs and Trade (Gatt).

The text supported American views "without any regard for European interests, whether in agriculture or other fields", Mrs Cresson said, according to Mr Jack Lang, the government spokesman.

In Geneva, the Gatt secretariat issued a "clarification", pointing out that no draft text of the final act of the Round existed.

The text would be made available tomorrow.

France's premature rejection came as US Agriculture Secretary Edward Madigan and EC Farm Commissioner Ray Mac-Sharry met in Brussels for a last-minute effort to bridge EC-US differences over farm subsidies.

Both EC and US officials reported that their opening discussion had gone badly but that the ministers were continuing to talk. It was now evident that hope of completing the Round rested with Mr Dunkel, one official said. Tomorrow the Gatt chief will table a take-it-or-leave-it agreement on agriculture together with accords on all the other subjects under negotiation.

A deal on reductions in farm subsidies is needed to prevent the failure of the Round. French ministers have publicly objected to the concessions that Mr MacSharry has been proposing during the past five weeks when EC and US farm negotiators have been seeking compromises but it had been hoped that the French would refrain from rejecting the overall outcome of the Round until it could be assessed by EC trade and foreign ministers in Brussels on Monday.

Paris's declaration was a stab in the back of EC negotiators who have been trying to find compromises in tense final discussions, one trade diplomat said. But, he added, the declaration could have been deliberate.

At any rate it foreshadows a heated internal EC debate over the weekend.

At the French cabinet meeting other ministers as well as Mrs Cresson voiced strong opposition to the expected results of the trade talks, according to Mr Lang.

Mr Lang said France disagreed with agreements seen in areas other than agriculture such as intellectual property and audio-visual rights. Faced with these proposals "we can only reply with a single word: No," he added.

95-(1|2)

0052

EC stance discriminates among developing nations

By William Dullforce

THE European Community said yesterday that, in implementing the results of the Uruguay Round trade talks, it would no longer recognise Hong Kong, Singapore and South Korea as developing countries.

Brussels' move against these Newly-Industrialised Countries (NICs) came amid last-minute activity by delegations to influence the terms of the draft agreements that Mr Arthur Dunkel, director general of the General Agreement on Tariffs and Trade (Gatt), will table on Friday.

Earlier, a group of 20 Latin American, Asian, African and European countries had aroused the ire of EC negotiators by demanding that a proposal on "quota modulation" be deleted from the text of an agreement on safeguards – the restrictions on imports which governments can impose when domestic producers are hit by a surge of imports.

The EC has been trying to maintain the right to apply restrictions selectively against offending traders instead of imposing them on all exporters without discrimination as required by Gatt rules. "Quota modulation" is a euphemism for a provision in the new safeguards agreement that would allow governments to treat some suppliers more generously than others.

Exporting countries say this provision would allow the EC to cut the import quotas of selected suppliers by up to 30 per cent during the 10-year period envisaged in a Uruguay Round agreement for phasing out the Multi-Fibre Arrangement which governs trade in textiles and clothing.

Hong Kong, Singapore and South Korea signed the note calling for the deletion of the "quota modulation" clause. Other signatories were Japan and Switzerland.

EC officials said the EC Commission could not give up entirely the ability to take selective safeguard action on which its industrialists were insisting at the same time as it faced a confrontation with Community farmers because of the concessions it would have to make on agriculture.

However, after excluding the three NICs, the EC would be able to take greater care of developing countries' interests when applying safeguard, anti-dumping or countervailing measures against heavily subsidised imports.

(FT-19/12)

195-
(2/2)

Japan, Fearing Rice Imports Pushes to Keep Trade Quotas

By Christopher J. Chipello
Staff Reporter

TOKYO — Though the U.S. and European Community fight over farm trade is dominating the final push for a world trade agreement, Japan and other nations are also scrambling to influence the shape of the long-awaited accord.

Still, it appears increasingly likely Prime Minister Kiichi Miyazawa will find himself in a tight political corner on the sensitive issue of rice imports just as U.S. President George Bush arrives in town next month.

As negotiators from across the world try to hammer out a draft world trade agreement under the General Agreement on Tariffs and Trade this week, Japan has joined an unlikely coalition of a half-dozen countries arguing for exceptions to a proposed rule under which all trade barriers would be converted to tariffs.

Arguing for Quotas

The so-called tariffication plan, first proposed by the U.S. and now accepted by most of the more than 100 countries in the far-reaching trade talks, would eliminate import quotas and other non-tariff protectionist measures. But Canada, Israel, Japan, Norway, South Korea and Switzerland are urging that quotas continue to be permitted for farm goods that are subject to domestic production controls, according to Japanese officials familiar with the talks.

Officials here say the six nations on Monday submitted a paper to Arthur Dunkel, GATT's director-general, laying out their position. In addition, Japan and South Korea continue to argue that nations should have the right to protect producers of basic foodstuffs on "food security" grounds.

Because it goes to the heart of many nations' rural traditions, farm trade has been the most bitterly contentious of the many issues under discussion in the current round of GATT talks, which began in 1986 in Uruguay. While the U.S. and other farm exporters have argued for much freer farm trade, the EC has been unwilling to reduce greatly the high subsidies it pays to protect European farmers.

For Japan, the negotiations have come down to one sticky issue: rice. It is the country's staple grain and the mainstay of its politically powerful 4.2 million farm households. Although this land-starved nation is the world's biggest net importer of food, rice is the one important product in which it has managed to remain self-sufficient - by supporting a price that is several times the world level.

Price Differences

Under the tariffication proposal, Japan probably would be allowed to replace its virtual ban on rice imports with a tariff of several hundred percent — high enough to eliminate the price difference between the rice grown on Japan's tiny farms and

potential imports from such nations Thailand and the U.S.

Japan continues to adhere to its official position against permitting rice impo But it is widely expected that the government will at least have to agree "minimum access" for imports — anotl basic rule in the new round that is likely mean allowing imports to take at least 3% Japan's 10-million-ton annual rice mark (Japan currently imports a few thousand tons of rice a year for processed foo through loopholes in its rice policy.)

The question is whether Mr. Miyaza will go beyond minimum access and t the politically much more difficult move accepting tariffication. Newspaper pub opinion surveys indicate a growing majo of Japanese are ready to accept limited r imports, but not tariffication.

Mr. Dunkel of GATT has said he produce a final draft agreement on fa trade by Friday if the negotiators fail t so. Either way, the negotiators will take draft document back to their governme and reconvene in mid-January for wha hoped will be a final few weeks of talk work out product-by-product details.

Domestic and U.S. Pressure

Mr. Bush's visit to Japan Jan. 7-10 heighten pressure on Tokyo to clarify stance before the talks reconvene. And Miyazawa already is under heavy press at home:

On the one hand, most opposition par and rural Diet representatives from wi his own Liberal Democratic Party fierc oppose tariffication. Some LDP officials Mr. Miyazawa would be unable to legislation necessary for implemen tariffication through the Diet, meaning any government pledge on tariffica would prove hollow and could lead to Miyazawa's downfall.

On the other hand, some of Mr. M zawa's rivals within the LDP — not elderly power broker Shin Kanemaru his protege, Ichiro Ozawa — have rece criticized the government for continuin sit on the sidelines while the U.S. Europe hammer out the rules for f trade. It would be far better, they sugg for Japan to accept the inevitability tariffication and argue for favorable t ment of rice within that framework. example, Japan might bargain for a gradual reduction of tariffs on rice and special provisions allowing tempo quantitative restrictions if imports faster than expected.

Some recent newspaper editorials advocated that Japan accept tariffica But farm lobbyists fear that once tariff in place, Japan would come under reler pressure to reduce its tariffs on rice, le to a flood of imports and an end to production in many parts of the cou

Mark M. Nelson in Brussels co uted to this article. (WSJ-18)

0052

AL TIMES – Tuesday 17 December 1991

Dunkel to offer compromise in US-EC farm row

By William Dullforce in Geneva

WITH the EC and US still unable to resolve their differences over farm subsidies, it appeared increasingly likely yesterday that it would be left to Mr Arthur Dunkel, director-general of the General Agreement on Tariffs and Trade, to propose compromises. Mr Dunkel has said he will table final draft agreements on all areas in the Uruguay Round trade talks on Friday.

President Bush exchanged letters on the farm issue with Dutch Prime Minister Ruud Lubbers, the current EC president, last week. EC officials said the two leaders were intent on finding an understanding to open the way for completing the Uruguay Round trade talks.

But, despite intensive talks here over the weekend among the eight principal farm-exporting blocs, EC and US officials said there had been no convergence of positions on the central question of how to cut export subsidies and on the limits the US wants to set on the amounts of EC subsidised exports on world markets.

A basic problem remains how far export subsidy cuts should be tied to budget outlays or to volumes of products exported. Mr Ray MacSharry, EC farm commissioner, has proposed two-thirds of the cuts be related to volumes and one-third to outlays, according to EC officials. But when the 35 per cent reduction over five or six years and the base period from which the calculations would be made are put into the equation, the resulting cuts would not come down to the ceilings the Americans want to reach. In wheat, the differences range between 10m-11m tonnes a year and 13m-15m tonnes.

In addition, Mr Louis Mermaz, French farm minister, has sharply criticised Mr Mac-Sharry for going beyond his mandate with his latest proposals, and warned that France would call for a joint meeting of EC trade and farm ministers immediately after the text of the farm accord was published.

The active engagement of other countries in the farm talks is also complicating the situation. Canada yesterday objected to the conversion of all import barriers into customs duties called for by the US and envisaged in the draft text on farm reform tabled by Mr Dunkel last week.

This "comprehensive tariffication" would effectively make it impossible for Canada to maintain its present agricultural supply management programmes. Japan, Korea, Norway, Switzerland and Israel supported the Canadian call for "carefully circumscribed exceptions". The US, the EC and the 13 other members of the Cairns Group of farm-exporting countries, to which Canada belongs, have all agreed to full tariffication.

Effectively, only two days remain for countries to strike deals on the diversity of agreements that have been under negotiation for the past five years. On Thursday, Mr Dunkel and the chairmen of the negotiating groups start writing their own final texts for submission to delegations on Friday. The EC Commission has asked the trade ministers of the 12 member states to meet in Brussels on Monday to assess the package.

외　무　부

종　별 :

번　호 : FRW-2732　　　　　　　　　　　일　시 : 91 1219 1630

수　신 : 장관(봉기,봉삼)

발　신 : 주 불 대사

제　목 : UR 협상

연: FRW-2514

1. CRESSON 불 수상은 12.18 DUNKEL GATT 사무총장이 준비한 TEXT 내용이 미국입장을 변호한 반면 EC 의 이해가 농산물분야뿐 아니라 항공, 지적소유권, AUDIOVISUAL 및 분쟁해결 절차등 제분야에서 제대로 반영되지 않았으므로 이를 협상 기본자료로 하는데 반대하는 의사를 강력히 표명함.

2. 이에 관련, MERMAZ 농무장관은 DUNKEL 안이 EC 의 농산물 수출 감축입장에 대한 미국의 반대급부가 없는데다 EC 시장을 미국에 완전 개방된 자유무역 지대화하는 계기가될 것임을 경고하고 기존 MACSHARRY EC 농무 집행위원의 타협안 (90 년도 20 백만톤 수출을 5-6 년후 15-16 백만톤 수준으로 축소) 도 수용할수없다고 비난하였으며, DUMAS 외무장관도 UR 의 타결을 위해 자국 농업이익을 희생시킬수 없다고 주장함.

3. DUNKEL TEXT 가 대외적으로 공표되기도 전에 (12.20 회원국 배포 예정) 불정부가 강력한 반대입장을 표명한 것은

　가. 미-EC 간 양자협상이 자체노력으로 합의에 이를 전망이 점차 희박해짐에 따라 DUNKEL 총장 이니시어티브에 의한 UR 타결 기대감이 고조되고 있는 반면, 불란서로서는 선의의 중재자로서 DUNKEL 총장에 대한 신임이 크지 않으며

　나. 최근 수일간 BUSH 미 대통령이 UR 조기타개론자인 영국, 화란 수상은 물론 독일수상과의 빈번한 전화접촉을 통해 정책적 타결을 시도하고 있으므로, 불란서는 자국입장이 고립되는 것을 방지하면서 이들 주요 EC 국가가 자국을 우회하여 미국과 타협할 가능성을 사전에 견제하기 위한 시도로 판단됨.

　다. 또한 상기 1 항 CRESSON 수상의 발언은 MACSHARRY EC 농무집행위원과 MADIGAN 미 농무장관간 농산물 협상 개최 당일에 행해졌으며, 특히 12.23(월) DUNKEL TEXT 를

통상국 분석관	장관 정와대	차관 안기부	1차보	2차보	구주국	경제국	통상국	외정실

PAGE 1　　　　　　　　　　　　　　　　　　91.12.20　04:45

　　　　　　　　　　　　　　　　　　　　외신 2과　통제관 FI

0055

협의할 EC 외무, 통상장관 회담과 EC-미국간 하반기 정례회담을 앞둔 시점에서 이루어졌다는 점에서 사전 충분히 계산된 전략으로 해석됨.

　라. 이는 불란서가 대외적으로 강경자세를 견지함으로써 조기타결에 반대하는 국내 압력 단체 (특히 농민) 을 회유하면서 불란서의 동의없는 EC 집행위의 독자적 교섭 행보를 견제하는 한편, UR 협상이 92 년 이후 계속되어도 자국에 크게 불리할것이 없다는 계산과 추후 부득이하게 불란서가 양보한다 하여도 이를 댓가로 EC 내 여타 불란서 관심분야 (특히 EC 산업정책) 에서 이에 상응하는 보상을 확보코자 하는 이중전략으로 분석됨. 끝.

　　(대사 노영찬-국장)

　　예고:92.12.31. 까지

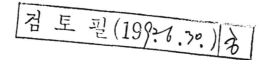

검 토 필 (199?.6.30.) 층

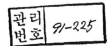

대통령 위원회 설치에 관한 검토 의견

주무관실
12/20
위원회 설치
idea에 대해
비현실적
좀더 검토
요

1. 대통령 위원회 설치 검토의 전제 조건

○ 12.20 제시될 UR 농산물 협상의 협정 초안에 모든 농산물의 예외없는 관세화가 포함되고, 92.1.13 TNC 또는 이후 협의 과정에서 여사한 내용의 협정 초안이 확정되는 상황을 가정

2. 대통령 위원회 설치의 장점

가. 대외적 측면

○ 1.13 TNC에서 예외없는 관세화가 포함된 협정 초안에 대한 거부 혹은 수락 여부 입장을 밝혀야만 하는 경우 대통령 위원회의 심의·결정 과정을 이유로 아국의 입장 표명 유보 가능

- 일단, 아국 입장은 유보함으로써 협정 초안에 대한 여타국의 입장 및 협상 참가국의 대세 파악 가능

○ 92.1 한·미 정상회담시 미측이 동 협정 초안 수락을 종용하는 경우, 아국 행정부로서는 동 결과 수용을 위해 최선의 노력을 다하고자 하지만 대통령 위원회 심의 결과에 따를 수 밖에 없다는 상황 설명으로 대처 가능

검 토 필 (1991. 12. 31.) 김

검 토 필 (1992. 6. 30) 김

1

나. 대내적 측면

o 쌀시장 개방이 불가피한 경우 대통령 위원회의 심의 과정을 거친 이후
  협정 초안을 수락 함으로서 쌀시장 개방 결정에 수반되는 부담을
  경감시키는 효과 기대

o 예외없는 관세화가 협정 초안에 포함되어 있더라도 대통령 위원회의
  심의 과정을 통해 동 협정 초안을 수락할 수 밖에 없는 불가피한 사정에
  대한 국민적 이해 증진 가능시

o 대통령 위원회 설치 및 심의 기간의 조정으로 쌀시장 개방 문제가
  선거 과정에서 국내정치 쟁점화하여 아국 정부가 UR 협상 결과를
  반대할 수 밖에 없는 국내적 상황에 도달할 가능성에 대해 사전에
  대비하는 효과 기대

3. 대통령 위원회 설치의 문제점

가. 시점 선택의 문제

o 한.미 정상회담 및 1.13 TNC에서 아국이 국내절차(대통령 위원회 심의)를
  이유로 입장 표명을 유보하려면 대통령 위원회는 늦어도 금년내에
  설치되어야 할 것이나, 동 설치 필요의 전제 조건인 예외없는 관세화가
  포함된 협정 초안에 대한 UR 협상 참가국의 consensus 달성 여부는
  연내에 예측키 어려울 것으로 예상됨

o 따라서 한.미 정상회담 및 1.13 TNC에 대비하기 위해서 아직 불확실한
  예외없는 관세화의 불가피한 수락을 전제로한 대통령 위원회를 연내에
  설치하기는 곤란

2

0058

나. 법적 성격의 문제

○ 대내외적으로 UR 협상 결과의 수락 여부를 대통령 위원회의 심의 결과에 따른다고 발표하기 위해서는 동 위원회가 단순한 자문기관이 아닌 결정 기관이 되어야 함.

○ 이러한 정채 심의.결정기관의 설치는 대통령 및 행정부의 권한은 물론 국회의 동의.비준권과 상충되는바, 각 헌법기관과의 권한 상충 문제가 발생함.

○ 또한 단순한 자문기구가 아닌 정책 심의 결정 기구로서의 대통령 위원회를 설치는 최소한 법률 개정으로 가능할 것인바, 국회의 관계법 개정 과정에서 동 위원회 설치의 목적이 정치 쟁점화할 가능성도 있음.

다. 실제 효과면에서의 문제

○ 대외적으로 UR 협상 결과의 수용 여부를 국내절차를 이유로 하여 유보하고자 하는 것이 협상 상대국들에 의해 받아들여질 가능성은 희박함.
   - 특히 입장 표명 지연의 이유가 신설한 대통령 위원회에서의 심의 결과를 기다리기 위한 것인 경우 납득시키기 곤란

○ 대내적인 효과도 기대키 곤란함.
   - UR 협상 결과에 대한 찬반 여부 및 정부의 대응책에 대한 비판등을 사전에 여론의 쟁점으로 만들거나 그 강도를 증폭시키는 결과가 될 가능성 상존
   - 쌀 시장 개방 여부를 대통령 위원회의 심의 결정에 따른다고 발표하더라도 쌀 시장 개방을 반대하는 측에서는 정부의 진의가 궁극적으로는 UR 협상 결과의 수용(쌀시장 개방)에 있다고 판단할 것이므로 대통령 위원회 설치를 통하여 정부가 UR 협상 결과의 수용 시기를 조정 함으로써 쌀 시장 개방 문제를 국내 정치(선거)의 쟁점이 되지 않도록 하는 효과는 기대키 곤란

3

0059

- 대통령 위원회의 심의를 통해 여론이나 각계의 의견이 UR 협상
  결과의 수용으로 수렴된다 하더라도 농민등 이해관계가 있는
  집단은 끝까지 이에 반대할 것이므로 동 위원회의 심의를 통한
  전체 국민 여론의 수렴은 기대키 곤란.   끝.

예고 : 92.12.31 일반

0060

< 금번 協商文書의 性格 >

- 이번 TNC會議에서 제출된 協商文書는

  ① 모든 協商參加國들의 합의아래 작성된 것이 아니라 각
     협상그룹의장들의 독자적판단과 책임아래 작성되었으며

  ② 이에따라 細部爭點에 있어 각국의 불만이 완전히 해소
     되지 않은 상황에 있고

  ③ 특히 農産物分野에서 美國·EC間의 합의없이 協商文書가
     제시되었기 때문에 내년 1.13일 TNC이후에도 협상의
     기회가 열려 있을 것으로 보는 것이 제네바 현지의 일반적
     견해임.

- 다만, 이번에 提示된 協商文書가

  ① 지난해 브랏셀 閣僚會議以後 지난 1년간에 걸친 협상노력
     을 결산하는 綜合 Package로서 형식상으로나마 괄호가
     없는 文書로 제시되었고

  ② 時期面에서도 UR協商의 成敗를 가름하는 마지막단계에서
     제시되었으며

  ③ 앞으로 美國과 EC가 극적으로 타협하여 협상의 돌파구가
     마련될 경우 同 文書가 協商協定文으로 급속히 발전되어
     매우 빠른 協商終結의 수순을 밟게 될 가능성도 배제할
     수 없음.

- 따라서 앞으로 있게될 同 協商文書에 대한 各國의 評價와
  對應에 따라 많은 변수가 있을 것이나 앞으로도 어느정도는
  협상의 여지가 계속 열려 있으며 異論이 상대적으로 적거나
  대세가 결정된 분야는 제시된 協商文書에 기본적으로 따르되
  앞으로도 政治的 決斷이 필요한 主要未決爭點은 1월이후 협상
  에서 다루어 질수 있을 것으로 보는 것이 현시점에서의
  일반적 견해임.

1

0061

< 政府의 對應 >

- 政府로서는 7개 협상그룹별 협상문서가 입수되는 대로 細部
  事項에 대하여 우리가 그동안 관심을 표명해 온 쟁점의
  反映與否를 최종적으로 면밀하게 綜合·分析하는 한편 協商
  文書에 대한 各國의 評價와 反應을 예의주시하면서 박바지
  단계 協商對應方案을 마련 추진해 나갈 것임.

- 현시점에서 파악되고 있는 각 협상그룹별 협상문서의 내용과
  평가는 다음과 같음.

  * 다음사항은 例示된 것으로 제네바 現地에서 판단하여 작성
    요망

農産物分野

○ 현재 우리의 最大關心事項인 農産物分野에서 包括的
  關稅化原則이 農産物 協商文書에 반영되어 있기 때문에
  정부가 그동안 우리입장관철을 위하여 취한 노력을 바탕
  으로 앞으로도 共同利害關係國과 함께 보다 적극적으로
  對應해 나갈 방침임.

  * 農産物協商에서 우리가 公式的으로 立場을 提示한 事項

    · 政府는 12월 16일 카나다, 日本, 스위스, 노르웨이,
      이스라엘동 5개국과 함께 生産統制가 이루어지고 있는
      輸入制限品目에 대해서는 관세화에 있어서 例外를
      認定하자는 方案을 공동으로 제안중(GATT 11조 2(c)항
      관련)

    · 12월 17일에는 韓國 단독으로 극히 민감한 농산물에
      대해서 關稅化에 있어 例外를 認定하자는 방안제출

纖 維

○ 品目範圍, 쿼타증가율등에서 輸出國과 輸入國의 異見이
  해소되지 않고 있는 가운데 職長責任下의 協商文書가
  제시

○ 우리의 관심사항인 1% 最小增加率은(   )

2

規範制定 및 投資

○ 反덤핑分野에서는 輸出國과 輸入國이 현격한 입장차이를 보이고 있는 가운데 의장 Text 제출

＊ 아국을 비롯한 10개국은 12.17 공동제안

○ 補助金 및 相計關稅分野는 소득수준별로 개도국분야를 분류하는 것은 不合理하다는 우리의 제안이 받아들여진 초안 제시

○ 세이프가드分野에서 Quota Modulation問題는(   )로 반영

○ 貿易關聯 投資措置는(   )

制度分野

○ 一方措置抑制 및 紛爭解決節次의 自動化는 (   ) 반영

○ 統合紛爭解決節次 및 交叉報復 許容問題는 선진국들의 합의에 따라 의장초안에 포함

○ MTO問題는 1.13이후 구체적으로 협의하는 방향으로 반영

知的財産權

○ 侵害IC를 선의로 구매한 業者保護 우리의 주장이 다음과 같이 반영(   )

○ 貸與·許可禁止權 및 報償請求權은 선택적으로 규정 (具體內容)

서 비 스

○ Framework 및 人力移動附屬書는 합의형태로 제출

○ MFN逸脫問題는 讓許協商과 병행하여 계속 논의되는 것으로 결론

○ 政府調達 包含問題는 UR이후 협상에서 논의

3

0063

발 신 전 보

번   호 : WGV-1864   911220 1028   WG   종별 : 지급

수   신 : 주   제네바   대사. 총영사/

발   신 : 장   관   (통 기)

제   목 : UR 협상

　　　　12.20 TNC 에서 제시될 UR 협상 최종 협정 초안과 관련하여 본부에서 작성한

보도자료(안)을 별첨(FAX) 송부하니 이를 검토, 동 검토의견을 서울시각 12.20(금)

~~동 자료시 별첨 내용에 구애받지 말고 귀관 판단에 따라 필요시 수정 바라며~~

19:00 까지 보고 바람. ~~별첨~~ 보도자료(안) 내용중 괄호로 되어있는 부분은 ~~최종협정~~ 귀관에서

~~초안이 배부된 후 확인~~ 보충 작성 바람.

　　　　첨   부 :(FAX) 상기자료 3매.　　끝.　　　(통상국장 김 용 규)

보 안 통 제	M

앙 고 재	91년 12월 20일	통 기 과	기안자 성명	과 장	심의관	국 장	차 관	장 관		외신과통제
			조현	M	출장중	전결		YL		

0064

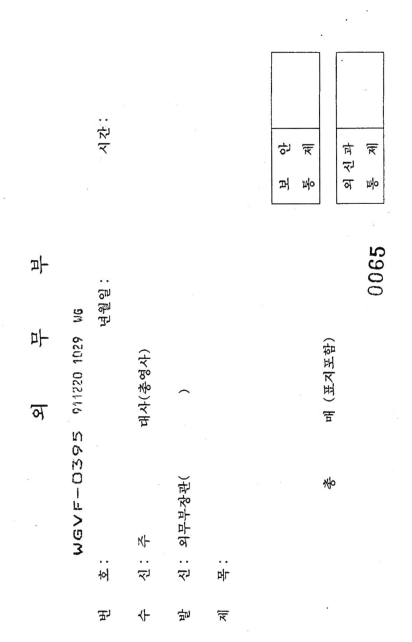

외 무 부

번   호 : WGVF-0395 911220 1029 WG
수   신 : 주 대사(총영사)
발   신 : 외무부장관(   )
제   목 :

년월일 :

시간 :

총   매 (표지포함)

0065

보통	
지급	

외신과 통제	

< 금번 協商文書의 性格 >

- 이번 TNC會議에서 제출된 協商文書는

  ① 모든 協商參加國들의 합의아래 작성된 것이 아니라 각
     협상그룹의장들의 독자적판단과 책임아래 작성되었으며

  ② 이에따라 細部爭點에 있어 각국의 불만이 완전히 해소
     되지 않은 상황에 있고

  ③ 특히 農産物分野에서 美國·EC間의 합의없이 協商文書가
     제시되었기 때문에 내년 1.13일 TNC이후에도 협상의
     기회가 열려 있을 것으로 보는 것이 제네바 현지의 일반적
     견해임.

- 다만, 이번에 提示된 協商文書가

  ① 지난해 브랏셀 閣僚會議以後 지난 1년간에 걸친 협상노력
     을 결산하는 綜合 Package로서 형식상으로나마 괄호가
     없는 文書로 제시되었고

  ② 時期面에서도 UR協商의 成敗를 가름하는 마지막단계에서
     제시되었으며

  ③ 앞으로 美國과 EC가 극적으로 타협하여 협상의 돌파구가
     마련될 경우 同 文書가 協商協定文으로 급속히 발전되어
     매우 빠른 協商終結의 수순을 밟게 될 가능성도 배제할
     수 없음.

- 따라서 앞으로 있게될 同 協商文書에 대한 各國의 評價와
  對應에 따라 많은 변수가 있을 것이나 앞으로도 어느정도는
  협상의 여지가 계속 열려 있으며 異論이 상대적으로 적거나
  대세가 결정된 분야는 제시된 協商文書에 기본적으로 따르되
  앞으로도 政治的 決斷이 필요한 主要未決爭點은 1월이후 협상
  에서 다루어 질수 있을 것으로 보는 것이 현시점에서의
  일반적 견해임.

0066

/

< 政府의 對應 >

- 政府로서는 7개 협상그룹별 협상문서가 입수되는 대로 細部
  事項에 대하여 우리가 그동안 관심을 표명해 온 쟁점의
  反映與否를 최종적으로 면밀하게 綜合·分析하는 한편 協商
  文書에 대한 各國의 評價와 反應을 예의주시하면서 막바지
  단계 協商對應方案을 마련 추진해 나갈 것임.

- 현시점에서 파악되고 있는 각 협상그룹별 협상문서의 내용과
  평가는 다음과 같음.

  * 다음사항은 例示된 것으로 제네바 現地에서 판단하여 작성
    요망

[農産物分野]

  o 현재 우리의 最大關心事項인 農産物分野에서 包括的
    關稅化原則이 農産物 協商文書에 반영되어 있기 때문에
    정부가 그동안 우리입장관철을 위하여 취한 노력을 바탕
    으로 앞으로도 共同利害關係國과 함께 보다 적극적으로
    對應해 나갈 방침임.

  * 農産物協商에서 우리가 公式的으로 立場을 提示한 事項

    · 政府는 12월 16일 카나다, 日本, 스위스, 노르웨이,
      이스라엘등 5개국과 함께 生産統制가 이루어지고 있는
      輸入制限品目에 대해서는 관세화에 있어서 例外를
      認定하자는 方案을 공동으로 제안중(GATT 11조 2(c)항
      관련)

    · 12월 17일에는 韓國 단독으로 극히 민감한 농산물에
      대해서 關稅化에 있어 例外를 認定하자는 방안제출

[纖 維]

  o 品目範圍, 쿼타증가율등에서 輸出國과 輸入國의 異見이
    해소되지 않고 있는 가운데 議長責任下의 協商文書가
    제시

  o 우리의 관심사항인 1% 最小增加率은(   )

0067

規範制定 및 投資

○ 反덤핑分野에서는 輸出國과 輸入國이 현격한 입장차이를 보이고 있는 가운데 의장 Text 제출

* 아국을 비롯한 10개국은 12.17 공동제안

○ 補助金 및 相計關稅分野는 소득수준별로 개도국분야를 분류하는 것은 不合理하다는 우리의 제안이 받아들여진 초안 제시

○ 세이프가드分野에서 Quota Modulation問題는(   )로 반영

○ 貿易關聯 投資措置는(   )

制度分野

○ 一方措置抑制 및 紛爭解決節次의 自動化는 (   ) 반영

○ 統合紛爭解決節次 및 交叉報復 許容問題는 선진국들의 합의에 따라 의장초안에 포함

○ MTO問題는 1.13이후 구체적으로 협의하는 방향으로 반영

知的財産權

○ 侵害IC를 선의로 구매한 業者保護 우리의 주장이 다음과 같이 반영(   )

○ 貸與·許可禁止權 및 報償請求權은 선택적으로 규정 (具體內容)

서 비 스

○ Framework 및 人力移動附屬書는 합의형태로 제출

○ MFN逸脫問題는 讓許協商과 병행하여 계속 논의되는 것으로 결론

○ 政府調達 包含問題는 UR이후 협상에서 논의

0068

3

발 신 전 보

WUS-5781   911220 1314 DU

번 호 :		종별 : 지급

		WJA -5714	WEC -0837
수 신 : 주 수신처 참조 대사. 총영사		WCN -1478	WGE -1983
발 신 : 장 관 (통 기)		WFR -2660	WAU -0967
		WGV -1867	

제 목 : UR 협상

검 토 필(1991.12.31.) 김

12.20(금) UR/TNC 회의에서 제출될 던켈 총장의 최종협정 초안과 관련,
귀주재국 정부의 입장에 관한 아래사항을 파악, 신속히 수시 보고바람.

ㅇ 최종협정 초안에 대한 예상 반응 (사전접촉, 탐문이 가능한 경우, 보고바람)

ㅇ 최종협정 초안에 대한 종합적 평가 (가능하면 전체 Package 수용여부 포함)

ㅇ 각 협상 분야별 세부 쟁점에 대한 입장 (특히 기존 입장을 변경하여 최종협정 초안
  내용을 수용하는 경우 동 입장 변경 사항 포함). 끝. (통상국장 김 용 규)

수신처 : 주 미국, 일본, EC, 카나다, 독일, 불란서, 호주 대사 (사본 : 주 제네바 대사)

예고문에 의거 분류 1992.6.30.
지위   성명 이시형

		보 안 통 제	

앙 고 재	91 년 12 월 20 일	통 기 과	기안자 성 명 조 현		과 장	심의관 홍강훈	국 장 전결		차 관	장 관		외신과통제

0069

12.20 UR 최종 협정 문안에 대한 평가

1. 총괄적 평가

   o 12.20 제시된 UR 협상의 최종의정서안(draft final act)과 이에 첨부된
   각 협상 분야별 협정 문안은 그간 UR 협상의 조기 타결을 위해 각국 협상
   대표들과 던켈 갓트 사무총장을 포함한 각 협상그룹 의장이 헌신적 노력의
   결과로서 평가함.

   o 금번 제시된 협정 문안은 표면상 괄호가 없는 합의 문안(consensus text)의
   형태로 되어 있으나, 일부 쟁점은 협상 참가국간 합의가 없거나 충분히
   협의되지 않았는바, 이러한 미합의 쟁점들이 UR 협상 전체에 영향을 미칠수
   있는 핵심 쟁점이라는 점에서, 91.1.13. 개최되는 무역협상위원회(TNC)
   이후에도 협상이 계속될 것으로 봄.

   o 우리나라로서는 UR 협상을 조기에 성공적으로 타결하여 다자국계무역체제를
   공고히 하는 것이 시급한 과제라는 점을 감안할때, 12.20. 협정 문안이 협상
   참가국간의 완전한 합의의 결과가 아니라는 점에 유의함.

0070

2. 우리의 대응

o 우리 정부로서는 그간의 협상 과정에 적극 참여하여 UR 협상의 성공적 타결을 위하여 우리의 능력이 허용하는 최대한의 양보를 하였으며, 금번 협정 문안이 성공적으로 작성될 수 있도록 많은 기여를 함.

o 특히 시장접근, 서비스 부분의 양허협상과 지적재산권, 투자등 신분야의 협상 진전을 위한 우리의 기여는 우리의 경제 발전 단계 및 갓트에서의 지위에 비추어 볼때 최대한 양보의 결과라고 할 수 있음. 또한 국제적인 농산물 교역의 개혁과 관련하여도 우리 정부는 협상의 성공을 위해 융통성 있는 입장을 취해 왔음.

o 다만, 우리 정부는 우리 농업의 특수한 사정을 고려하여 일부 소수 기초식량 품목을 관세화의 예외로 인정받고 최소 시장접근 허용 대상에서 제외시키기 위하여 그동안의 막바지 협상에서 가능한 모든 경로를 통하여 우리 입장의 정당성을 설명 하였음에도 불구하고 이러한 우리의 입장이 협정 문안에 반영되지 않은것을 유감으로 생각함.

o 우리 정부는 각 협상 참가국들이 금번 협정 초안을 토대로 협상을 진행하는데 반대치는 않을 것이며, 우리 정부는 우리의 핵심적인 입장 반영을 위한 노력을 계속 경주할 것임.   끝.

0071

외 무 부

종 별 : 긴 급

번 호 : GVW-2749   일 시 : 91 1220 1250

수 신 : 장 관(통기,경기원,재무부,농림수산부,상공부,특허청)

발 신 : 주 제네바 대사

제 목 : 12.20 TNC 회의 결과에 대한 보도자료

대: WGV-1864

1. 대호 12.20 TNC 회의에서 대한 보도자료 관련당관 검토안 별첨 보고함.

2. 금 12.20(금) 12:00 현재 TNC 회의 개최시간이 미정이며(당초 16:00 보다 늦어질 것으로 알려지고있음) 문서배포 시간이 TNC 회의 보다 훨씬후가 될것이라는 점을 대언론 발표시 감안해야할것임.

3. 따라서 협상분야별 COMMENT 는 필요시 추후별도로 하는 것이 좋을 것으로 사료됨.끝

(대사 박수길-국장)

첨부

(금번 협상 문서의 성격)

1. 이번에 제시된 협상문서는 작년 브랏셀각료회의 이후 지난 1년간에 걸친 제네바에서의 협상 노력을 결산하는 UR 협상에 관한 최종종합문서로서 괄호가 없는 문서인 바, 이는 UR 협상을 조기타결키 위해서는 각 분야에 걸친 최종적인 포괄적 협상문서를 마련하여 각국정부가 이를 종합적으로 판단토록 해야 한다는 던켈 총장의 협상전략에 따른 것임.

2. 그러나 금번 제시된 협상문서는 일부 분야에서는 완전히 합의된 문서도 있으나, 농산물, 섬유,서비스,지적재산권, 규범제정등 중요분야에서 완전한 합의를 이루지못한채 일부 주요핵심쟁점 사항은 각협상 그룹의장 책임하에 작성제시된 것으로 앞으로 논란의 여지가 있음

3. 금일 TNC 회의에서는 던켈 총장이 STATEMENT만 행하고 협상문서는 ( ) 시간후 제시함으로써 각국의 동협상 문서에 대한 의견 개진은 없었으며, 각국정부가 이제부터 검토하여   1.13.   TNC회의에서   각국입장을   밝히도록   되었는바, 제한된

통상국	장관	차관	1차보	2차보	구주국	외정실	분석관	정와대
안기부	경기원	재무부	농수부	상공부	특허청			

PAGE 1

91.12.20   21:39 FL

외신 1과 통제관

0072

범위내에서의추가협상의 가능성을 배제할 수 없음.

(정부의 대응)

1. 정부로서는 7개 그룹별 협상문서가 입수되는대로 우리의 입장과 이익이 균형있게 반영되었는가의 여부등을 면밀하게 종합적으로분석, 평가하는 한편 동 문서에 대한 각국의 반응도 종합하여 앞으로의 대응전략을 수립,추진해 나갈 방침임.

2. 우리의 최대관심 분야인 농산물 분야의 협상문서에 예외없는 관세화가 포함되어있으나 이에 반대하는 우리정부의 입장에는 변함이없으며 예외없는 관세화에 반대하고 있는 여러나라와 함께 앞으로도 계속 공동으로 대처해나갈 방침임.

- 최근 협상 막바지 단계에 우리 입장을 반영하기위하여 다음과 같은 노력을 경주하였음.

0 12.16 카나다, 일본, 스위스,노르웨이, 이스라엘등 5개국과 함께 생산통제가 이루어지는 수입제한품목의 관세화 예외인정 요구를 공동으로제안(GATT 11조 2(C)항관련)

0 12.17 어느 특정 국가에게 극히 민감한 일부품목은 시장개방의 예외로 인정하도록 하는 수정안을 한국 단독으로 제출

3. 무역의존도가 큰 우리로서는 우리의 수출시장확보를 위한 시장접근의 확대,섬유분야에서의 기존이익 확보, 반덤핑,세이프가드등 규범의 개선, 일방조치의 억제 및분쟁 해결절차의 간소화등 긍정적인 측면과아울러 농산물 분야의 어려움, 서비스분야 에서의 장기적인 이해득실등을 다각적으로 검토하여 대응해 나갈 방침임.끝.

PAGE 2

0073

외 무 부

종 별 :

번 호 : GEW-2599   일 시 : 91 1220 1830

수 신 : 장관(봉기)

발 신 : 주 독 대사   검 토 필(10 91. 12. 31.) 김

제 목 : UR 협상

대: WGE-1983

연: GEW-2185, 2146

1. 대호 관련 당관 정문수 참사관은 금 12.20. 연방경제부 UR 농산물담당 KIESOW 과장을 면담한바, 주재국 입장에 관한 동인 언급 요지 아래와 같음.

가. 던켈총장의 최종협상 초안은 금 12.20. 저녁 배포될 예정이므로, EC 각국의 입장은 12.23. 오후 브랏셀 EC 경제장관 회의후 연휴를 지난 다음 빨라야 10.27. 정립될 것으로 봄.

나. UR 농산물 협상의 핵심인 보조금 삭감율 및 동 적용 기산년도등 구체적수치가 제시될 동 최종협상 초안을 상금 전달받지 않아 이에 대한 공식입장을 밝힐 단계는 아니지만 지난 12.12. 던켈 사무총장이 농업분야 8 개국 차관급 협상회의에 제시한 협상초안에 대해서는 주재국 KIECHLE 연방 식량.농림장관이 아래 요지의 우려하는 의견을 주재국 콜수상, 겐셔 외무장관 및 묄레만 경제장관에게 12.17. 자 서한으로 제출 하였음.

-충분한 국경보호가 긴요함에도 불구 국경보호에 있어서 EC 입장이 반영되지 않은바, 감축 기준가격을 86-88 년 기간의 정부가격 플러스 10 프로 선으로 주장하는 EC 입장(던켈 총장은 시중도매가격 기준을 주장)이 반영되어야 하며, 이 경우 5 년간 30 프로 감축 또는 6 년간 35 프로 감축방안에 양보가 가능함.

-CAP 차원에서의 직접 보조는 과거 싯점을 기준으로 하는한 폐지될수 없으므로 수용 불가함.

-REBALANCING 요구, 케언즈 그룹국가의 MINIMUM ACCESS 3-5 프로 요구, 우유가격에 대한 SHADOW PRICE 산정방식 등은 수용이 불가함.

-수출보조에 있어서 예산대비 삭감율 적용방안을 지지하며, 정부보조 수출물량의

통상국	장관	차관	1차보	2차보	구주국	경제국	외정실	분석관
정와대	안기부							

PAGE 1   91.12.21   07:15

외신 2과 통제관 BD

0074

감소가 불가피한 경우에는 최소한의 품목에 국한되어야 함.

-설탕에 대한 보조감축이 소득감소를 초래할 것임에도 상금 EC 측의 대안이 없는바, CAP 차원에서 손해보전 방안이 강구되어야 함.

-상기 입장은 10.9. 각의결정(연호 보고 참조)과 상치되지 않는바, 동 입장을 부시 미대통령, 들로르 EC 위원장과의 회담시에 반영키를 희망하며, 각의결의에 의하지 않은 입장변경에 반대함.

다. 상기 KIECHLE 장관의 외견상의 반대의견 제시 불구, 전체적으로는 12.12. 자 던켈총장 협상초안의 중요부분에 대한 반대입장을 고수하고 있는것은 아니므로 지금까지의 주재국의 전향적 자세에 비추어 금 12.20. 제시예정인 최종협상 초안에 대해서도 긍정적인 자세로 임할것으로 봄.

2. 아울러 동 KIESOW 과장은 향후 동 최종초안의 협상 전망과 관련, 주재구측 으로서는 국경보하, 국내보조, 수출경쟁 3 개분야에서의 일률적 감축율 30 프로 내지 35 프로 선에서 프랑스의 반대에도 불구, 합의될 가능성이 큰것으로 전망하고 다만, 미국등 케언즈 국가와 이견을 보이고 있는 동 보조감축 기준년도, 수출보조 기준책정에 있어 예산대비 또는 물량기준등의 합의여부가 교섭타결의 관건인 것으로 전망함.

3. 동건 관련 추가 파악사항 수시 보고할 것임. 끝

(대사-국장)

예고:92.6.30. 까지

외 무 부

원 본

종 별 : 지 급

번 호 : GVW-2760

일 시 : 91 1220 1940

수 신 : 장 관(봉기, 경기원, 재무부, 농림수산부, 상공부, 특허청, 경제수석)

발 신 : 주 제네바대사 사본:주미대사, 주일대사, 주이씨대사(직송필)

제 목 : TNC 회의

1. 금 12.20(금) 저녁 5:50 TNC 회의가 개최된바, 금일 회의는 던켈 총장의 아래내용의 STATEMENT(별첨)를 청취하고 곧 종료함

2. 동 총장은 번역, 인쇄등 기술적인 이유로 UR협상 최종협상 문서는 금일 자정경에 배포될예정이라고 밝힘.

- 아래 -

가. 금일 제시되는 최종 협상 문서는 참가국의 협상과 각 협상그룹 의장의 중재.조정에 의해작성된 것임.

나. 이제부터 92.1.13.까지 각국 정부의 최고위층에서종합 협상 문서를 검토하길 바라며 1.13. 개최되는TNC 회의는 UR 협상을 마루리 짓기 위한회의임.

다. 동 협상 문서에 시장접근 분야, 농산물분야, 서비스분야의 양자간 협상 결과가 첨부될 것임.

라. 협상 종결을 위해서는 이에 추가하여 푼타선언에 의거 GNG 에서 협상 결과에 대한평가가 이루어져야 하며, 일부 기술적인 작업이 있어야 함.

마. GNG 산하 각협상 그룹은 해체되고, GNS 는존속하며 각 그룹의장은 개인자격으로 TNC의장에 협조함.

바. UR 협상은 모든 것이 합의 되기전에는 아무것도 합의된 것이 아님.

3. 금일 TNC 회의전 GATT 회의장 입구에대규모 스위스 농민데모대가 집결, 출입에 혼잡을 이루고 회의 개최 지연을 초래하였음을 참고 바람.

4. 협상문서에 대한 당관의 일차적인 분석.평가는 배포되는대로 즉시 보고하겠음.

첨부: 던켈 총장 STATEMENT 1부

(GVW(F)-0669)

(대사 박수길-국장)

통상국	2차보	정와대	안기부	경기원	재무부	농수부	상공부	특허청

PAGE 1

91.12.21   07:25 WH

외신 1과 통제관

0076

주 제 네 바 대 표 부

번 호 : GVW(F) - *0669* 　　년월일 : *11220* 　　시간 : *1740*.

수 신 : 장　　관 (총기, 경기원, 재무부, 농림수산부, 상공부, 특허청, 경제수석)

발 신 : 주 제네바대사　　　사본 : 주미. 주이시, 주일대사 @SP특

제 목 : GVW-2760 첨부

총 *5* 매(표지포합)

보 안 봉 제	

외신파 봉 제	

669-5-1　　　　　　　　　　　　0077

<u>Statement by Mr. Arthur Dunkel</u>
<u>Chairman of the Trade Negotiations Committee</u>
<u>at official level</u>

<u>Geneva, Friday 20 December 1991</u>

1.   I call to order this meeting of the Trade Negotiations Committee at official level.

2.   The purpose of this formal meeting of the TNC is to conclude the intensive consultations which, at the end of the Brussels meeting on 7 December 1990, Dr. Hector Gros-Espiell, Chairman of the Committee at Ministerial level, asked me to carry forward "until the beginning of next year". He meant, of course, 1991. The fact that we have almost reached the beginning of 1992 speaks for itself ...

3.   More specifically, the purpose of the meeting is to ask you to take note of the fact that before the end of today - 20 December - you will have available a complete and consolidated document bringing together the results of five years of effort. This document is the outcome both of intensive negotiation and of arbitration and conciliation: negotiation among you, the participants, and arbitration and conciliation by the Chairmen when it became clear that, on some outstanding points, this was the only way to put before you a complete, consolidated text. It represents the global package of results of this Round. Even more importantly, it offers us, for the first time, a concrete idea of the scope and scale of the benefits of broad-based liberalization and strengthened multilateral rules which are within our grasp. In short, a promise given, a promise kept.

4.   This achievement has been reached thanks to you, the negotiators, and to the dedication and determination of the Chairmen. All have worked virtually non-stop for this result over the past days and nights.

66p--5--2   0078

- 2 -

5.   The document (MTN.TNC/W/FA), entitled "Draft Final Act Embodying the Results of the Uruguay Round of Multilateral Trade Negotiations", is ready, but for purely technical reasons - translation and printing - will be available in the three official languages of the GATT later this evening.

6.   This Committee will meet again on 13 January, with a view to concluding the Uruguay Round. And since the text is not yet in your hands, I will adjourn this meeting as soon as I have concluded my statement. Between now and 13 January, I expect - indeed, I know - that the package in its totality will be given the most serious and urgent consideration, at the highest political levels, in your capitals.

7.   In examining the Draft Final Act, governments will have to take into account a number of points:

(i)   First, the text is comprehensive. It seeks to strike the best possible balance across the board of the long negotiating agenda of this Round. It addresses all areas of the negotiations as laid down by the Punta del Este Declaration. It nails down and captures the very substantial progress we have made since January this year. All these factors make this document much more important than the one we sent to Ministers in Brussels last December.

(ii) Second, however, the Final Act needs to be completed in one very important respect. It lacks the schedules of commitments that are still in the process of being negotiated in three major areas. I have in mind the results of the "Market Access Negotiations" in the various sectors of trade in goods; of the negotiations on specific commitments on internal support and export competition in agriculture; and of the negotiations on initial commitments on trade in services. These results will become available only on completion of the detailed and intensive negotiations in which delegations will have to engage early in the New Year. In this respect I would draw your attention to the statement of the Chairman of the Negotiating Group on Market Access which is being circulated in MTN.TNC/W/93.

66p-5-3

0079

- 3 -

8. Two further steps must be taken before the negotiations can be concluded. One is that the Group of Negotiations on Goods must conduct a final evaluation of the negotiations, in accordance with the mandate given by the Punta del Este Declaration. The other is that the entire body of agreements must be reviewed for legal conformity and internal consistency. This latter process is important and unavoidable - indeed, I am already aware that some technical corrections are required to ensure consistency in certain dispute settlement provisions. It should not, however, lead to substantive changes in the balance of rights and obligations established in the agreements.

9. All this means that our work from January onwards will therefore have to be based on a global approach. And this means that the negotiating groups under the GNG now cease to exist. One exception will be the Market Access Group, since it is charged with the specific task of providing an obvious missing element of the Final Act. The GNS, of course, will remain in place and continue its responsibilities including the conduct of the machinery currently in place for conducting the negotiations on initial commitments in services. I must, however, immediately add that, as Chairman of the TNC, I will continue to count on the assistance of the Chairmen in their personal capacity.

10. The Punta del Este Declaration clearly describes the Uruguay Round negotiations as a "single undertaking". As such, these negotiations are governed by the principle that nothing is final until everything is agreed.

11. Once again, I am deeply grateful to my fellow chairmen for their support, and for their expertise and courage in carrying out this task. My appreciation and thanks also go to all my colleagues in the Secretariat without whom all this would not have been possible. As to the results, no one is infallible, and I would not for a moment expect all participants to be fully content with all the decisions which I have had to make. Nevertheless, you chose this route yourselves, in full awareness of the possible consequences involved, and there is no going back. As I have repeatedly stressed, the document I have tabled today forms a single

66 p - S - ¢   0080

- 4 -

package, and it is as a package that it should be judged. Your evaluation should not therefore be hasty but well-considered and measured, looking to the future of the multilateral trading system and the opportunity it holds out for all our countries. I am confident that, if we continue to share the vision which brought us together in Punta del Este five years ago, your governments will judge the package favourably.

12. I know that the three weeks' break from now until the 13th January will not necessarily be a holiday. I would like to take this opportunity to convey my season's greetings to you and your families and express the wish that 1992 will go down in history as the year when the biggest of all multilateral trade negotiations were successfully concluded.

던켈 갓트 사무총장의 Statement 요지

1. 금일 제시되는 최종 협상 문서는 참가국의 협상과 각 협상그룹 의장의 중제. 조정에 의해 작성된 것임.

2. 이제부터 92.1.13까지 각국 정부의 최고위층에서 종합 협상 문서를 검토하길 바라며 1.13. 개최되는 TNC 회의는 UR 협상을 마무리 짓기 위한 회의임.

3. 동 협상 문서에 시장접근 분야, 농산물 분야, 서비스 분야의 양자간 협상 결과가 첨부될 것임.

4. 협상 종결을 위해서는 이에 추가하여 푼타 선언에 의거 GNG에서 협상 결과에 대한 평가가 이루어져야 하며, 일부 기술적인 작업이 있어야 함.

5. GNG 산하 각 협상그룹은 해체되고, GNS는 존속하며 각 그룹의장은 개인 자격으로 TNC 의장에 협조함.

6. UR 협상은 모든 것이 합의되기 전에는 아무것도 합의된 것이 아님.   끝.

0082

관리 번호	91-969

외 무 부

종 별 :

번 호 : CNW-1658

수 신 : 장 관(봉기,상공부)

발 신 : 주 캐나다 대사

제 목 : UR 협상

일 시 : 91 1220 1400

전 도 필(391.12.31.) 21

안참사관이 12.20.(금) 주재국 외무부 MTN 농업부문 MARIO STE-MARIE 부조정관과 접촉, 파악한 던켈 총장의 최종협정 초안 관련사항을 우선 아래 보고함.

1. 던켈 초안은 당지 시간으로 금일 오후 7-8 시경 입수될 것으로 예측되며, 동 초안에 대한 실무검토와 주정부와의 협의 및 미국등 주요국의 반응등을 종합한후 92.1.7.-13 기간중에나 카나다 정부의 입장이 정리될 것으로 예측됨.

2. MTN 담당 DENIS 차관보와 GIFFORD 조정관이 현재 제네바 출장중이며, 금주말 귀임하면 동 초안에 대하여 12.23(월)부터 주 정부와 1 차 협의 예정임. 끝.

(대사-국장)

예고문 : 92.6.30. 까지

예고문에 의기 분류 82.6.30.
"위 시

통상국 안기부	장관 상공부	차관	1차보	2차보	경제국	외정실	분석관	정와대

PAGE 1

외 무 부

종 별 :

번 호 : ECW-1149 일 시 : 91 1220 1700

수 신 : 장관 (통기, 경기원, 상공부, 재무부, 농수산부)

발 신 : 주 EC 대사 사본: 제네바대사-직송필

제 목 : UR 협상

　　당지 DE SMEDT AND DASSESE (미 LAW FIRM, AKIN GUMP)가 당관에 송부해온 UR 협상관련 미국의 FAST-TRACK 및 무역협정에 관한 입법절차배경을 별첨 FAX 송부하니 참고바 람. 끝

　　(대사 권동만-국장)

통상국	2차보	청와대	안기부	경기원	재무부	농수부	상공부

PAGE 1

91.12.21　　08:48 BX

외신 1과　통제관

0084

주 E C 대 표 부

종별 :

번호 : ECW(F)- 0199   일시 : 91.12.19.

수신 : 장관(봉삼,경기원,상공부,재무부,농수산부)사본 :   제네바 대사

발신 : 주 EC 대사

제목 : UR 협상

ECW-1149 의 첨부

DE SMEDT & DASSESSE
AKIN, GUMP, HAUER & FELD

MEMORANDUM

TO :   **Philippe De Smedt**   DATE :   **December 16, 1991**
            Steven E. Brummel
            Edwin Vermulst
            Paul Waer
            Donald R. Pongrace

FROM :   **Darren Trigonoplos**

SUBJECT :   .**Background Information on Legislation Implementing a Uruguay Round Agreement**

As you know, United States trade law establishes a rigid regime for the consideration by Congress of legislation implementing trade agreements with foreign governments. This so-called "fast-track" procedure, which would apply to legislation implementing any Uruguay Round agreement, is designed to limit the opportunity for Congress to amend trade agreements, and to ensure that legislation implementing trade agreements is voted on in a timely manner. It is widely acknowledged that the fast-track procedure is essential to the United States' ability to negotiate and implement international trade agreements.

Following is a brief review of this procedure, together with an assessment of its likely effect on the timing for Congressional action on any Uruguay Round implementing bill. A more detailed explanation of the procedure and its legal basis is also attached for your information (See attachment, Detailed Procedural Requirements for Congressional Consideration of Implementing Legislation for Trade Agreements").

A. Overview of the Fast-Track Procedure

In essence, the fast-track procedure provides that an implementing bill submitted by the President may **not** be amended by Congress, and **must** be voted upon by Congress no later than 60 days after submission (consideration for up to 45 days is allowed for the trade committees of the Senate and House, with up to 15 additional days allowed for consideration by the full Senate and House, respectively). This ensures, in effect, that Congress will vote within two months' time to accept or reject the entire agreement, without the opportunity to defeat or alter specific portions thereof.

/99-7-2
0086

However, this formal 60-day consultation period is actually less important, in many ways, than the informal consultation period that precedes it. The fast-track procedure also provides that the President must notify the Congress at least 90 days prior to entering into a trade agreement that he intends to enter such an agreement. This notification requirement is intended to ensure that the Congress has sufficient time to review the accord and be consulted by the President on its contents before the formal 60-day clock described above begins to run.

In fact, the 90-day informal consultation period is typically used by the Administration and Congress to draft the actual implementing legislation for the trade accord. This is accomplished in a series of so-called "non-markups", at which Administration and Congressional staff actually write the bill that the President eventually submits for fast-track consideration. The goal, of course, is for Congress to have largely agreed in advance to the legislation that the President submits.

The non-markup process is therefore crucial and has two key effects. On the one hand, it serves to demonstrate early on whether the Congress can be persuaded to support the trade agreement that the Administration has negotiated. If it cannot, then the question of timing is obviously moot. If, on the other hand, the non-markup process results in tacit approval of the trade accord by the Congress, then the Congress may be inclined not to use the entire 60-day formal consultation period, thereby potentionally speeding up approval of the agreement and implementing bill.

B. Potential Implications of the Fast Track for the Uruguay Round

It has been suggested that the Administration would like to win Congressional approval of any agreement prior to the scheduled Congressional recess in early July 1992. This is so, it is said, particularly since the political conventions of the two major parties will make it difficult for Congress to address this issue during the summer months, and since the Administration may be inclined to avoid a heated Congressional debate on the Uruguay Round during the peak of the presidential election campaign in September and October.

This suggested timetable would appear to place Administration negotiators under extremely difficult time constraints. Even assuming that the Round is concluded before the end of this year, the Administration would then have only about 180 days before the July Congressional recess. As explained above, the Congress could take up to 150

199-7-3
0087

days under the fast-track procedure before granting approval of the agreement and its implementing legislation. Thus, if the Congress took all of the time to which it is entitled, the Administration would seemingly be required to wrap up negotiations by the end of January 1992.

Moreover, even assuming that the informal 90-day consultation process is a success, and that Congress does not, as a result, use the entire formal 60-day consultation period, there is little room for maneuver on the Administration's part. In that event, the Administration might well benefit from a Congressional timetable that takes only about 120 days instead of the full 150 to which Congress is entitled. Even then, however, Administration negotiators would appear to have to conclude the negotiations by the end of February. (Incidentally, in announcing last week that he would resign at the end of next February, the U.S. Deputy Director of the GATT, Charles Carlisle, made precisely this point, saying that he felt negotiations could conclude no later than the end of February to be successful.)

99-7-4 0088

ATTACHMENT

Detailed Procedural Requirements for Congressional Consideration

of Implementing Legislation for Trade Agreements

A. Negotiating and implementing trade agreements

The President is authorized to enter into trade agreements with foreign countries regarding tariff and nontariff trade barriers, as long as such agreements are consistent with the objectives set forth in section 1101 of the Omnibus Trade and Competitiveness Act of 1988. See Omnibus Trade and Competitiveness Act, Pub. L. No. 100-418, § 1102, 102 Stat. 1107, 1127 (Aug. 23, 1988). These objectives are broadly stated and generally include the promotion of U.S. exports and protection of U.S. producers from various forms of unfair competition, particularly in specific sectors such as services, intellectual property and agriculture, among others.

In order for such a trade agreement to enter into force with respect to United States law, the President, at least ninety (90) calendar days before entering into the trade agreement, must notify Congress of his intention to enter into the agreement and promptly publish notice of such intention in the Federal Register. Id. § 1103 (a) (1) (A). After entering into the agreement, the President must submit to Congress a copy of the final legal text of the agreement accompanied by, inter alia, a draft of any implementing legislation.[1] Id. § 1103 (a) (1) (B) . Finally, the implementing legislation must be enacted into law by Congress. Id. § 1103 (a) (1) (C).

B. Application of congressional "fast-track" procedure to legislation implementing trade agreements

"Fast-track" congressional procedures originally applied to legislation implementing trade agreements entered into before June 1, 1991. Id. 1103 (b) (1) (applying procedures set forth at 19 U.S.C. § 2191). In the Spring of 1991, however, the President requested and received an extension of the fast-track procedure (for use with respect to both an eventual Uruguay Round agreement and a North America Free

---

1.   As noted above, Congressional staff from the House Ways and Means Committee and Senate Finance Committee along with executive branch officials participate in drafting the President's proposed implementing legislation. This is accomplished through a series of sessions, which are termed "nonmarkups". See I M. Destler, American Trade Politics 62, 65-66 (1985)

199-7-5 0089

Trade Agreement with Mexico and Canada), so that it is now applicable to trade agreements entered into before June 1, 1993.

Under the fast-track procedures, on the day the final text of a trade agreement is submitted to Congress by the President, the implementing bill submitted along therewith is introduced in the U.S. House of Representatives (by the House Majority Leader) and in the United States Senate (by the Senate Majority Leader). See 19 U.S.C. § 2191 (c) (1) (1982). The bills are then referred to the appropriate congressional committee(s) with jurisdiction. Id.

If the committee(s) to which an implementing bill has been referred has not reported on the measure at the close of the forty-fifth (45th) day after its introduction, the committee(s) is discharged from further consideration of the bill. Id. § 2191 (e). A vote on final passage of the bill is taken in each House on or before the close of the fifteenth day (15th) after the bill is reported from committee(s) or has been discharged from further committee(s) consideration. Id. Both the committee(s) and the full chambers may take less than the 45 days and 15 days, respectively, that are allotted to them. In any event, however, no amendments to the implementing bill are in order. Nor are any motions to suspend the application of the rules with regard to such a bill. Id § 2191 (d).

(1) U.S. House of Representatives

In the House of Representatives, a motion to proceed to consideration of legislation to implement a trade agreement is highly privileged and not debatable. Amendments to such a motion are not in order. Nor is it permissible to move to reconsider the vote by which the motion is agreed or disagreed to. Id. § 2191 (f) (1).

Debate in the House of Representatives on an implementing bill is limited to twenty (20) hours, which is divided equally between those favoring and those opposing the bill. A motion to limit debate further is not debatable nor is it in order to move to recommit an implementing bill or to move to reconsider the vote by which an implementing is is agreed or disagreed to. Id. § 2191 (f) (2). Motions to postpone and motions to proceed to the consideration of other business must be decided without debate. Id § 2191 (f) (3). Moreover, all appeals from the decisions of the Chair relating to the application of the Rules of the House to the procedure relating to an implementing bill must be decided without debate. Id. § 2191 (f) (4).

199-7-6
0090

(2) United States Senate

In the Senate, as in the House, a motion to proceed to the consideration of a bill implementing a trade agreement is privileged and not debatable. Id. 2191 (g) (1). Amendments to that motion are not in order. Nor is it in order to move to reconsider the vote by which the motion is agreed or disagreed to. Id. Debate in the Senate on a bill to implement a trade agreement, and on all debatable motions and appeals in connection therewith, is limited to twenty (20) hours, with the time divided equally between the majority leader and the minority leader or their designees. 2 Id. § 2191 (g) (2). A motion to further limit debate is not debatable, and a motion to recommit an implementing bill is not in order. Id § 2191 (g) (4).

C. Limitations on use of "fast-track" procedures

The fast-track congressional procedure is inapplicable in cases where both the House and Senate separately agree to procedural disapproval resolutions within any sixty (60) day period. See Omnibus Trade and Competitiveness Act, Pub. L. No. 100-418, § 1103 (c) (1). A "procedural disapproval resolution" is defined as a measure resolving the "the President has failed or refused to consult with Congress on trade negotiations and trade agreements in accordance with the provisions of the Omnibus Trade and Competitiveness Act of 1988." Id § 1103 (c) (1) (E).

In the House of Representatives, a procedural disapproval resolution must be introduced by the Chairman or Ranking Minority Member of the Committee on Ways and Means or the Committee on Rules. The resolution is then jointly referred to both of those committees. Id. § 1103 (c) (1) (B). It is not in order for the House of Representatives to consider any procedural resolution that has not been reported by the Committee on Ways and Means and the Committee on Rules. Id. § 1103 (c) (1) (D). In the Senate, the procedural disapproval resolution must be an original resolution of the Committee on Finance. Id. § 1103 (c) (1) (B) (ii). It is possible, although not certain, that opponents of any Uruguay Round agreement might introduce and lobby for such resolutions of disapproval as a tactical ploy in trying to defeat the Uruguay Round accord.

---

2. Debate in the Senate on any debatable motion or appeal in connection with an implementing bill is limited to one (1) hour, equally divided between the movant and the manager of the bill, except that in the event the manager of the bill is in favor of any such motion or appeal, the time in opposition thereto, shall be controlled by the minority leader or his designee. 19 U.S.C. § 2191 (g) (3).   0091

199-7-7

원 본

외 무 부

종 별 :

번 호 : USW-6375   일 시 : 91 1220 1837

수 신 : 장 관(봉기, 경기원, 농수산부)

발 신 : 주 미국 대사

제 목 : UR 협상

대: WUS-5781

1. 당관 장참사관이 금일(12.20) SUSUN EARLY 미 USTR 대표부와 접촉한 바, TNC
회의 개최전 농민들 데모로 인해 동 회의가 수시간 연기되었으며, 던켈총장 제시 최종
협정 초안은 금주 토요일 귀국하는 미측 대표단이 휴대하기로 되어있어 동 협정 초안에
대한 미측 평가 및 반응을 추후 알려주기로 하였음.

2. 동건에 대해서는 내주 월요일 SUSUN EARLY 와 재접촉키로한 바, 미측 평가
내용을 추보하겠음. 끝.

(대사 현홍주-국장)

예고 : 91.12.31 까지

일반문서로 재분류(1991. 12. 31.)

통상국   미주국   경제국   청와대   안기부   경기원   농수부

외 무 부

종   별 : 지 급

번   호 : GVW-2743   일   시 : 91 1219 2000

수   신 : 장관(봉기, 경기원, 재무부, 농림수산부, 상공부, 특허청)

발   신 : 주 제네바대사

제   목 : 12.20 TNC 회의 결과에 대한 홍보 지침

12.19(화) 현재 당지-- 알려진바로는 던켈 총장은 12.20(금) 오후 4:00 TNC 회의를 소집, STATEMENT 를행하고, 포괄적 UR 협상안(REV.2)은 동일 자정경에 배포될 예정이라 하는바, 던켈 총장 STATEMENT 의 내용 및 최종 협상안의 내용 여하에 따라 다소 달라질 수 있겠으나, 국내외 언론으로 부터 COMMENT 를 요구받을시 일차적으로 아래와같이 대처코저 하는바, 별도 의견 있으면 회시바람.(12.19 현재 양대 TV, 연봉, 동아등 주요언론사 기자가 당지 체류중임)

1. 농산물 분야에서 예외없는 관세화를 언급하고 있으나, 이에 반대하는 우리정부의 입장에는 변함이 없으며, 예외없는 관세화에 반대하고 있는 여러나라와함께 앞으로도 계속 공동으로 대처해 나가고자 함.

2. 여타 전분야에 걸친 최종협상안에 대한 평가는 각국정부가 이제부터 1.13. 까지 검토하여 1.13. TNC 회의에서 각국입장을 밝히도록 되어 있으므로우리정부도 면밀한 검토를 하게 될 것이며 내년 1.13. 가까운 시점에 정부의 일차저인 평가가 있을 것임.

3. 금번 UR 협상의 결과가 향후 세계 교역을 규율하는 규범이 될것임에 비추어 해외무역에 크게 의존하고 있는 아국으로서는 수출시장확보를 위한 시장접근의 확대, 섬유분야에서의 기존 이익 확보, 반덤피, 세이프가드, 무역관련 부자등 규범분야에서의 개선, 일방조치의 억제 및 분쟁해결 절차의 간소화등 긍정적인 측면과 아울러 농산물 분야에서의 어려움은 물론 서비스분야에서의 장기적 이해득실을 다각적으로 검토하게 될것임.

4. 몇개 분야에서는 참가국의 합의가 이루어진 TEXT 가 제시되었으나, 일부분야에서는 협상그룹 의장책임하에 작성된 TEXT 가 제뢰었다는 점이 앞으로의 추가협상 문제와 관련 논란의 여지가 있을 수 있다고 보며, 일어날 수 있는 사태발전 특히 EC 와 미국간의 농산물분야등에 있어서의 최종적인 합의여부가 중요한 요소로

통상국   장관   차관   2차보   청와대   안기부   경기원   재무부   농수부
상공부   특허청

작용할 것으로 생각함. 끝

(대사 박수길-국장)

예고:92.6.30 까지

PAGE 2

0094

원 본

외 무 부

종 별 : 지 급

번 호 : GVW-2772

일 시 : 91 1221 0130

수 신 : 장관(통기,경기원,재무부,농림수산부,상공부,특허청)

발 신 : 주 제네바 대사

제 목 : UR 협상/보도

　　연: GVW-2749

　　연호 12.20자 UR 협상문서의 분야별 COMMENT관련, 당지에 파견된 언론의 요청이있어12.21.0:15 배포된 협상문서에 대해 별첨과 같은 내용으로 당관이 일차적인 분야 별 COMMENT를 하였음을 보고함.

　　첨부: UR 협상결과(종합 협상문서)에 대한평가.

　　(GVW(F)-0674).끝

　　(대사 박수길-국장)

91╱1 - 히동메

7249 - 홀랑두

통상국	2차보	외정실	분석관	청와대	안기부	경기원	재무부	농수부
상공부	특허청							

PAGE 1

91.12.21　　09:29 BX

외신 1과 통제관

0095

주 제 네 바 대 표 부

번 호 : GVW(F) - *674*   년월일 : *1221*   시간 : *0130*

수 신 : 장   관 (동기, 경기원, 재무부, 농림수산부, 상공부 특허청)

발 신 : 주 제네바대사

제 목 : *GVW - 2772*

총 *13* 매(표지포함)

보 안 봉 재	

외신과 봉 재	

0096

UR협상결과(종합협상문서 내용)에 대한 평가

- 아국대표단이 단독 또는 이해국과 협력하여
  최대한 노력한 결과 아래성과가 반영됨

1. 시장접근

가. 아국의 주요수출 시장인 선진국들의 관세는 평균 3분의1, 개도국 관세도 상당수준 인하될 것으로 전망, 구체적 내용은 92. 1.13부터 다자간, 양자간 협상을 재기하여 92. 2월말까지 종결 예정

나. 아국은 1991년 실행관세율 수준으로 양허하여 실질적 관세인하를 필요로하지 않으므로 동협상의 결과는 각국의 관세인하폭 만큼 아국에 유리한 영향을 미칠 것임.

다. 지난번 동경라운드까지는 각 협상참여국이 약속된 관세인하를 8년에 걸쳐 이행키로 하였으나 금번 UR에서는 이행기간을 5년으로 단축하였으므로 조속히 아국에 유리한 결과를 수확할 수 있음.

674-12-1

0097

2. 섬유

O 아국은 섬유협상에서의 주요쟁점 사항에 대해 미국, EC등 수입개도국에 대응하기 위해 섬유수출 개도국기구(ITCB : International Textile and Clothing bureau, 아국, 홍콩, 브라질, 인도등 22개국)를 통하여 섬유 협상에서의 아국의 협상력을 보완, 공동 대응하여 왔으며, 특히 동 협상 에서 아국과 유사한 입장을 취하여온, 홍콩과 보조를 같이하여옴.

O 섬유협상의결과 아국은 다음과 같은 점에서 유리한 면을 확보할 것임.
  - 섬유교역에 대한 다자간 규율강화로 쌍무적 불이익 극복 가능
    . 현행 다자간 섬유협정(MFA) 체제는 기본 골격만 다자간 규율하에 두고 중요내용(제한 대상품목, 쿼타량)은 쌍무협정에 의해 결정
    . 아국의경우 대부분의 중요한 품목이 쿼타에 의한 규제 대상이 되고 있음
    . 선진 수입국은 한국, 홍콩등 대규모 쿼타 보유국의 쿼타 증량에는 소극적이있음. (여타 개도국에 비해 쿼타 증량에서 불리한 취급을 받음) 그러나 새로운 섬유 협정하에서는 섬유교역의 주요 내용인 다음사항이 다자간 규범에 의해 규율됨
    i) 품목대상 범위 ii) 쿼타 증가율(growth rate)
    iii) 규제품목의 자유화 비율(integration ratio)등
    . 또한 기본쿼타 (base level)를 현 쿼타량을 기초로 함으로써 쿼타 최대 보유국의 하나인 아국의 기득권 지속
  - 점진적 자유화로 구조조정 촉진
    . 섬유교역의 완전 자유화가 10여년에 걸쳐 점진적으로 이루어짐으로써 아국 섬유산업 구조조정에 필요한 충분한 기반을 확보함.

674-12-2

0098

o 구체적으로 동 협정에 반영될 주요 사항은 상기 내용이외 다음 사항을
    예시할 수 있음.

    - 수입국, 수출국 합의에 의해 쿼타조정이 가능토록한 조항 (소위
       different mix 조항) 삭제 : 수출, 수입국 상호합의할 경우 쿼타
       물량등을 조정할 수 되어 있도록 되어 있었던 상기 조항은 협상력이
       우월한 수입국에 의해 악용될 소지가 많고 과거의 쌍무 협정 체제로
       돌아갈 위험이 많은 독소조항인바 아국등의 주장으로 동조항 삭제

674-12-3

0099

3. 농산물

가. 아국의 핵심 관심사항인 주요품목에 대한 관세화 예외 인정을 위해
수차례 제안을 제출하였고 각종회의 때마다 아국입장을 강조하였으며,
아국과 이해를 같이하는 국가와 협조를 통해 협상력을 강화하고
공동 대처해 왔으며, 특히 각종대표단의 던켈총장 및 주요국 대표
방문, 편지전달 등을 통해 입장 반영을 위해 최대한 노력을 하였음.

0 협상이 주요 단계에 집어듦 금년들어 국회사절단 3회, 농림수산부
차관, 경기원 대조실장등 정부의 고위사절단, 농협중앙회장등
농민대표등 여러 대표단이 당자를 방문, 던켈 총장 및 주요국
협상 대표를 만나 아국 입장을 설명하고 협상결과에 반영되도록
협조를 당부하였으며

0 특히 마지막 단계 협상에서는 각종 공식, 비공식 회의때마다
아국 입장을 재삼강조하여 컨센서스가 형성되지 않았음을
분명히 하였고,

0 아국과 이해를 같이하는 나라들의 대사 및 협상대표와 수시로
접촉하여 우리의 입상을 강화 시겼으며, 특히 12.16일 아국, 일본,
카나다, 스위스, 이스라엘, 노르웨이등 6개국이 관세화 예외 및
갓트 11조 강화를 위한 공동제안을 마련 던켈 총장에게 전달
했으며, 12.17일 및 19일등 두번에 걸쳐 아국의 쌀등 민감품목을
관세화 할 수 없다는 구체적인 세안을 작성, 던켈 총장에게 전달
한바 있음.

674-12-4

0100

0 그러나 기본적으로 협상 주요국인 미국, 이씨, 캐언스그룹간에
   예외없는 관세화에 대하여 원칙적인 합의가 이미 이루어진 상태
   여서 아국입장 관철이 어려운 것은 사실이나 협상이 종결되는
   최후의 싯점까지 우리와 이해관계를 같이하는 국가와 협력하여
   아국입장 관철에 최대 노력할 것임.

나. 아국은 상기 핵심관심 사항 관철에 협상력을 경주하는 한편 농업구조
     조정정책 추진 근거 마련 및 이행과정에서의 보완장치 확보를 위해서도
     노력하였음.

   0 시장접근 분야애서는 여타 수입국과 협조하여 관세화에 대한
      보완장치인 특별 세이프가드제도를 도입함으로서 국제가격이
      급락하거나 수입물량이 급증하는 경우 관세를 일정폭 올릴수 있게
      됨으로서 국내산업을 최대한 보호할 수 있는 근거를 마련하였고

   0 국내보조에서는 구조조정정책 추진에 필요한 투자정책이 광범위하게
      허용정책으로 분류될 수 있도록 협상력을 경주한 결과 허용정책에
      반영 되었으며, 그밖에 지역개발, 환경보전, 유통개선정책등
      농업보호정책이 광범위하게 허용정책으로 분류됨으로서 향후
      농업구조조정 정책 추진에 상당한 도움이 될 것으로 예상되며

   0 수출보조 분야에서는 새로이 수입될 가능성이 있는 품목에 대하여는
      수출국이 수출보조를 지급하여 수출하지 못하도록 하여 국내 생산품과
      공정한 경쟁이 가능하도록 할 수 있는 근거를 마련

674 - 12 - 5

0101

4. 규범제정

- 이해를 같이하는 30개국과 규범제정 분야협상에 공동대응 (11.26자
  (MTN/GNG/RM/W/8 공식문서로 공동입장 선언)

  가. 보조금·상계관세

    0 선진국들은 당초 협상초안에 개도국을 소득수준에 따라 5개그룹
       으로 구분하여 아국등 선발개도국을 개도국 우대 대상에서
       제외할 것을 시도하였으나 아국은 지난 10.30 이룹 반대하는
       제안을 제출하여 협상을 주도한바 있음.

    0 선진국의 위와같은 입장에 대비하여 종전에 분열된 반응을
       보이던 개도국들을 설득, 단합된 힘을 결집하여 선진국들의
       종전 주장을 협상초안에서 삭제토록하는 성과를 거두었음.

    0 선진국들의 이러한 주장이 반영되었을 경우에는 이러한 내용이
       다른 협상분야 특히 농산물 협상에도 동일하게 파급될 위험이
       매우 컸던 사실에 비추어 선진국의 위험스런 시도가 재노화
       되는 것을 방지하였다는 측면에서 의의가 있다고봄.

  나. 무역관련 투자

    0 외국인 투자의 인가등과 관련하여 국산부품 사용의무, 수입부품
       사용제한등이 금지되

                                              도록 의장안에 반영됨.

    0 아국은 외국인 투자와 관련하여 현재 이러한 의무등을 부과하고
       있지 않으므로 새로운 부담은 없으며, 아국기업의 해외투자 특히
       개도국에의 투자시 법은 부담이 경감되는 혜택이 있게됨.

    0 이러한 입장인은 그동안 아국이 협상과정에서 주장하여온 입장이
       대체지으로 반영된 내용임.

674-12-6

다.   반덤핑

O UR 협상이 시작된 후 지금까지 아국은 노르딕 3국, 홍콩, 싱가폴, 인도, 브라질등
   수출국들과 함께 반덤핑 협상에서의 아국 입장을 적극적으로 반영
   하기 위해, 일주에 1번 이상 동 국가들과 비공식 모임을 갖고 주요 쟁점 사항에
   대한 입장을 정립, 반덤핑 협상에서 공동 전선을 형성하어 왔으며, 동분야에서
   유사한 입장을 취하고 있는 일본과의 유대도 강화하여 왔음.

O 반덤핑 협상에서는 반덤핑 조치를 주로 사용하는 국가들인 미국, EC등 수입 선진국은
   최근 덤핑의 새로운 유형으로 나타난 우회덤핑(수입국 조립 우회 덤핑, 제 3국
   조립 우회 덤핑, country hopping등) 문제를 동 협정에 규정함으로서, 이같은
   우회덤핑에 대해 반덤핑 조치를 보다 용이하게 취할 근거를 마련코자 노력하여옴

● 이에 반해 아국을 포함한 주요 수출국들은 그동안 상기 수입국들에 의해 자의적인
   반덤핑 조치를 당한 경험에 비추어, 반덤핑 조치에 관한 기존 규정을 보다 강화하여,
   수입국 들에 의한 동 규정의 자의적인 해석을 방지함으로써 반덤핑 조치의 남용을
   예방 하고자 하는데 협상력을 경주하여 옴.

O 보다 구체적으로 아국을 포함한 수출국들은

   1. 덤핑 결정시 고려요소인 가. "국내가격과 수출 가격비교" 나. 예외적인 상황
      에서의 "원가 이하 판매" 다. 국내가격 결정이 곤란한 상황에서의 "구성가격"
      산점등의 사항에 대한 구체적 요건을 규정하고

   2. 피해 결정시 고려 요소인 "피해누적"인정 요건을 보다 강화하고

   3. 덤핑 조사시 덤핑 마진 및 덤핑 수입방이 적은 경우 수입국 산업에 피해를
      주지 않은 것으로 간주하여 조사를 종결시키기 위해 동 기준을 계량화 시키며

0103

4. 수입국측에 의한 반덤핑 조치가 엄수화 되는 것을 방지하고자 일정 기한이
   지난후에는 반덤핑 조치의 효력이 소멸되도록 하는 조치를 강구하는등의
   내용에 관한 공동입장을 정하여 이를 공식. 비공식 반덤핑 협상에서 지속적으로
   개진함으로서 수입국측에 의한 반덤핑 조치 발동 남용을 억제시키고자 모든
   노력을 경주하여옴.

0 한편 아국을 포함한 수출국들은 수출국이 관심을 두고 있는 싱기 사항이 반덤핑
   협정에 반영될 경우 수입국측이 주장하는 우회덤핑 이슈에 대해 보다 엄격한
   요건을 정칠 경우 동사항의 반영을 고려될 수 있다는 입장을 취하고 있음.

674-12-8

0104

다. 세이프가드(긴급수입제한 조치)

O 아국은 그동안 협상을 통해 수입급증시 국내산업보호를 위해
  수입물량을 제한할 수 있는 조치인 긴급수입제한조치(세이프가드)
  발동시 피해를 받은 수입국이 수출국에게 할당하는 수입쿼타를 일정한
  범위내에서 수입국이 삭감할 수 있도록 하는 소위 "Quota
  Modultation" 조항을 갖는 긴급수입제한 조치체제에 도입치 말것과
  동시에 수출 자율 규제등 회색조치의 철폐를 주장하여 왔음.

O 아국의 Quota Modulation 개념 도입반대는 동 개념이 긴급수입제한
  조치 발동시 수입국에 대하여 수출국의 쿼타를 임의
  삭감할 수 있게 하여 향후 아국의 수출에 위해로운 요소가 될 것이며,
  회색조치 철폐를 주장한 것은 갓트룰 이탈한 부역조치로서 대개 선진
  수입국에 의해서 중소 수출국에 대한 압력 수단으로 사용되어 왔기때문임.

O 회색조치는 협상과정에서 이미 철폐키로 합의에 닿하였으나
  Quota Modultation 은 협상마지막 까지 입장대립을 보였으며, 아국은
  당초에 의장초안에 포함되어 있던 농 조항 삭제를 위하여 협상의
  막바지인 지난 12.16(월)에는 아국, 스위스, 브라질, 싱가폴,
  홍콩등 5개국 대사급 대표들이 Maciel 협상그룹 의장을 변담하였으며
  12.17(화)에는 공동입장을 가진 20개국 대사늬유 규합, 공동명의
  서한을 작성, Maciel 의장에게 우리의 입장을 전달하였음.

O 이러한 우리의 노력결과 최종협정안에 Quota Modulation 개념은
  도입시 세이프가드 위원회에 통보하여 심사를 거치도록 함으로써
  사실상 도입이 어렵게되는 결과가 되었으며, 회색조치는 철폐키로
  결정되었음.

174-12-9

5. 분쟁해결

가. 아국의 주요 관심사항인 일방조치 억제를 위해 관심있는 협상 참가국과 협조, 반대입장을 끝까지 견지 협심한 결과 새로운 분쟁해결 절차에 GATT 관련 모든 무역분쟁은 판정 및 판정결과의 이행, 불복시 보상 및 보복조치등을 새로운 GATT 분쟁해결절차에 의해서만 처리하도록 하고, 앞으로 설립될 다자무역기구(MTO) 설립협정에 GATT등 제반 국제협정에 배치되는 국내법의 수정을 위해 필요한 조치를 취할 것을 약속하는 규정을 담기로 합으로써, 301조등 교역 상대국의 일방조치 발동을 어렵게 함.

674-12-10

0106

6. 지적재산권

○ 아국의 주요 관심 사항인 반도체칩 설계(Layout-designs)보호와 관련
수차에 걸쳐 아국 대표단의 서면제안과 끈질긴 아국 입장의 주장에
따라 반도체 칩의 선의 구매자 (innocent purchaser)는 반드시 보호하도록
동 협정분에 규정하고 권리자로 부터 반도체칩 침해사실 통보전에 구입하여
보관중인 재고품 또는 주문품은 침해사실 통보후에도 당해 반도체 칩
설계(Layout-designs)에 대한 객관적으로 인정되는 적정한 로얄티(reasonable
royalty)를 지불하고 사용할 수 있게 됨.
따라서 반도체칩(IC) 침해 사실 통보전에는 IC가 내장된 최종제품은 합법적
으로 통관 및 유통이 가능하며 만약 세관에서 국경조치가 발동된 경우에는
일정의 공탁금(Security)을 예탁하면 통관이 가능하도록 되었음.

○ 아국 관심 사항인 공서 약속위반 발명, 동.식물 발명은 불특허 대상에
포함되어 아국 입장이 반영되었으며 특히 아국이 우려한 86년 한.미
협의각서에 의해 미국에 취해주고 있는 pipeline products 보호 조치의
타국가에의 자동확산 문제는 경과 규정에서 기 공지된 (public domain)대상
(Pipeline products)은 TRIPs 협정에 의해 보호하지 않도록 규정됨으로써
아국 입장이 충분이 반영됨.

674-12-11

7. 서비스

O 현재까지 작성된 서비스협정 및 분야별 부속서는 아국 입장에 비추어
   만족할 만한 수준

   - 특히 자유화 추진 방식 관련 아국 및 개도국들이 주장한대로
     각국이 개방할 분야을 제시하고 개방시에도 조건을 첨부할 수 있게
     됨으로서 자유화 추진에 구조적 안전장치가 마련됨.

   - 따라서 쌍무 협상에 의하여 아국의 경쟁력이 취약한 분야의 자유화가
     선택적으로 조기에 추진되는 것을 예방하고 다자간 규칙에 의하여
     "이익의 균형" 원칙하에 점진적으로 개방을 추진하고 아국 기업의
     해외진출 기회 확대도 가능

O 특히 해운, 항공분야 (보조서비스)에 MFN등 다자간 원칙이 적용됨으로서
   아국 운송기업의 영업환경 개선 효과

   - 건설분야도 해외진출 기회가 확대될 것임.

671-12-12

외 무 부

종 별 : 지 급

번 호 : GVW-2773   일 시 : 91 1221 0150

수 신 : 장 관(통기,경기원,재무부,농림수산부,상공부,특허청,경제수석, 기정)

발 신 : 주 제네바 대사

제 목 : UR 협상 문서

　　　12.20 배포된 UR 협상문서 (MTN/TNC/W/FA 총 441페이지중 주요부분을 우선 별첨
송부함.

　　첨부: UR협상 문서 1부

　　(GVW(F)-0676)

　　끝

　　(대사 박수길-국장)

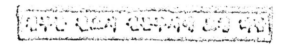

통상국	2차보	청와대	안기부	경기원	재무부	농수부	상공부	특허청

91.12.21   11:54

외신 1과 통제관

0109

2,3,02

외 무 부

종 별 : 지 급

번 호 : GVW-2775   일 시 : 91 1221 0600

수 신 : 장관(봉기, 경기원, 재무부, 농림수산부, 상공부, 특허청, 경제수석, 기정)

발 신 : 주 제네바 대사

제 목 : UR 협상 문서에 대한 평가

1. 금 12.20 자정 배포된 UR 협상문서는 아래와 같이 구성되어 있음.

　가. 최종의정서

　나. 최빈개도국을 위한 조치

　다. 상품교역(ANNEX I)라. 서비스 무역(ANNEX II)

　마. 지적재산권(ANNEX III)

　바. MTO 설립 협정(ANNEX IV)

　사. ANNOTATION

　아. 서명란

2. 금번 협상문서는 전분야에 걸쳐 괄호가 없는 문서로 제시되었으며 아래 협상분야에 대한 간단한 ANNOTATION 이 첨부됨.

　가. 최종의정서 : 모든 분야에서의 협상 결과가 나올때 까지 협상 결과를 일괄수락하는 문제는 미결

　나. 상품무역(ANNEX I)

　- UR 협상 시장접근 의정서: 농산물 및 섬유협상 결과가 시장접근 의정서에 통합되어야 함.

　- 보조금 상계관세 : 농산물 분야를 대상에 포함할 것인지 여부 추후 결정

　- 섬유 : - 1개 국가의 1개 품목에 대해서만 SG를 발동하여 규제할 경우 동 국가에는 6조 13항의 융통성 조항이 적용될 수 없음.

　- 본 협정의 분쟁 해결은 갓트의 일반 분쟁해결 절차에 의함.

　- 통합 분쟁해결 절차: WAIVER 철폐시기는 시장접근 분야의 협상진전 결과를 보아 추후 결정

　- 서비스 : 법률적 명료화 외에 일부 기술적 문제 논의 필요

통상국	차관	2차보	청와대	안기부	경기원	재무부	농수부	상공부
특허청								

PAGE 1   91.12.21   15:26 ED

외신 1과 통제관

0110

- MTO 설립 협정 : UR 협상 결과와의 관계를 명확히 하기 위한 추가 협의 필요

3. 7개 협상 분야별 당관의 1차적인 평가를 추후 FAX 송부함.

(대사 박수길-국장)

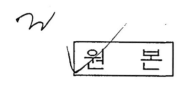

외 무 부

종 별 : 지 급

번 호 : GVW-2776   일 시 : 91 1221 0630

수 신 : 장관(통기,경기원,재무부,농림수산부,상공부,특허청,경제수석,기정)

발 신 : 주 제네바 대사

제 목 : UR 협상문서에 대한 분야별 평가

  연: GVW-2775

  12.20 배포된 UR 협상 문서(MTN/TNC/W/FA)의7개 협상 분야별 당관의 평가를
별첨보고하니 참고 바람.

  첨부: 분야별 협상문서 평가

  1. 시장접근

  2. 섬유

  3. 농산물

  4. 규범제정

  5. 제도분야

  6. 지적재산권

  7. 서비스. 끝

  (GVW(F)-675)

  (대사 박수길-국장)

통상국
특허청   2차보   청와대   안기부   경기원   재무부   농수부   상공부

PAGE 1   91.12.21   15:28 ED
                                              외신 1과 통제관
                                              주무과 FAX 배포필
                                              0112

총 300매

우루과이라운드 協商 現況 報告

(정리대 보고)
미시행
1991. 12. 21.

外 務 部

1991. 12. 20. 提示된 우루과이라운드(UR) 協商의
最終 協商 文書와 關聯 아래 報告 드립니다.

---

1. 最終 協商 文書의 內容

   o 90. 12. 브랏셀 閣僚會議 以後 各 協商 分野別 爭點
     妥結을 위한 集中的 協商 結果를 綜合한 文書로서,
     表面上 未決事項 없는 合意된 文書의 形態

   o 실제로는 農産物, 知的財産權, 投資等 一部
     分野에서는 協商 參加國間 合意를 이루지 못하여
     協商그룹 議長이 妥協案을 提示

   o 農産物 分野에서는 우리나라등 수개국가의 反對에도
     不拘, 모든 品目의 關稅化와 最小 市場接近(3%)
     義務를 受容

2. 協商 展望

   o 던켈 GATT 事務總長은 各國 政府가 92. 1. 13. 貿易
     協商委員會에서 協商 文書의 受諾 與否를 밝힐 것을
     希望하고 있으나, 未決爭點의 重要性에 비추어
     同 會議 以後에도 制限된 範圍내에서 實質 協商이
     繼續될 可能性이 큼.

0113

ㅇ 다만, 未決爭點에도 불구하고 各國 政府가 全體 協商
結果를 살리기 위하여 最終 協商 文書를 일괄 受諾할
可能性도 尙存

- 특히 美國, EC間의 農産物 協商 關聯 幕後 折衷이
92.1.13 전에 妥結될 境遇, 協商이 92年 3月末頃
終結될 可能性도 排除 不可

3. 對 策

ㅇ 關係部處와 協調, 協商 文書의 內容과 利害 得失을
綿密히 分析, 對應 戰略 樹立

- 貿易 規範의 改善等 UR 協商 結果의 肯定的
側面과 農産物 分野의 어려움, 서비스등
신분야에서의 長期的 利害得失등을 多角的으로
檢討

ㅇ 農産物 分野에서는 우리의 旣存 立場 反映을 위해
利害 關係를 같이하는 나라와 共同 補助 摸索. 끝.

양고제	통상기구과	기년12월일	담 당	과 장	심의관	국 장	차관보	차 관	장 관
				(서명)					

0114

UR/농산물 협상 최종 협상 문서 요지

1991.12.21.
통상기구과

1. 시장접근

   o 예외없는 관세화 및 모든 관세(TE 포함) 양허

   o TE 감축 기준년도, 감축기간 및 감축폭

     - '86-'88년 기준 '93-'99년간 36% 감축 (단, 품목별 최소 15% 감축)

   o 최소 시장접근

     - '86-'88년 평균 소비량 기준 이행 개시년도(93년) 3%, 이행 마지막

       년도(99년) 5%를 최소 시장접근으로 허용

2. 국내보조

   o 감축 기준년도, 감축기간 및 감축폭

     - '86-'88년 기준 '93-'99년간 20% 감축

   o 감축의무가 면제되는 de minimis 수준 (총생산액에 대한 보조 비율)

     - 선진국 : 5%

     - 개도국 : 10%

3. 수출보조

   o 감축 기준년도, 감축기간 및 감축폭

     - '86-'90년 기준 '93-'99년간 재정지출 기준 36% 및 물량기준 24% 동시 감축

4. 개도국 우대

   o 감축폭

     - 선진국 감축폭의 최소한 2/3 이상 감축 의무 부담

   o 감축기간

     - 최대 3년 연장 가능

5. 기 타

   o 92.3.1까지 양허 계획(country plan) 제출

   o 92.3.31까지 양자협상 완료.   끝.   0115

91.12.22
청와대(L2

2. 우루과이라운드(UR) 最終 協商文書 提示

o 12.20 던켈 GATT 事務總長은 지난 1년간의 協商結果를
종합, 모든 協商分野에 걸친 最終 協商文書를 作成,
UR 貿易協商委員會에 제시함.

- 同 文書는 일부 完全合意가 안된 부분이 있음에도 불구,
  던켈總長이 자신의 責任下에 作成 제시

- 農産物 分野에서는 우리나라등 一部國家의 反對에도
  불구, 모든 品目의 關稅化와 3% 最小市場 接近義務를
  受容

o 던켈總長은 各國 政府가 同 協商文書를 檢討, 明年 1.13
貿易協商委員會에 受諾與否를 밝히도록 한다는 계획이나,
各國 政府의 檢討結果에 따라 主要爭点에 대해서는 그 以後
에도 制限된 範圍內에서의 協商이 계속될 가능성이 있음.

  * 92.1.13 以後의 協商에 대비하여 關係部處와 협의, 農産物을
    포함한 各分野別 對策을 마련 예정임.

0116

2. 5

외　무　부

종　별 : 지　급

번　호 : ECW-1158   일　시 : 91 1221 1800

수　신 : 장 관(봉기,경기원,농수산부,상공부)

발　신 : 주 EC 대사   사본: 주 미,제네바대사-중계필

제　목 : UR 협상

검 토 필 (1991. 12. 31.) 길

　　　대: WEC-0837

　　　연: ECW-1157

연호와같이 12.20 제출된 DUNKEL 총장의 최종협정 초안에 대하여 EC 측은 12.23(월) EC 일반이사회 (외무장관및 무역장관) 에서 정식으로 검토할 예정이며, 미.EC 연례 각료회의 직후 DUNKEL 초안에대한 MACSHERRY 위원의 비공식적인 반응을 아래와같이 보고함

　　1. MACSHERRY 위원은 DUNKEL 초안중 농산물분야와 관련, 지난 11.19. 헤이그 미.EC 정상회담 이후 지금까지 협의해온 내용보다 여러분야에서 EC 측의 기존입장보다 불리한 내용으로 전환되었으며, 자신의 예상보다 훨씬 악화되었다 (MUCH WORSE THAN EXPECTED) 고 혹평(SLAM) 하였다 함

　　2. 특히 동위원은 DUNKEL 문서에 86-90 년 기준으로 24% 의 수출물량을 감축토록 된것과, EC 가 지금까지 추구해온 헥타르당 보상및 LIVESTOCK 보상에대한기준이 GREEN BOX 에서 제외된것은 도저히 받아들일수 없으며, 이는 현재까지도 난항을 계속하고 있는 CAP 개혁을 파국으로 몰아넣을것이 분명하다고 말함. 동 문서에서 GREEN BOX 의 기준으로 적용한 개념자체가 생산과 관련시키지 않는등 현실과 완전히 괴리되어 있고, 경작자의 은퇴로 생기는 농지는 확대를통한 농업구조의 개선으로 지향되기 보다는 휴경토록 되었고, 이러한 휴경지에대한 보상이 GREEN BOX 에 포함되려면 최소 3 년간 경작하지 않아야 된다는 것은 수락할수없다고 반박함. 동 위원은 EC 의 REBALANCING 요구에 대하여 동문서에 곡물수입에 대한 양보안으로서 곡물대체품 수입제한 제도를 도입하도록 모호한 규정이 있는바, 동 제도는 그 실효성이 거의 없으므로 실효성을 보장할수 있는 방향으로개선되어야 한다고 주장함

　　3. 동위원은 DUNKEL 문서를 명백히 거부하는 것은 아니며, 동 문서에는 상기와같이

통상국 경기원	장관 농수부	차관 상공부	1차보 중계	2차보	외정실	분석관	청와대	안기부

PAGE 1   91.12.22　05:42

EC 가 기본적으로 받아들일수 없는 안들이 포함돼 있기 때문에 회원국에 수락을 요청할수 없는것이 자신의 입장임을 밝히고, 92.1.13. 까지 또 한차례의 어려운 협상이 예상되나, 앞으로 농산물과 관련, 미국과의 양자협상 계획은 없다고 말함. 끝

(대사 권동만-국장)

예고: 92.6.30 까지

해고문에 의거 재분류 193   (   )
지위   성명

22/ 름

| 판리 |
| 번호 91-925 |

외 무 부

종 별 : 지급

번 호 : ECW-1157

일 시 : 91 1221 1800

수 신 : 장 관(봉기,봉삼,구일,미일,경기원,상공부,농수산부)

발 신 : 주 EC 대사   사본: EC회원국주재대사,주미, 제네바대사-중계필

제 목 : 미.EC 각료회의 (UR 협상)

검 토 필 (109/.12.31.) 긴

연: ECW-1156

연호 12.21. 미.EC 정례 각료회의에서 논의된 UR 관련내용 요지 다음보고함

1. EC 측 발언요지

가. LUBBER 화란 (EC 의장국) 수상은 11.19. 헤이그에서 개최된 미.EC 정상회의에서 양측간 농산물분야및 기타분야에서의 COMMON APPROACH 를 위해 상호 FLEXIBILITY 를 보이기로 한바 있고, 이에따라 DUNKEL GATT 사무총장이 최종협상문서를 작성할수 있게 되었는바, 12.23(월) 브랏셀 개최 EC 일반 각료이사회에서동 문서를 검토할 예정이라고 말함

나. 그러나 동 수상은 농산물 문제와 관련, 양측간 이견에대해 합의를 이루지 못한데 대해 실망을 표명하고, 금번 협상에서 약간의 진전은 있었으나 충분치못하다고 언급함

다. 한편, ANDRIESSEN 부위원장은 DUNKEL 문서와 관련, EC 측은 동문서를 작 12.20. 자정에 접수하였는바, 금일부터 검토를 개시하여 12.23. 개최될 상기 이사회에서 동 문서에대한 EC 입장을 협의 예정이나 일차 검토결과 농산물분야를포함, EC 로서는 동 문서를 수용하기 어렵다고 밝히고 보다 신중한 검토가 요구되고 있다고 말함

라. MACSHERRY 집행위원은 헤이그 정상회담이후 양측은 PEACE CLAUSE, 수출감축 (물량및 금액), 국내보조감축 문제등 농산물분야에서의 이견사항에 대해 집중 협의하여 왔으나 아직도 양측간에는 이견이 상존하고 있다고 말하고, DUNKEL 문서에 대해서는 아직 입장을 밝힐 단계가 아니라고 언급함 (별전보고 참조)

2. 미측 발언요지

가. HILLS 봉상대표는 DUNKEL 문서가 451 페이지로 되어있고, 15 개 협상그룹

| 통상국 분석관 | 장관 정와대 | 차관 안기부 | 1차보 경기원 | 2차보 농수부 | 미주국 상공부 | 구주국 중계 | 통상국 | 외정실 |

PAGE 1

91.12.22 05:36

외신 2과 통제관 FI

0119

UR(우루과이라운드) 협상 동향 및 TNC(무역협상위원회) 회의, 1991. 전4권(V.4 12월) 341

내용을 모두 포함하고 있으며, 일부분야에서는 <u>CONSENSUS</u> 를 반영하고 다른 분야에서는 논란의 여지를 갖고 있다고 평가함.

　　나. 동 대표는 미국정부는 DUNKEL 총장이 제시한 절차에따라 의회및 관련업계와 긴밀히 협의후 92.1.13. 까지 문서로서 입장을 제시하게 될것이라고 말함. 끝

　　(대사 권동만-국장)

　　예고: 92.6.30 까지

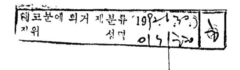

(UR 협상 현황)

한미정상회담자료 12.14 (handwritten)

1. 협상 현황

  o 던켈 갓트 사무총장은 91.12.20 무역협상위원회(TNC)에서 UR 최종 협상 문서
    및 향후 협상 계획 제시
    - 각국 정부에 대해 동 최종 협상 문서를 검토, 92.1.13 무역협상위원회에서
      협상을 종결한다는 계획을 제시   이에대한 평가및 입장은 밝히도록 된침 (handwritten)
    - 시장접근, 서비스 분야 양자협상등 기술적 협의는 92.1.13 이후에도 계속
      실시, 전체 UR 협상을 종결 한다는 계획 제시   수락일도아 (handwritten)

2. 최종 협상 문서의 성격

  o 90.12. 브랏셀 각료회의 이후 각 협상 분야별 쟁점 타결을 위한 집중적 협상
    결과를 종합한 문서로서, 외형상으로는 합의된 형태를 취함.

  o 실제로는 일부 분야에서 협상 참가국간 합의를 이루지 못하여 협상그룹
    의장이 독자적 책임하에 타협안을 제시
    - 농산물 분야에서는 우리나라등 수개국가의 반대에도 불구, 모든 품목의
      관세화와 최소 시장접근(3%) 의무를 수용

3. 협상 전망

  o 민국, EC가 협상 문서를 그대로 수락하기 어렵다는 1차적 반응을 보였으며,
    미결쟁점이 적지 않음에 비추어 1.13 무역협상위원회에서 협상 문서 수락
    여부에 대한 결정이 유보된채 협상 문서의 전체적 균형을 깨뜨리지 않는
    제한된 범위내에서 일부 내용 수정을 위한 협상이 이루어질 가능성이 있음.

  o 다만, 미결 쟁점에도 불구, 각국 정부가 국제무역 체제의 장래에 대한 고려
    및 협상 대세에 따라 최종 협상 문서 수락을 일괄 거부하지는 않을 것이라는
    것이 일반적인 관측임.   끝.

0121

UR(우루과이라운드) 협상 동향 및 TNC(무역협상위원회) 회의, 1991. 전4권(V.4 12월) 343

발 신 전 보

	분류번호	보존기간

번 호 :ㅤㅤㅤㅤㅤㅤㅤㅤ 종별 :

수 신 : 주ㅤ 수신처 참조ㅤ 대사. 총영사

발 신 : 장 관 (통 기)

제 목 : UR 협상 동향

1. 12.20 UR/무역협상위원회(TNC)에서 제시된 최종 협상 문서에 대한 본부의 평가
   및 향후 UR 협상 전망을 아래 타전하니 참고바람.

   가. 최종 협상 문서의 성격

   ㅇ 90.12. 브랏셀 각료회의 이후 각 협상 분야별 쟁점 타결을 위한 집중적
      협상 결과를 종합한 문서로서, ~~표면상 모든 협상 분야에 걸쳐 미결사항~~ 외형상으로는 잘라없는 문서
      ~~없는 합의된 문서(consensus text)~~ 형태를 취함.

   ㅇ 실제로는 농산물, 지적재산권, 투자등 일부 분야에서는 협상 참가국간
      합의를 이루지 못하여 협상그룹 의장이 독자적 책임하에 타협안을 제시
      함으로써 앞으로 논란의 여지가 있음.

   - 농산물 분야에서는 우리나라등 수개국가의 반대에도 불구, 모든
     품목의 관세화와 최소 시장접근(3%) 의무를 수용

   ㅇ 던켈 GATT 사무총장은 각국 정부가 92.1.13. TNC 회의시까지 협상 문서를
      검토, ~~동 회의에서~~ 이후 수주일내에 협상을 종결한다는 계획을 제시함.

   - 시장접근, 서비스 분야 양자협상등 기술적 협의는 92.1.13 이후에도
     계속

보안통제	(서명)

앙고재	91년12월23일	통기과	기안자성명 조현	과장 (서명)	심의관 (서명)	국장 전결	차관	장관 (서명)

외신과통제

0122

나. 협상 전망

ㅇ 금후 협상의 향방은 기본적으로 12.20 package에 대한 미국과 EC의

　반응에 따라 크게 좌우될 것임 (handwritten: 일반) 미·EC간 (handwritten: 양자 협의가 결렬되었으며)

ㅇ 던켈 GATT 사무총장은 각국 정부가 92.1.13. 무역협상위원회에서 전체

　협상 문서에 대한 평가와 수락 여부를 밝힐 것을 요청하고 있(handwritten: 동방, 강이 협상은 결정 명박)

　EC가 농산물 협정안을 수락할 수 없다는 1차적 반응을 보이고 있고, (handwritten: 미국도)

　미결쟁점이 적지 않음에 비추어 동 회의에서 수락 여부에 대한 결정이

(handwritten left margin: 시국. EC는 물론 미국이라도)　(handwritten: 반대로 안하씨만 북토면 물제는 저지,) (handwritten right: 축가협상이 계속 되기는 한다는 1.52 토)

　유보된채 협상 문서의 전체 package의 균형을 깨뜨리지 않는 제한된

　범위내에서 일부 내용 수정을 위한 협상이 있을 가능성이 있음.

(handwritten: 농산협상에서는 미국과 EC가 강하게 서면)

(handwritten left margin: 비)

ㅇ 다만, 미결쟁점에도 불구하고 각국 정부가 국제무역 체제의 장래에

　대한 고려 및 협상 대세에 따라 전체 협상 결과를 살리기 위하여 최종

　협상 문서 수락을 일괄 (handwritten: 거) 부하는 참가국은 없을 것이라는 것이 일반적인

　관측임

(handwritten left margin: 당연하리라고 하는 감이 씨리)

　- 특히 미국, EC간의 농산물 협상 관련 막후 절충이 92.1.13전 또는

　1월중 타결될 경우, 협상이 92년 3월말경 종결될 가능성(handwritten: 을) (handwritten: 나 제기키 곤란한)

ㅇ 전체적으로 금후 협상은 12.20 package에 대한 consensus 유도와 양자간

　양허 협상(공산품, 농산품, 써비스 1차 양허)등 two track으로 추진하면서

　92.4월중순경 협상 결과 전체 package 채택을 목표로 진행될 것으로

　예상됨.

2.　상기 최종 협상 문서의 각 분야별 내용에 대한 평가서는 추후 파편 송부 예정임.

　　　　　　　　　　　　　끝.　　　　　　　　　（통상국장　김 용 규）

수신처 : 미국, 일본, EC, 카나다, 호주, 영국, 불란서, 독일, 스위스, 태국,

　　　　말레이지아, 브라질, 인도, 스웨덴

관리번호 91-979

종 별 :

번 호 : AUW-1077

일 시 : 91 1223 1600

수 신 : 장관(통기)

발 신 : 주 호주 대사

제 목 : UR협상

원 본

외 무 부

검 토 필 (1991. 12. 31.) 길

대:WAU-0967

1. 대호관련, 주재국 BLEWETT 무역장관은 작일 기자회견을 통해 금번 DUNKEL초안중 농업관계 사항은 호주가 희망해온것 정도만큼 진전된 내용은 아니나, 호주가 지난 5 년간 주장해 왔던것을 옳바른 위치에 놓이게 하였으며(SET IN PLACE), 동 초안은 농산물 국제교역을 장기간에 걸쳐 변화를 돌이킬수 없는 제도적 장치를 마련함으로써 호주와 같은 농산물 자유무역국가 에게 혜택을 가져올수 있게 되었다고 말함.

2. 동장관은 만일 DUNKEL 의 PACKAGE 가 GATT 회원국에 의해 수락될시 호주농민들에게 당장 이익이 오는것이 아니나 장기적으로 세계 농산물 시장의 접근기회를 증대시킬 것이라고 말하고, 동 PACKAGE 는 농산물, 지적소유권, 서비스및 부자조치 분야에 있어 세계 무역환경을 개선할수 있는 많은 새로운 요소를 포함하고 있다고 말함.

3. BLEWETT 장관은 EC 의 반응이 그다지 부정적인 것으로는 보이지 않으며 여러면에서 볼때 상당히 온건한(MODERATE) 반응이라고 말하고, 호주의 공식 반응은 명년 1.6 개최예정인 연방각의에서 토의를 거쳐 표명될것이라고 말함.

4. 한편 주재국 언론들은 금번 PACKAGE 에대해 주재국 정부가 CAUTIOUSLY OPTIMISTIC WELCOME 의 반응을 보이고 있는것으로 보도하고 있는바, 관련사항 파악되는대로 추보 예정임.끝.(대사 이창범-국장)

예고:92.6.30. 까지.

대외문제 의거 재분류 1992.6.30.)
직위   성명 이기춘

통상국	장관	차관	1차보	2차보	아주국	외정실	분석관	청와대
안기부								

PAGE 1

91.12.23 14:26

외신 2과 통제관 BN

0124

ㄹ

```
관리
번호  91-881
```

외 무 부

종 별 : 지 급

번 호 : ECW-1168   일 시 : 91 1223 2330

수 신 : 장 관(봉기,봉삼,경기원,농수산부,상공부)

발 신 : 주 EC 대사   사본: EC 회원국주재대사-직송필

제 목 : UR 협상

```
검 토 필 (1981. 12. 31. ) 김
```

연: ECW-1158

1. 연호 DUNKEL 최종협정초안에 대한 EC 입장을 논의하기위한 EC 일반
각료이사회가 각회원국의 외무장관, 봉상장관및 농무장관들이 참석한 가운데 금 12.23
당지에서 개최된바, 동 회의 종료후 발표된 성명 (전문 별전송부) 요지 다음보고함

가. 현 단계에서 DUNKEL 문서를 최종평가 하는것은 시기상조이며, 좀더 검토
시간이 필요하다는데 집행위와 견해를 같이하며, 이에대한 최종평가는 앞으로있을
주요 쟁점사항에 대한 협상결과에 따라 가능할 것임

나. DUNKEL 문서가 EC 의 농업정책 기반에 문제를 야기시키는 한 이를 수락할수
없으며 동 문서가 일부 긍정적인 내용도 포함하고는 있으나, 전체적으로 균형되어
있지 못하므로 집행위로 하여금 이의 개선을위한 교섭을 재개토록 함

다. 미.일등 주요 무역상대국도 협상타결을 위한 진지한 노력을 경주해야 할것임

2. 한편 상기회의에서 EC 주요국들이 밝힌 DUNKEL 문서에대한 일차적 반응은
아래와 같은것으로 전해짐

가. 영국(LILLEY 상공장관)

0 동 문서를 거부할 아무런 이유가 없다고 긍정적으로 평가함

나. 독일 (MOELLEMANN 경제장관)

0 동 문서가 긍정적인 면과 부정적인 면을 모두 갖고 있는것으로 평가함

0 농업문제 관련, 식품수입에 대한 적절한 보호책미비, REBALANCING 의 불언급,
EC 의 농업개혁제안 내용 허용여부 불명확등에 대한 이의를 제기함

다. 불란서

0 DUNKEL 문서가 제시되기전 반대입장을 표명하였음을 상기시킴

3. 금일회의는 오후 15:00 부터 19:30 까지 계속되었으며 동회의 종료후 회원국

통상국 분석관	장관 청와대	차관 안기부	1차보 경기원	2차보 농수부	구주국 상공부	경제국	통상국	외정실

PAGE 1

장관들은 WORKING DINNER 를 갖고 UR 협상대책을 계속 협의중인바, 특별한 내용이 파악될 경우 추보위계임. 끝.

　　(대사 권동만-국장)

　　예고: 92.6.30 까지

예고문에 의거 재분류 1992.(.30.)
직위　　　성명　이 □ □

0126

주 이 씨 대 표 부

종   별 :

번   호 : ECW(F)- 0802   일   시 : 1223 2330

수   신 : 장 관 (통기, 롱상, 경가원, 농수산부, 상성부)

발   신 : 주이씨대사

제   목 : 첨석물

(종   매)
202-2-1

0127

COMMUNIQUE

GENERAL COUNCIL

23 DECEMBER 1991

- Recalling the conclusions of the European Council meeting in
  Maastricht, the Council stressed the importance of a
  successful conclusion of the Uruguay Round. A further
  opening up of markets and improvement of the rules and
  disciplines governing world trade are an indispensable
  element in the strategy to remedy the threat of world
  economic recession. More specifically the need for success
  is addressed by the beneficial effects an opening up of world
  trade will have on those countries that are in the process of
  transforming their economies into a more market oriented
  direction.

- The Council discussed the "Dunkel paper" on the basis of a
  first evaluation by the Commission. The Council shared the
  view of the Commission that at this stage a final assessment
  is premature. More time is needed to study the extensive and
  complicated text.

- Moreover the Council noted that a final assessment of the
  "Dunkel paper" is only possible after, and will be influenced
  by, the pending outcome of the outstanding specific
  negotiations planned for and resulting from the "Dunkel
  paper".

202-3-2

0128

N 316/91

- The Council's concerns focused on the proposed result on
  agriculture. Insofar as the "Dunkel paper" calls into
  question the foundation of the Community's agricultural
  policy, the paper is not acceptable and therefore has to be
  modified. Since the Community has embarked upon a
  far-reaching reform process of its agriculture policy, the
  proposed text was in particular evaluated in this light.

- Although the Council recognized that the paper contains some
  positive elements as it stands now, the Council is of the
  opinion that the paper is not balanced in total and therefore
  invites the Commission to negotiate further necessary
  improvements to it.

  Also genuine efforts from some major trading partners,
  especially US and Japan, should be obtained to ensure mutual
  advantages and to increase benefits to all participants.

302-3-3   0129

U 316/91

外 務 部

종 별 :

번 호 : CNW-1666   일   시 : 91 1223 1800

수 신 : 장 관(통기,상공부)

발 신 : 주 캐나다 대사

제 목 : UR 협상

1. 12.23(월) 주재국 유력 언론들은 12.20. UR/TNC회의에서 제출된 최종 협정초안이 주재구의 낙농, 가금 및 계란 품목에 대한 보호규정을 포함하지 않고 있다는 점 및 유전공학을 이용한 의약품에 대한 북허권 연장조항이 포함된점에 실망을 표시하였으나, 전반적으로는 농업분야에 상당한 진전을 이룬것이라고 보도함.

2. 주재국은 모든 수입장벽을 관세로 전환시키고 동 관세를 93년부터 99년 사이에 36프로로 낮추는 것을 내용으로 하는 농업보조금 조항이 주재국 낙농,가금,계란품목에 관련되는 농민에 미칠 부정적 영향을 들어 이의를 제기하고 있으며, 쌀수입규제 계속을 희망하는 일본과 한국도 동조항에 대해 부정적이라고 보도함.

3. 동 초안에 대해 주 정부와 협의를 가질 것으로 알려지고 있음. 주재국 언론들은 또한 국내 정치적으로 어려움에 처해 있는 멀루니 수상정부로서는 퀘벡지방에 주로 분포되어 있는 낙농,가금 및 계란 품목 생산에 종사하는 농가들을 자극하는것은 바라지 않고 있으나, 상기 초안이 퀘백지방의 3개품목에 부정적 영향을 주는반면 서부지역의 곡물생산 농가에 대해서는 긍정적 영향을 주고 있어 양자 택일을해야하는 곤경에 처해있다고 보도함.

4. 상기 관련기사 2 부 FAX 송부함.끝

(대사-국장)

첨 부 : CNW(F)-0140

통상국   2차보   구주국   국기국   청와대   안기부   상공부

PAGE 1   91.12.24   09:18 DU

외신 1과 통제관

0130

CNW(打)-0140   91.1223 1880

(CNW-1666 의   첨부물)

The Globe and Mail   Dec. 23, 1991

GATT agreement gets lukewarm reception

Accord still faces tough scrutiny

MADELAINE DROHAN
European Bureau

GENEVA — It was a moderately hopeful sign for the future of a world trade agreement that no one panned the 500-page document outright after its release here on the weekend.

Politicians being politicians, those who did comment criticized the sections of the proposed accord that did not go their way.

But none of the 108 governments involved uttered the unqualified condemnation that would kill the five-year effort to write a new rule book for trade, a move that would set the stage for increased protectionism and trade wars.

Governments have until Jan. 13 to decide whether they have gained more than they have lost in the new GATT agreement. That is the day all 108 members of the General Agree

ment on Tariffs and Trade must officially deliver their verdict.

More importantly for the politicians, they have until then to decide whether the deal can be sold on the home front, particularly to domestic constituents such as some farm groups that fear their livelihood is under attack.

In countries where elections loom, such as the United States, or where governments are unpopular and vulnerable, such as Canada, Japan and France, the political dimension is all important.

"No agreement is better than a bad agreement," U.S. Trade Representative Carla Hills said on the weekend. She added that the United States was going to examine the document carefully before commenting.

Please see GATT   B3

- GN 140- 1/4

The Globe and Mail   Dec. 23,1991

GATT deal still faces scrutiny

• From Page B1

Mrs. Hills has said that a bad agreement, which in U.S. terms means one that does little to reduce farm subsidies or decrease barriers to trade in services, would not get by Congress.

"It's much worse than expected," said EC Agriculture Commissioner Ray MacSharry, who did not like what he saw in the farm subsidies section but said the EC examination of the accord would continue. EC farm and trade ministers are to meet today in Brussels.

The farm section — which calls for reductions in farm export subsidies of 36 per cent in dollar terms and 24 per cent by volume between 1993 and 1999 — was inserted by GATT director-general Arthur Dunkel when the EC and United States failed to find a compromise in last-minute negotiations last week. Their disagreement over farm subsidies was threatening to scuttle the entire GATT agreement.

Canada, echoed by Japan, took issue with the part of the farm subsidies accord that calls for all import barriers to be translated into tariffs and then reduced on average by 36 per cent between 1993 and 1999.

This threatens the long-term survival of the system of supply management under which domestic dairy, poultry and egg production is kept in balance with domestic consumption by severely restricting imports.

The politically weak Mulroney government doesn't want to antagonize dairy, poultry and egg farmers, many of whom also happen to live in Quebec.

Japan and Korea also don't like this section because they want to continue to ban rice imports. But Japan's burgeoning trade surplus with the rest of the world, particularly the United States, weakens their bargaining position on this point.

Trade Minister Michael Wilson said he hoped a deal could be worked out, but he, like all the others, refused to give up quite yet.

Mr. Dunkel might have characterized the deal as take-it-or-leave-it, but Mr. Wilson is still hoping to make changes.

Canadian trade officials have always feared it would come down to this. Since the GATT round began in 1986 Canada has been pushing two conflicting positions in the farm talks — free trade for commodities such as grain where Canada can compete, but continued protection for dairy, poultry and eggs.

Now the Mulroney government will have to decide whether the eventual loss of protection for the dairy, poultry and egg sector is worth scuttling the entire agreement, which contains important gains for Canada in many other areas.

The agreement on what constitutes a subsidy and rules limiting the use of unilateral action by any one government would go a long way toward smoothing and regulating Canada-U.S. trade relations. Little wonder that Canadian negotiators were grinning broadly when they emerged from the GATT meeting late Friday.

But accepting the GATT deal as is, which is how Mr. Dunkel has said it must be accepted, will involve a great deal of back pedalling by the Mulroney government. Having said that Canada must have an exemption for its dairy, poultry and egg producers, the government will now have to explain how it can live with a deal that does not have one.

If one country demands a section be changed as a condition of its acceptance of the deal, that will open the floodgates and everyone else will seek changes too. The fragile consensus on issues other than farm subsidies will shatter.

There is a genuine fear among trade analysts that a rejection of the GATT agreement will open the door to increased protectionism, which in turn could lead to outright trade wars.

As the 108 government leaders consider their response to the proposed GATT agreement, they must also decide whether they want to be responsible for unleashing the forces of protectionism.

It would help if they remembered the lesson from the 1930s — in a trade war there are no winners.

CN140-2/4

0132

0133

CANADA - 3/4

GATT

Proposals put pressure on dairy

Approval of plan would reduce European wheat subsidies providing some

By Eric Beauchesne
Southam News for the Citizen

A proposed global trade deal means Canadian grain farmers would receive some relief from the brutal export subsidies of other nations, but dairy and poultry farmers in Canada would lose some protection they now enjoy, a senior government official said Sunday.

But the official, speaking on condition he not be identified, refused to characterize the proposed agreement — from the director general of the General Agreement on Tariffs and Trade — as a win for western farmers at the expense of eastern producers.

The wide-ranging proposal, which was presented Friday in Geneva, still has to be approved by the 108 members of the GATT. It requires the European Community to cut the volume of subsidized

wheat exports by 4½ per cent over six years.

"This would have a positive impact on grain prices which will be beneficial to producers in all regions," Grains Minister Charlie Mayer said on the weekend.

But Canadian dairy and poultry farmers, mostly in Quebec and Ontario, would see the protection they now enjoy through import quotas replaced by protection through tariffs that would then have to be reduced over time by about one third.

The tariffs would remain high enough to keep cheaper U.S. imports from undercutting Canadian producers, the official said.

"This is not a free trade agreement by any means," the official said.

Saturday, the three ministers responsible for agriculture expressed disappointment that deal didn't go far enough in

protecting dairy and poultry farmers.

But they said the overall draft package on agriculture represents a significant step forward.

Pierre Blais, minister of state for agriculture, said he was disappointed the proposals, by GATT director general Arthur Dunkel, do not include safeguards for Canada's supply management system which is used to keep lower-priced dairy, poultry and egg imports out of the Canadian market.

Agriculture Minister Bill McKnight described the package as "a complex and comprehensive document which requires careful analysis."

Whether the deal — which includes trade in all goods and services — will be ratified depends on a U.S.-European agreement on cuts in farm subsidies.

So far there is none.

"If some governments come in, and

0134

and poultry farmers

relief for Canadian grain farmers

start rejecting the whole package, it will be very, very difficult indeed," the Canadian official said.

Under the proposal, the Europeans would reduce overall farm export subsidies by 36 per cent.

That's well below the 90 per cent sought by Canada and other food exporting countries, but more than the 30-per cent offered by the Europeans.

"We've been getting closer but we still don't seem to be able to close the gap," the official said.

"The negotiation is not over until it is over," added the official. But "the stakes are very high" for Canada.

The fear is that if the proposal is rejected, countries will spread the current trade war in farm products into other areas.

About 30 cents of every dollar earned in Canada is export related.

The proposed deal would also hurt Canada's generic drug manufacturers by increasing the patent protection on new drugs by an average two to three years.

Canada's generic drug manufacturers have warned that the patent extension could cost Canadian consumers $400 million a year.

Industry Minister Michael Wilson will begin discussing the proposed agreement with the provinces today.

What Canada wants in the proposed agreement is a World Trade Organization — suggested by former trade minister John Crosbie — that would put legal teeth into world trade rules.

The deal also includes a definition of a trade distorting subsidy, a definition which has eluded the U.S. and Canada under the free trade agreement.

(With files from Canadian Press)

외 무 부

종   별 : 지 급

번   호 : USW-6410   일   시 : 91 1223 1924

수   신 : 장관(봉기,봉이,미일,경기원,농수산부,경제수석)

발   신 : 주 미 대사   사본:주제네바, EC 대사 (본부중계필)

제   목 : UR 협상(DUNKEL 협상안에 대한 각국 반응)   검 토 필 (1991. 12. 31.) 깐

12.20 제출된 DUNKEL 갓트 사무총장의 UR 협상안에 대한 각국 반응을언론 보도를 중심으로 하기 보고함(주재국 관련 인사들도 명일중 접촉 예정인바,동 결과 추보 예정임)

1. 각국 반응 요약

가. 미측

0 HILLS USTR 대표는 DUNKEL TEXT 에 관한 미측의 일차적 평가를 담은 별첨성명서를 발표하였음.

0 동 성명에서 HILLS 대표는 동 TEXT 가 최종 협상안(TAKE-IT-OR LEAVE-IT)이라는 DUNKEL 사무총장의 입장과는 상반되게 동 TEXT 는 협상 초안에 불과한것이지 완성된 법적 문서는 아니라고 주장하고 있는점이 주목됨.

0 동 대표는 또한 향후 미측은 나쁜 합의보다는 합의에 도달치 못하는것이 낫다는 원칙 및 전 분야에서 합의가 이루어질때 까지는 아무런 합의도 없는셈이라는 원칙에 입각하여 동 TEXT 의 수정을 추진할 방침임을 표명함.

0 또한 미 업계에서는 동 TEXT 가 반덤핑 분야에서 덤핑 판정 기준을 세부화 시킴으로서 덤핑 행위에 대한 규제를 어렵게 하고 일본등 아시아 국가들의 입장을 지나치게 반영했다고 비난하고 있는것으로 알려짐.

나.EC

0 MACSHARRY EC 농업상은 대변인을 통한 비공식 논평을 통하여 현재의 DUNKEL TEXT 로는 협상 타결 가능성이 없으며, 특히 동 협상안은 농업 분야에서 미측안에 치우쳐 있다고 부정적인 입장을 표명

0 또한 L.MERMAZ 불란서 농무장관은 동 TEXT 를 수락할수 없다고 단언한것으로 알려짐.

통상국 청와대	장관 안기부	차관 경기원	1차보 농수부	2차보	미주국	통상국	외정실	분석관

PAGE 1   91.12.24   12:01

외신 2과 통제관 CA

0135

다. 일본

0 일본 정부 대변인은 동 TEXT 내용에 관하여 진정 유감스럽게 생각한다고 부정적 입장을 표명하였으며, 쌀시장 폐쇄를 계속 하겠다는 의지를 재 천명함.

0 일본 농협에서는 동 TEXT (농업 부문)가 수출국 입장에 지나치게 편중된 용서 받을수 없는것이라고 혹평한것으로 보도됨.

라. 한국

0 한국 정부 관리는 동 TEXT 의 농업 부문에 관해 부정적인 견해를 밝히고, 특히 쌀시장 개방은 수락할수 없다는 입장을 재 천명한것으로 보도됨.

마. GATT 사무국

0 상기 각국의 부정적 입장에도 불구하고 GATT 사무국측은 최근의 세계 경제 침체를 타개하기 위해서는 UR 협상 타결이 긴요하다는 측면에서 동 TEXT 가 종국적으로는 각국에 의해 수용될것이라는 낙관적 전망을 표명한것으로 알려짐.

0 GATT 사무국측에서는 명년초에 협상을 진행시켜 92.4 월경 최종 합의 문서에 서명(최종 회의 장소로는 모로코가 유력시)할수 있게 될것을 희망하고 있는것으로 알려짐.

2. 전반적 평가

0 주요 협상국들이 공통적으로 DUNKEL 사무총장 TEXT 에 대해 불만을 표명하고 있으나, 일부 관측통들은 이러한 불만 표시가 국내 정치적 고려에 입각한 정치적 제스쳐에 불과할 가능성도 있다는 조심스러운 의견을 표명하고 있음.

0 특히 EC 는 가장 강경한 반대 입장을 보이고 있으나, 반면에 종래 자유 무역의 주창자를 자처해온 EC 가 UR 협상 타결을 가로 막았다는 누명을 쓰지는 않을것이라는 관측도 있음.

0 DUNKEL TEXT 에 대해 각국은 모두 나름대로의 입장 반응을 추진할것이나 결국은 이러한 입장차가 서로 상쇄되어 DUNKEL 총장의 원안에서 그리 벗어나지 않은 선에서 합의가 이루어질 가능성이 크다는 전망도 대두되고 있음.

0 특히 UR 협상 실패는 통상문제의 양자 협상화를 초래하여 강대국들이 국제 무역 규범상 헛점을 악용할 가능성이 커진다는 측면에서 개도국들에게 불리한영향을 초래할것이며, 나아가 세계적인 무역 블록화 추세를 가속화시킬것이므로, 각국은 모두 이러한 협상 실패의 책임을 지지 않으려 할것이라는 관측도 대두되고 있음.

첨부 USW(F)-5717

PAGE 2

0136

(대사 현홍주-국장)

예고:92.6.30 까지

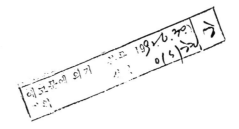

주 미 대 사 관

USW(F) :　5717　년월일 :　　　　시간 :

수　신 : 장　관 (통기,통이,미안,경기원,농수산부,
　　　　　경제과) 사업 : 축재미안,
　　　　　　　　　　　EC 대사.

발　신 : 주 미 대 사

제　목 : 정부 (10매)

보　안	
통　제	

(출처 :　　　　　)

(5717 - 10 -)

외신 1과	.
통　제	

*An
Inside
Washington
Publication*

Inside U.S. Trade

An exclusive weekly report on major government and industry trade action

December 23, 1991

Special Report

HILLS SAYS THAT DUNKEL DRAFT MUST BE JUDGED IN LIGHT OF MARKET ACCESS

A draft Uruguay Round agreement of the General Agreement on Tariffs & Trade (GATT) that was completed Friday (Dec. 20) will have to be judged in light of the results of ongoing market access negotiations in the GATT, according to a statement by U.S. Trade Representative Carla Hills. Hills stressed in her statement that the text offered last week by GATT Director General Arthur Dunkel was by no means a final document.

Hills pointedly said that the draft represented only Dunkel's attempt to resolve outstanding contentious issues. In evaluating the text, Hills said "we will continue to be guided by our strong belief that no agreement is better than a bad agreement."

Hills' remarks contrast with Dunkel's statement to the Trade Negotiating Committee Dec. 20 when he urged that the package should not be unraveled and should be seen as an essentially a final package. "As I have repeatedly stressed, the document I have tabled today forms a single package, and it is as a package that it should be judged," Dunkel said. He seemed to intone that five years of negotiations in the Uruguay Round hung in the balance.

Dunkel highlighted three areas in the text that still remain to be completed, including the market access negotiations, negotiations in agriculture and negotiations in services. But in an attempt to push the Uruguay Round to a close, Dunkel said that the working groups under the Goods Negotiating Group will be disbanded.

Dunkel stressed that despite omissions, the text was "comprehensive," and much closer to a final agreement than the draft text presented at the Brussels Ministerial meeting in December 1990. Dunkel also noted that the Group of Negotiations on Goods still had to complete an evaluation of the negotiations before a final deal could be concluded. The text also needed to be checked for legal conformity and internal consistency, Dunkel said.

The European Community has unofficially condemned the package, according to sources, even though the text does not include commitments on internal supports and export competition in agriculture -- one of the most divisive issues between the U.S. and the EC. Agriculture talks between EC Agriculture Commissioner Ray MacSharry and U.S. Agriculture Secretary Ed Madigan reportedly broke down Dec. 20 following several days of discussions. The EC is set to consider the draft text at a Dec. 23 Council meeting, and France is expected to press other member states at that meeting to move toward rejecting it (*Inside U.S. Trade*, Dec. 20, p1).

Industry groups in the U.S. were reacting cautiously last week, saying that they needed more time to study Dunkel's proposal. The draft proposal by no means represents a final text, industry sources said.

The Trade Negotiating Committee is scheduled to meet Jan. 13 "with a view to concluding the Uruguay Round," according to Dunkel, even though market access negotiations are scheduled to continue through the beginning of next year.

Dunkel Statement to Trade Negotiations Committee

**Statement by Mr. Arthur Dunkel
Chairman of the Trade Negotiations Committee
at official level**

Geneva, Friday 20 December 1991

1. I call to order this meeting of the Trade Negotiations Committee at official level.

2. The purpose of this formal meeting of the TNC is to conclude the intensive consultations which, at the end of the Brussels meeting on 7 December 1990, Dr. Hector Gros-Espiell, Chairman of the Committee at Ministerial level, asked me to carry forward "until the beginning of next year." He meant, of course, 1991. The fact that we have almost reached the beginning of 1992 speaks for itself . . .

3. More specifically, the purpose of the meeting is to ask you to take note of the fact that before the end of today -- 20

December -- you will have available a complete and consolidated document bringing together the results of five years of effort. This document is the outcome both of intensive negotiation and of arbitration and conciliation: negotiation among you, the participants, and arbitration and conciliation by the Chairmen when it became clear that, on some outstanding points, this was the only way to put before you a complete, consolidated text. It represents the global package of results of this Round. Even more importantly, it offers us, for the first time, a concrete idea of the scope and scale of the benefits of broad-based liberalization and strengthened multilateral rules which are within our grasp. In short, a promise given, a promise kept.

4. This achievement has been reached thanks to you, the negotiators, and to the dedication and determination of the Chairmen. All have worked virtually non-stop for this result over the past days and nights.

5. The document (MTN.TNC/W/FA), entitled "Draft Final

Act Embodying the Results of the Uruguay Round of Multilateral Trade Negotiations," is ready, but for purely technical reasons -- translation and printing -- will be available in the three official languages of the GATT later this evening.

6. This Committee will meet again on 13 January, with a view to concluding the Uruguay Round. And since the text is not yet in your hands, I will adjourn this meeting as soon as I have concluded my statement. Between now and 13 January, I expect -- indeed, I know -- that the package in its totality will be given the most serious and urgent consideration, at the highest political levels, in your capitals.

7. In examining the Draft Final Act, governments will have to take into account a number of points:

(i) First, the text is comprehensive. It seeks to strike the best possible balance across the board of the long negotiating agenda of this Round. It addresses all areas of the negotiations as laid down by the Punta del Este Declaration. It nails down and captures the very substantial progress we have made since January this year. All these factors make this document much more important than the one we sent to Ministers in Brussels last December.

(ii) Second, however, the Final Act needs to be completed in one very important respect. It lacks the schedules of commitments that are still in the process of being negotiated in three major areas. I have in mind the results of the "Market Access Negotiations" in the various sectors of trade in goods; of the negotiations on specific commitments on internal support and export competition in agriculture; and of the negotiations on initial commitments on trade in services. These results will become available only on completion of the detailed and intensive negotiations in which delegations will have to engage early in the New Year. In this respect I would draw your attention to the statement of the Chairman of the Negotiating Group on Market Access which is being circulated in MTN.TNC/W/93.

8. Two further steps must be taken before the negotiations can be concluded. One is that the Group of Negotiations on Goods must conduct a final evaluation of the negotiations, in accordance with the mandate given by the Punta del Este Declaration. The other is that the entire body of agreements must be reviewed for legal conformity and internal consistency. This latter process is important and unavoidable - indeed, I am

already aware that some technical corrections are required to ensure consistency in certain dispute settlement provisions. It should not, however, lead to substantive changes in the balance of rights and obligations established in the agreements.

9. All this means that our work from January onwards will therefore have to be based on a global approach. And this means that the negotiating groups under the GNG now cease to exist. One exception will be the Market Access Group, since it is charged with the specific task of providing an obvious missing element of the Final Act. The GNS, of course, will remain in place and continue its responsibilities including the conduct of the machinery currently in place for conducting the negotiations on initial commitments in services. I must, however, immediately add that, as Chairman of the TNC, I will continue to count on the assistance of the Chairmen in their personal capacity.

10. The Punta del Este Declaration clearly describes the Uruguay Round negotiations as a "single undertaking." As such, these negotiations are governed by the principle that nothing is final until everything is agreed.

11. Once again, I am deeply grateful to my fellow chairmen for their support, and for their expertise and courage in carrying out this task. My appreciation and thanks also go to all my colleagues in the Secretariat without whom all this would not have been possible. As to the results, no one is infallible, and I would not for a moment expect all participants to be fully content with all the decisions which I have had to make. Nevertheless, you chose this route yourselves, in full awareness of the possible consequences involved, and there is no going back. As I have repeatedly stressed, the document I have tabled today forms a single package, and it is as a package that it should be judged. Your evaluation should not therefore be hasty but well-considered and measured, looking to the future of the multilateral trading system and the opportunity it holds out for all our countries. I am confident that, if we continue to share the vision which brought us together in Punta del Este five years ago, your governments will judge the package favorably.

12. I know that the three weeks' break from now until the 13th January will not necessarily be a holiday. I would like to take this opportunity to convey my season's greetings to you and your families and express the wish that 1992 will go down in history as the year when the biggest of all multilateral trade -- negotiations were successfully concluded.

Hills Statement on Dunkel Text

December 20, 1991

Statement by Ambassador Carla A. Hills on Release of Dunkel Draft Text

The Director General of the GATT, Arthur Dunkel, released this evening in Geneva a comprehensive draft final act covering all issues in the Uruguay Round of global trade talks.

The Uruguay Round is the most ambitious and complex negotiation ever undertaken to open global markets and energize world trade. These negotiations, involving 108 nations representing over 90 percent of world trade, have been proceeding for almost five years.

Director Dunkel deserves great praise for his exhaustive

work in bringing the negotiations to this stage. The draft he tabled represents an earnest effort to resolve many difficult issues. It is a complex document, several hundred pages long, and it will have to be analyzed in its entirety. Thus, we are not prepared to comment in detail on its provisions until we have had time to study it.

It is important to emphasize that the Director General's document is only a draft; it is not a finished legal text. Despite his extraordinary efforts, he was regrettably unable to secure a consensus among participants on all issues. Thus, the draft presented today represents his attempt to resolve many highly contentious issues.

Moreover, nothing in this draft is agreed until everything is agreed. Thus, we will have to evaluate the draft in light of the results of the negotiations on market access for goods and services, which Director General Dunkel has scheduled to continue well into the first quarter of 1992. In that evaluation we will continue to be guided by our strong belief that no agreement is better than a bad agreement.

The Director General has asked that participants be prepared to provide a first appraisal of his draft on January 13, 1992. Over the next few weeks our interagency team will be scrutinizing the draft, and we will be consulting intensively with the Congress, our private sector advisors, and others to determine their views.

A strong and vibrant international trading system is critical to ensuring U.S. and global prosperity. Trade drives growth and creates jobs. Exports accounted for more than half of our economic growth last year; every $1 billion worth of manufactured exports generates 20,000 jobs in the United States.

Thus, our Uruguay Round objectives remain unchanged: to fuel economic growth and generate jobs by opening markets worldwide. We will evaluate the draft text in light of this goal, and will continue to work vigorously with the Director General and our trading partners to make it a reality.

GEPHARDT BILL FORCES JAPAN TO BALANCE TRADE OR FACE AUTO SANCTIONS

House Majority Leader Richard Gephardt (D-MO), along with both House and Senate Democrats, last week unveiled a trade bill forcing Japan to balance its trade with the U.S. within 5 years or face severe restrictions on its automobile exports. Gephardt and cosponsors of the bill repeatedly stressed that it is not protectionist, but is one component aimed at pulling the U.S. economy out of recession.

The bill, announced by Gephardt Dec. 20, requires Japan to reduce its 1991 bilateral trade deficit with the U.S. by 20% each year over the next five years. The bill caps Japanese exports of automobiles to the U.S. at 3.8 million vehicles, the current level of exports, but reduces the cap by 250,000 vehicles per year, over the next five years, if Japan fails in balancing its trade with the U.S. The bill directs the Office of the U.S. Trade Representative to develop a market-access priority list to guarantee that Japan addresses both the size and composition of the trade deficit.

Gephardt indicated that he would push for passage of the bill as quickly as possible, but would wait first to see what, if any, agreement President Bush could secure during his upcoming trip to Japan. Gephardt insisted that Bush not only had to get firm commitments from the Japanese but also some "yardstick" by which to judge the efforts to bring bilateral trade into balance.

The bill also directs USTR to initiate a section 301 case on Japanese auto parts trade. Negotiations stemming from the 301 investigation must seek to eliminate trade-distorting aspects of the Japanese distribution system and the keiretsu system -- a practice of cross-shareholding by Japanese companies. The bill would also initiate an anti-dumping case on Japanese sales of auto parts in the U.S.

The bill raises each year's vehicle export limit by the number of U.S. cars and light trucks imported by Japan over the preceding year. A U.S. vehicle is defined as one with greater than 60% domestic U.S. content supplied by a "traditional" U.S. parts firm. A traditional U.S. parts firm is defined in the bill as one not associated with a Japanese company, or if affiliated with a Japanese company, produces parts whose value is 75% non-Japanese.

Cosponsors of the bill include Reps. Sander Levin (D-MI), John Dingell (D-MI), House Majority Whip David Bonior (D-MI), Bill Ford (D-MI), Cardiss Collins (D-IL), Marcy Kaptur (D-OH), Dale Kildee (D-MI) and Sen. Don Riegle (D-MI). Sens. Tom Harkin (D-IA) and Carl Levin (D-MI) have also signed on to the bill.

Summary of Gephardt Auto Bill

SUMMARY OF TRADE ENHANCEMENT ACT OF 1992

Since 1980, the United States has amassed a cumulative trade deficit of more than $1 trillion. Of this deficit, more than 40% has been with Japan. Currently, roughly two-thirds of our trade deficit is with Japan.

The U.S. trade deficit with countries other than Japan has improved from $96 billion in 1987 to a projected $28 billion in 1991 -- a 70 percent improvement. During the same period, the deficit with Japan has improved by only 25 percent.

Access to the Japanese market continues to be severely limited. In the auto sector, for example, Japan has almost 30% of the U.S. market and more than 10% of the European Market. Foreign producers, on the other hand, have less than 3% of the Japanese market.

I. Bilateral Trade Deficit Reduction Initiative: Japan would be required to reduce its 1991 bilateral trade deficit with the United States by 20% per year in each of the next five years to a position of relative balance.

5711) —10—4

479 P13   WOI   '91-12-24 09:41 0141

UR(우루과이라운드) 협상 동향 및 TNC(무역협상위원회) 회의, 1991. 전4권(V.4 12월) 363

주 미 대 사 관

The Washington Times

PAGE A14 / SUNDAY, DECEMBER 22, 1991

GATT talks threatened by impasse

By Sally Jacobsen
THE ASSOCIATED PRESS

BRUSSELS, Belgium — U.S. and European officials admitted defeat yesterday in their latest effort to break an impasse over farm subsidies, delivering a sharp setback to world trade negotiations.

"There are still substantial differences. . . . That is a disappointment," Dutch Prime Minister Ruud Lubbers said after a meeting between European Community representatives and U.S. officials, led by Secretary of State James A. Baker III.

"There was some progress but not enough," said Mr. Lubbers.

After nearly a year of talks, the giant trading partners have stepped up the pace of negotiations to reach a compromise on government payments to farmers. The 12-nation EC opposes deep cuts in agricultural supports, saying it would hurt small farmers.

The deadlock has threatened to derail the work of the General Agreement on Tariffs and Trade (GATT) in Geneva and elsewhere. The 108-nation group has been trying since 1986 to negotiate reforms aimed in part at lowering trade barriers, which could help energize the global economy and lower prices for goods.

Meanwhile, other obstacles to a GATT accord emerged in Japan and South Korea, which pledged to resist rice imports.

U.S. Trade Representative Carla Hills said it was too early to declare the negotiations doomed. But she stressed that no accord can be reached without a deal on farming.

No new talks were scheduled between U.S. and EC negotiators on agriculture, but Agriculture Secretary Edward Madigan said he believed meetings would continue in Geneva.

On Friday in Geneva, GATT Director-General Arthur Dunkel issued a 500-page draft plan covering

Hills

all trade issues under discussion. Beside agriculture, GATT seeks reforms in textiles, manufactured goods and services such as banking and telecommunications.

The talks also seek to set common rules to protect patents and copyrights and prevent "dumping" — sending goods abroad at artificially low prices to undercut competitors.

Mr. Dunkel gave nations until Jan. 13 to respond, but initial reactions were cool.

"There are parts that I think are acceptable and parts that present problems," said Mrs. Hills. "It is but a draft, and there is more to be done."

Ray MacSharry, the EC farm chief, also said the trading bloc has "substantial differences" with the Dunkel proposal — which called for a 20 percent cut in farm supports, a 36 percent reduction in food tariffs and elimination of import barriers.

The United States and other major food-exporting nations — including Canada, Australia, New Zealand and Argentina — had sought the EC cut subsidies to farmers by up to 75 percent and export subsidies by up to 90 percent. But President Bush last month said he lowered the U.S. demands.

The EC has offered 30 percent cuts in limited areas.

In Tokyo, government spokesman Koichi Kato called Mr. Dunkel's plan "truly regrettable" and said Japan would continue to block rice imports to ensure self-sufficiency in its staple grain.

A South Korean economic official, who spoke on condition of anonymity, said that nation will oppose Mr. Dunkel's draft plan and will seek to keep its rice market closed to protect its farmers.

주 미 대 사 관

USR(F) :   년월일 :   시간 :

수 신 : 장   관   보   안
                                            통   제
발 신 : 주 미 대 사

제 목 :   (출처 : FT, 12·21)

Trade talks at risk as EC and US fail to agree

By William Dullforce in Geneva and David Gardner in Brussels

THE European Community and the US failed in a last-minute attempt to resolve their differences over farm reform in Brussels yesterday, leaving the fate of five years' of international trade talks hanging in the balance.

In Geneva Mr Arthur Dunkel, director general of the General Agreement on Tariffs and Trade, delayed publication of a 500-page "final act" containing some 30 draft agreements on all areas under negotiation in Gatt's Uruguay Round, in order to give the EC and US a last chance of coming to terms.

Mr Dunkel said later he would submit "before the end of the day" draft texts which would include his compromise proposal on the agricultural issue. He asked that the document in its totality be given "the most serious and urgent consideration at the highest political levels".

The breakdown of the EC-US talks on how to cut farm subsidies leaves a big question mark over the whole package. In Brussels a spokesman for EC Farm Commissioner Mr Ray MacSharry said he could not see how the Community could accept what he understood would be in Mr Dunkel's draft farm agreement.

Talks broke down over the core issue of the means for reducing export subsidies.

Hope of completing the Uruguay Round successfully depended last night on Mr Dunkel's ability to include in his draft agreement proposals which could persuade the EC and US to re-open negotiations.

The package due to be tabled late last night includes a framework agreement on the $800bn-a-year trade in services which stands every chance of being accepted by the more than 100 governments participating in the Round.

A draft agreement on the reform of the textiles trade includes compromises that most developing country exporters are likely to approve. A deal on protection for intellectual property rights has also been agreed after intensive final discussions this week.

(5717   10 B)

외신 1과
동   제

주 미 대 사 관

USR(F) :   년월일 :   시간 :

수 신 : 장 관

발 신 : 주 미 대 사

제 목 :

보   안
통   제

(출처 :WP, 12·21)

GATT Talks On Subsidies At Impasse

By Stuart Auerbach
Washington Post Staff Writer

A five-year effort to strengthen the global rules of free trade collapsed yesterday over its most intractable issue—government aid to help farmers sell overseas—leaving the head of the world trade body to try to pick up the pieces next month.

A spokesman for the 12-nation European Community, which failed in separate talks yesterday to bridge its vast differences with the Bush administration over ending the $23 billion in subsidies that European countries pay their farmers, said the agricultural deadlock means "bye-bye GATT," the Bloomberg News Service reported.

"There's no hope of reaching an agreement" in the trade talks, the news service quoted the spokesman for the EC's agricultural commissioner, Ray MacSharry, as saying after negotiations with U.S. Agriculture Secretary Edward Madigan broke down in Brussels.

U.S. officials were more upbeat, suggesting that the talks could be salvaged by Arthur Dunkel, director general of the General Agreement on Tariffs and Trade (GATT). Dunkel has drafted his own proposals covering areas where negotiators from 108 nations have failed to reach agreements. Dunkel instructed the negotiators to take his draft back to their governments and give their reactions on Jan. 13.

Trade specialists have said a failure of the Uruguay Round, named for the country in which they were started in 1986, would hurt poor, developing countries most as the major trading partners would be able to work around the lack of new rules. They added that it would also accelerate the growth of trading blocs in Europe, North America and the Asian-Pacific region. Washington-based Consumers for World Trade said a failure is likely to result in "a barrage of protectionist legislation."

The talks were designed to strengthen and expand global trade rules to cover new, important issues that have emerged in the past 40 years. These include the growth of trade by service industries such as banking and insurance, which now account for an increasing proportion of world trade; the need to prevent piracy of pharmaceuticals, high-technology products and books and records; and the desire of many companies for the freer movement of investment funds across national boundaries.

The talks, however, foundered on old trade issues such as agriculture and rules against unfair trade practices such as "dumping" products below their costs of production.

Trade officials said the Dunkel text, which was released last night, holds the only hope to revive the trade talks. They were supposed to end last year, but collapsed when no agreement could be reached on the farm trade issue.

While U.S. Trade Representative Carla Hills declined comment on the Dunkel draft until American negotiators have had a chance to study it,

(5717   -10-)

외신 1과
통   제

0144

주 미 대 사 관

USW(F) :   년월일 :   시간 :

수 신 : 장   관

발 신 : 주 미 대 사

제 목 :   (출처 : NYT, 12. 21)

보 안
통 제

A Move to Break World Trade Deadlock

By STEVEN GREENHOUSE

Special to The New York Times

GENEVA, Dec. 20 — After five tense years of negotiations over liberalizing world trade, the head of the world's principal trade organization today sought to break the deadlock with a proposed agreement that calls for cutting subsidies to farmers worldwide, phasing out import quotas on third-world textiles and giving more protection to patents and copyrights.

In piecing together the complex 500-page document, Arthur Dunkel, Director General of the General Agreement on Tariffs and Trade, sought to present, on a take-it-or-leave-it basis, a package of compromises that would set rules for world trade well into the 21st century. In effect, he cast himself as a binding arbitrator, hoping that the 108 nations of GATT will go along, even though no nation would get everything it wanted.

Success Is Uncertain

Mr. Dunkel is betting that the promised benefits of this complex agreement will be enough to persuade nations to ignore the intensive lobbying of the many special-interest groups that oppose certain provisions. But whether he will succeed is far from certain. Some negotiators said tonight that the continuing dispute over farm subsidies could torpedo the whole package. And on Thursday, even before Mr. Dunkel's plan was distributed, France's Agricultural Minister said his nation would seek to bury the Dunkel draft because he assumed it would go too far toward meeting Washington's demands to cut the subsidies.

And the United States trade representative, Carla A. Hills, issued a statement shortly before release of the complete text that was markedly more cautious than her stance at the beginning of this week. "It is important to emphasize that the Director General's document is only a draft; it is not a finished legal text," she said.

Mrs. Hills had warned Monday that while changes to Mr. Dunkel's proposals would be possible, "If one party tries to change one thing and there's a rush to change, you're going to have the agreement unravel."

Still, at GATT's headquarters in Geneva, many trade officials said today that Mr. Dunkel's plan stood a good chance of being approved by the nations involved in the talks.

Mr. Dunkel's draft agreement calls for creating a stronger mechanism to settle trade disputes and for granting banks and other financial service companies greater access to foreign markets. His plan would also make it harder for governments to grant subsidies to industry, which give companies in some countries an advantage over their competitors.

GATT officials say the accord would save consumers worldwide tens of billions of dollars a year. But farmers in Europe and textile workers in the United States are lobbying against the agreement, saying it threatens their livelihood. Some American drug companies complain that the accord does not give them enough protection against patent violations by third-world countries; banks in India and Singapore fear the agreement will make it too easy for big Western banks to enter their markets.

"Everyone will try to change the package, but all their efforts will neu-

---

5717   10 · 8)

외신 1과
통   제

주 미 대 사 관

USR(F) :   년월일 :   시간 :

수 신 : 장   관   보   안
                                              통   제
발 신 : 주 미 대 사

제 목 :   (출처 :   )

NYT
P-2

A Big Gamble by GATT's Director

By STEVEN GREENHOUSE

Special to The New York Times

PARIS, Dec. 22 — With his take-it-or-leave-it plan for bringing five years of global trade negotiations to a conclusion, Arthur Dunkel, the Director General of the General Agreement on Tariffs and Trade has taken a high-stakes gamble.

News Analysis — If he wins, he will have laid down the rules by which the world conducts $4.3 trillion in annual trade.

"I would not for a moment expect all participants to be fully content with all of the decisions I have had to make," he told the trade negotiators on Friday, adding, "I am confident that if we continue to share the vision which brought us together in Punta del Este five years ago, your governments will judge the package favorably."

Despite the criticism that followed the release of his plan, Mr. Dunkel said he was hoping all the major parties to the talks — the United States and other food-exporting nations, the European Community, Japan and the developing world — would go along.

Package Is a First

Trade experts said this was the first time in eight rounds of trade talks over four decades that GATT's Director General had put forward such a sweeping package to end the negotiations. Mr. Dunkel hopes the approach will prevent governments from picking it apart piece by piece.

Although he runs the risk of a thumbs-down from some countries, Mr. Dunkel feared that unless he put together an overall package, the round might die because the negotiators seemed unable to agree on the most contentious issues.

Mr. Dunkel has called senior trade negotiators back to Geneva on Jan. 13 to make final the details on the plan. But some experts predict that a lot of horse-trading will take place and that the package may face some major amendments.

Calls for Cutting Subsidies

Mr. Dunkel's proposals, which he issued to try to break the stalemate among negotiators, calls for cutting subsidies to farmers, phasing out quota agreements that limit imports, strengthening protections for patents and copyrights, ending restrictions on third world textile exports, and creating liberal rules to cover trade in services, like banking and telecommunications.

Officials at GATT's headquarters in Geneva are optimistic that trading nations will find more in the plan that they like than that they dislike.

Still, a horde of groups threatened by the plan, including French grain farmers, American textile workers and Japanese rice growers, will no doubt do their best to make their governments block the plan.

Seeing that Mr. Dunkel's plan would force Japan to open its market to imported rice, Teruka Ishikura, the managing director of Japan's Central Union of Agricultural Cooperatives, called the plan "unforgivable" and "biased" in favor of exporting countries."

Some trade experts say interest groups may indeed be able to persuade their governments to oppose the plan, noting that there is little lobbying on behalf of many consumers and industries that will benefit.

Some Specifics

While his plan would open Japan and South Korea to rice imports, it also gives the countries some of the language they were seeking on other fronts, making it harder for companies or countries to bring dumping complaints, in which they accuse some manufacturers of selling their products below cost overseas.

In France, Europe's largest agricultural producer, farmers are angrily protesting the proposed cuts in farm subsidies. But the plan would help some farmers by prohibiting grape growers from outside France to call their products Cognac, champagne or Burgundy.

The United States would also win some and lose some under the Dunkel plan. The package calls for phasing out over 10 years the Multifiber Arrangement, which allows industrial countries to limit textile imports from third world countries. Washington was seeking a longer phase-out. American companies also grumble about language that would make it harder to prove anti-dumping charges.

In addition, pharmaceutical com-

Dunkel hopes trading nations will find more to like than to dislike.

panies are unhappy about a clause, put in at India's behest, that would allow countries to produce a patented good without a license if those countries fail to negotiate a license at a reasonable price.

More Copyright Protection

In the plus column for American companies, the package would increase copyright protection for software, setting patent protection for 20 years and copyright protection for 50 years. American companies are also glad that the package, for the first time, would set international rules on the trade in services, rules that would go far to force developing nations to open their markets to American financial-services and telecommunications companies.

Washington had demanded that the

1과
제

5기11 -10-9

0146

NYT
D-2 (cont.)

creation of a stronger mechanism for resolving trade disputes, and the package calls for setting up a Multilateral Trading Organization that would have real teeth.

Many countries, though not the United States, are pleased that Mr. Dunkel's plan would generally pro-hibit countries from taking unilateral trade actions, as Washington often threatens to do.

The Subsidy Issue

Even as Mr. Dunkel circulated his plan, American and European Community officials in Brussels failed once again to agree on how much to cut subsidies to farmers. The United States and other farm-exporting nations had sought cuts of 75 to 90 percent over 10 years, but the European Community proposed cuts of 30 percent over the period.

Mr. Dunkel's plan calls for a 20 percent cut in domestic supports from 1993 to 1999, and a 36 percent cut in tariffs and other import barriers during the period. On export subsidies, he proposes a 36 percent cut in outlays and a 24 percent reduction in the quantity of subsidized exports.

The European Community's Farm Commissioner, Ray MacSharry of Ireland, called the proposal unacceptable, saying, "it is much worse than expected.".

Some trade experts say the Europeans are engaged in political posturing and have to speak out against the Dunkel plan for tactical purposes. Nonetheless, many experts say the biggest threat to the success of the plan is the rift over farm subsidies.

Still, with the talks having come this far, the European Community, which has long boasted of its commitment to liberalized trade, might be reluctant to torpedo the whole package over agriculture.

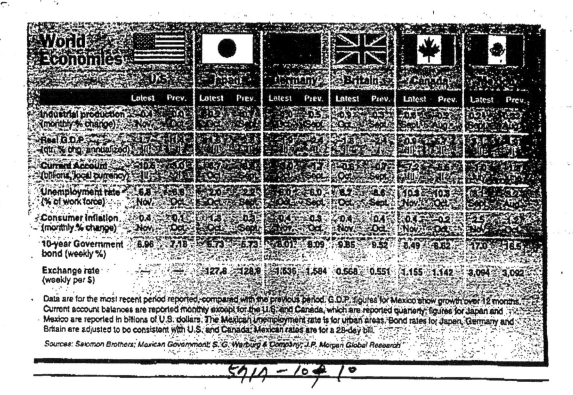

World Economies

	U.S.		Japan		Germany		Britain		Canada		Mexico	
	Latest	Prev.	Latest	Prev.	Latest	Prev.	Latest	Prev.	Latest	Prev.	Latest	Prev.
Industrial production (monthly % change)	-0.4 Nov.	0.0 Oct.	0.2 Oct.	-1.1 Sept.	-0.3 Oct.	0.5 Sept.	0.3 Oct.	0.3 Sept.	0.6 Sept.	0.2 Aug.	0.2 Sept.	Aug.
Real G.D.P. (qtr. % chg. annualized)	1.7	-1.0	2.4		2.1	1.0	0.9		1.7			
Current Account (billions, local currency)	-10.6	-20.2	6.7 Oct.	8.0 Sept.	-1.7 Oct.	-2.3 Sept.	-0.8 Oct.	-0.7 Sept.	-7.2			
Unemployment rate (% of work force)	6.8 Nov.	6.8 Oct.	2.0 Oct.	2.1 Sept.	6.0 Oct.	6.0 Sept.	8.7 Oct.	8.6 Sept.	10.3 Nov.	10.3 Oct.		
Consumer inflation (monthly % change)	0.4 Nov.	0.1 Oct.	1.3 Oct.	0.3 Sept.	0.4 Nov.	0.3 Oct.	0.4 Nov.	0.4 Oct.	0.4 Nov.	0.2 Oct.	2.5 Nov.	
10-year Government bond (weekly %)	6.96	7.15	5.73	5.73	8.01	8.09	9.85	9.52	8.49	8.62	17.0	16.5
Exchange rate (weekly per $)	—	—	127.8	128.9	1.535	1.584	0.568	0.551	1.155	1.142	3,094	3,092

Data are for the most recent period reported, compared with the previous period. G.D.P. figures for Mexico show growth over 12 months. Current account balances are reported monthly except for the U.S. and Canada, which are reported quarterly; figures for Japan and Mexico are reported in billions of U.S. dollars. The Mexican unemployment rate is for urban areas. Bond rates for Japan, Germany and Britain are adjusted to be consistent with U.S. and Canada; Mexican rates are for a 28-day bill.

Sources: Salomon Brothers; Mexican Government; S. G. Warburg & Company; J.P. Morgan Global Research

571A-104 10

주 미 대 사 관

USW(F) : 5741   년월일 :   시간 :

수 신 : 장   관 (통기.통아.미일,경기원,농수산부.상공부,대외안보,
                      경제수석) 사본 : 녹제연바,죽도대사
                                      (직손편)

발 신 : 주 미 대 사

제 목 : 청훈 (통여)

|보 안| |
|통 제| |

(출처 :   )

(5741 -13 -1)

|외신 1과| · |
|통 제| |

0148

MEMORANDUM

FROM: Alan F. Holmer and Judith H. Bello

RE: Preliminary Analysis of Uruguay Round Package

DATE: December 23, 1991

Summary

As you know, the GATT Secretariat developed on December 20 a 451-page Uruguay Round "draft final act" that includes texts for most, but not all, agreements. Missing are the market access commitments for services and goods (both tariff and nontariff measures for goods). Negotiations are scheduled to reconvene in Geneva January 13. Privately, GATT Director-General Arthur Dunkel has told the U.S. the target date for concluding the negotiations is April 15.

The Administration's view is that these texts provide a constructive, tangible basis for further negotiations. With some key modifications, the Administration believes they could result in satisfactory agreements. The view of some in the Congress is more skeptical, and focuses on what the U.S. has not (yet) achieved, rather than what it has achieved. In particular, the absence of firm market access commitments by trading partners makes it difficult for Congress to be positive, even conditionally.

This memorandum provides our preliminary analysis of some of the major components of this package.

Agriculture

The agriculture negotiations have long been the greatest stumbling block to an acceptable agreement. Despite intense U.S.-EC negotiations this fall, the text that emerged from the GATT Secretariat is strongly opposed by not only France, but also the European Communities. The EC says it cannot accept either a complete severance of agricultural payments and farm production, or any limits on conditions of payments to farmers who retire or agree to "set aside" land from production.

Even though the U.S. statements about the text are generally positive, some U.S. special agricultural interests that have been protected by a combination of tariffs and quotas will oppose the text. In addition, the U.S. is disappointed that the draft final act sets more stringent limits on the outlays of export subsidies for, rather than the volume of exports of, farm goods. However, the GATT Secretariat appears to have tried to "split the difference" by including both limits on outlays (36 percent over six years) and volume (25 percent).

Moreover, both Japan and Korea will oppose the text, which calls for overall "tariffication" of agricultural import

5741 —13 —2

0149

barriers (that is, conversion of nontariff barriers such as
quotas to tariffs), with guaranteed minimum access to those
markets (albeit only 3 to 5 percent) over a phase-in period.
(However, if Japan and Korea must provide only such limited
access to their protected markets, then presumably the U.S. will
be able to limit access to its market for products protected
under section 22 of the Agricultural Adjustment Act to similar
levels.)

        Japan in particular was regarded by the U.S. as most
unhelpful in Geneva in a wide range of negotiations including,
but not limited to, agriculture. Japan's unhelpful positions on
many GATT issues are expected to be a key agenda item in
President Bush's visit to Tokyo early in January. (The Uruguay
Round also will figure prominently in his Seoul visit.)

Trade-Related Intellectual Property

        The TRIPs agreement includes some important objectives
of the United States, including a 20-year patent term and a
prohibition of discrimination in patent practices, including
compulsory licensing. However, it does not include any patent
protection for pharmaceutical products "in the pipeline," as
included in the recent Mexican intellectual property reforms.
Further, it provides a long transition period -- up to 20 years -
- for some developing countries to implement changes in their
domestic patent practices to meet the new GATT obligations.

        In addition to these critical patent deficiencies, the
copyright provisions are considered unsatisfactory by the Motion
Picture Association of America. In particular, the text in the
draft final act does not prohibit the imposition of quotas on
films based on their national origin, as currently imposed by the
European Communities' current broadcasting directive.

Trade-Related Investment Measures

        The TRIMs text in the draft final act prohibits some
trade-related investment measures, such as local-content
requirements and requirements to balance any imports with a
commensurate level of exports. However, the text does not
prohibit export performance requirements generally.

Safeguards

        A "sleeper" in the negotiations continues to be the
safeguards text, which includes substantial innovations. In
particular, the draft final act prohibits voluntary restraint
agreements, and permits a party substantially harmed by
increasing imports to take safeguards actions for up to three
years without any requirement to compensate adversely affected
trading partners.

        This change could increase significantly the use of
section 201 of the Trade Act of 1974, as amended. This trade
remedy authorizes the President to take action to promote

                        57 41 -13 -3

adjustment to import competition if the U.S. International Trade Commission finds that increasing imports are a substantial cause of serious injury to a U.S. industry. It has not been widely used, however, at least in part because of Executive Branch concern about the compensation the GATT currently requires to any GATT party adversely affected by safeguards actions. The elimination of the compensation requirement could transform section 201 from a least favored to a most favored trade remedy, since temporary relief would be not only consistent with GATT, but "free" of any compensation requirement.

Dumping and Subsidies

Second only to agriculture in difficulty last week for the GATT Secretariat was drafting the texts on subsidies and dumping. Ultimately, the changes to the current GATT Subsidies and Antidumping Codes are relatively modest compared to interested parties' goals, but nonetheless bitterly controversial. Reflecting deeply held views, for example, both Senator Lloyd Bentsen and Congressman Dan Rostenkowski, Chairmen of the Senate Finance and House Ways and Means Committees, personally telephoned the Director-General last week to communicate their serious opposition to any "weakening" of the U.S. unfair trade laws.

The U.S. achieved some modest improvements intended to prevent unfair traders from circumventing orders providing relief under the antidumping or countervailing duty laws. On the other hand, exporting nations seeking fundamental reform of these laws obtained some reforms as well, including the following:

o   A sunset provision requires termination of relief after five years, unless the administering authority determines that continued imposition of duties is necessary to prevent the continuation or recurrence of injury by dumped or subsidized imports.

o   In dumping cases, prices "normally" must be compared on a weighted-average-to-weighted-average basis, or transaction-to-transaction basis. However, prices may be compared on a weight-averaged-to-transaction basis in specified circumstances (involving so-called targeted dumping).

o   Regarding standing in antidumping cases, an administering authority must determine whether a petitioner represents an industry through an examination of support for, and opposition to, the petition. Thus, some producers' silence regarding their position on an antidumping petition cannot be construed as support for that petition.

o   A dumping investigation must be terminated if the dumping margin is less than 2 percent ad valorem. (Currently, the U.S. de minimis level is 0.5 percent.) Likewise, it must also be terminated if the volume of

5741 -13 -k

0151

dumped imports or injury is negligible, defined in the former case to mean less than 1 percent of the domestic market for the like product, unless countries individually accounting for less than 1 percent of the domestic market collectively account for more than 2.5 percent. (Currently, the U.S. International Trade Commission makes injury determinations on a case-by-case basis, and does not use any mathematical threshold for determining negligible imports.)

o   Likewise a countervailing duty investigation must be terminated if the subsidy level is found to be less than 1 percent. (Currently, the U.S. *de minimis* level is 0.5 percent.) It also must be terminated if the volume of subsidised imports or injury is negligible. Further, imports may not be cumulated from more than one country for purposes of injury determinations unless, for each country, the subsidy level is more than *de minimis* and the volume of imports is not negligible.

o   In constructing value in dumping cases, administering authorities must use actual data pertaining to production and sales in the country concerned unless they are unavailable, in which case the text prescribes a hierarchy of three types of information to be used. In *no* case may an administering authority resort to prescribed minima. (Currently the U.S. uses a minimum 10 percent for general, selling and administrative expenses, and a minimum 8 percent for profit, in constructed value cases.)

o   In dumping cases, new exporters are entitled to an accelerated review determining their individual dumping margin, if any. Antidumping duties may not be assessed against their products until the review is completed, although liquidation of entries may be suspended and the posting of a bond required. (Currently under U.S. law, new exporters are subject to the "all other" rate, and have no opportunity to be reviewed until the next regularly scheduled administrative review.)

o   In dumping cases, administering authorities are authorized to use sampling in cases involving large numbers of producers and exporters, but only if it is statistically valid. Moreover, administering authorities may not discourage "voluntary" responses by producers/exporters.

Services

The draft final text includes the General Agreement on Trade in Services (GATS) and a few annexes (that is, on telecommunications, financial services and air transport, and exemptions from the most-favored-nation requirements of Article II). Notably absent, however, are any market access and national

5141 - 13 - 5

0152

treatment commitments under Articles XVI and XVII, respectively.

Generally, the GATS requires most-favored-nation (MFN) treatment and transparency, imposes broad conditions on domestic regulation, protects against the unauthorized disclosure of confidential information, broadly authorizes restrictions to safeguard the balance of payments, and provides general and security exemptions (along the lines of those provided in the GATT). It includes a non-application provision, but does not authorize sectoral non-application (that is, application to some, but not all, services and service providers).

Significantly, the Annex on Article II exemptions allows each party to take an indefinite exemption from the MFN obligation of Article II for specified services and service providers. "In principle," such exemptions "should not" exceed 10 years, but as a matter of law, each party is entitled to specify the date on which an exemption will terminate. However, regardless how far into the future a terminate date may be, each exemption is subject to review no later than five years after entry into force of the GATS, at which time the parties collectively shall "examine whether the conditions which created the need for the exemption still prevail" and decide on the date for any further review. Moreover, exemptions "shall be subject to negotiation in subsequent trade liberalizing rounds." The bottom line is that a party may specify exemptions from the MFN obligation of Article II, and those exemptions can be longer than 10 years.

Regarding financial services, uniquely there are two documents: an Annex on Financial Services, and an Understanding on Commitments in Financial Services. Apparently they result from efforts by the Secretariat to resolve a strong difference between financial officials of developed countries, who sought to define terms like "national treatment" with precision; and officials from developing countries, who argued that the GATS language should prevail over any inconsistent terms in the financial services annex.

The U.S. remains quite unsatisfied with either document. The U.S. was unable to achieve several key objectives, including sectoral non-application (that is, declining to apply the financial services commitments to specified countries, while applying GATS to other services and services providers); a good definition of national treatment, using the term equality of competitive opportunities; and assurances that decisions would be made by a financial committee composed of financial officials. The U.S. was able to achieve a prudential "carve-out" (that is, agreement that a party shall not be prevented from taking measures for prudential reasons).

Dispute Settlement

The draft final text includes provisions under negotiation for about a year that would put more teeth in dispute settlement proceedings of the GATT. Currently, a GATT panel

5741 - 13 -6

report lacks any legal force until adopted by the GATT Council,
and a single party -- including a party to the dispute -- can
block such adoption.

The draft final text would create considerable momentum
for adoption of panel reports that could be difficult to stop.
Precisely opposite to the status quo, the draft final act calls
for automatic adoption of panel reports, unless a "consensus" of
countries (that is, more than one country) calls for
reconsideration and the Council then decides not to adopt the
panel report. Effectively, it creates a presumption of adoption,
whereas the current apparatus requires affirmative action for
adoption and permits a single party to block adoption altogether.

In the past, the U.S. viewed itself as a GATT plaintiff
most of the time. Currently, however, the U.S. appears as
frequently as a defendant as a plaintiff before the GATT. While
the proposed reforms benefit the U.S. as plaintiff, they
also make it harder to the U.S. to avoid GATT trade-liberalizing
decisions when it is a defendant as well.

Multilateral Trade Organization

Relatively little noticed to date but likely to be of
great significance, the draft final act contains provisions aimed
to make the GATT a far stronger organization. The GATT
originally was intended to be an International Trade Organization
(ITO), with powers roughly parallel to those of the World Bank
and International Monetary Fund. However, due to opposition from
the U.S. Senate, the ITO was abandoned and instead a less
ambitious, far more circumscribed GATT was created.

The provisions establishing a new Multilateral Trade
Organization essentially would restore the GATT organization to
its original concept. The concept is that the GATT structure
must be transformed to keep pace with its new responsibilities
for trade in services, investment, and the protection of
intellectual property as well as enhanced responsibilities in
traditional trade in goods.

5741 - 13 - 7

0154

주 미 대 사 관

USR(F) :   년월일 :   시간 :

수 신 : 장 관

발 신 : 주 미 대 사

제 목 :   〈출처 : FT, 12.24〉

EC rejects Gatt solution to farm subsidies row

By David Gardner in Brussels

THE European Community last night called for redoubled efforts to achieve a breakthrough in world trade liberalisation talks, but made clear that any agreement would have to take account of its farm subsidy reforms.

The Community's trade and agriculture ministers, meeting in Brussels, demanded the reopening of farm talks following the breakdown of negotiations with the US on Friday.

They rejected a last-ditch compromise plan put forward by Mr Arthur Dunkel, director-general of the General Agreement on Tariffs and Trade, making it almost impossible to reach a deal by next month's deadline.

In a communiqué at the end of yesterday's meeting, the ministers said Mr Dunkel's plan – the so-called "final act" of the much-delayed Uruguay Round of trade talks – "is not acceptable and therefore has to be modified."

EC officials said last night that a summit of the 12 heads of government was required for there to be any hope of concluding the Uruguay Round.

Representatives of the 108 countries taking part in the negotiations will meet on January 13 to announce their verdict on the compromise drafted by Mr Dunkel. A deal will only be possible if the US and other farm produce exporters can reach a prior agreement with the EC on farm subsidies – the issue on which the trade reform talks hinge.

The EC believes it is making a significant effort both to cut over-production of farm produce and to limit subsidised food exports. However, the US in particular feels that the EC is not going far enough.

Although a more positive tone was adopted by the UK at yesterday's talks, Mr Dunkel's plan met with hostility from France and Ireland. There was unanimous agreement among the ministers that "the paper is not balanced in total".

The meeting had been billed originally as an attempt by the EC to face down efforts by France to limit the concessions made on Community cereals exports in the five-year-old Uruguay Round.

Instead it turned into a united defence of the European Commission's attempts to reform the Common Agricultural Policy.

The nub of the dispute over Mr Dunkel's plan is that it does not consider the direct payments the EC wants to make to farmers to cut production and reduce exports as so-called "green box" subsidies – allowable under Gatt rules because they do do not distort world trade.

The EC made clear that this issue had to be addressed before agreement could be reached on wider trade reforms.

A failure in the world trade talks, which include agreements in sectors such as services and intellectual property rights, would be a disaster, several ministers said.

(5개 · 13 A)

0155

주 미 대 사 관

USR(F) :   년월일 :   시간 :

수 신 : 장 관

발 신 : 주 미 대 사

제 목 :

보   안
통   제

(출처 : WP, 12.24)

Some U.S. Industries Critical Of Draft Trade Rule Changes

By Stuart Auerbach
Washington Post Staff Writer

A 500-page draft of new rules for global free trade landed with a heavy thud on the desks of Washington lobbyists yesterday, leaving them to spend the holidays pondering whether U.S. farm and business interests would gain or lose.

At a meeting yesterday morning with industry associations here, U.S. Trade Representative Carla A. Hills called the new rules complex, far-reaching and radical, according to some of those present, and urged the industrial groups to take a good look at the whole package before making up their minds.

Most groups followed that advice. But the new rules were attacked immediately as "fatally flawed" by Jack Valenti, head of the Motion Picture Association of America, one of Washington's most successful lobbyists, who said he will "actively op-

pose the agreement . . . in its present form."

And Pharmaceutical Manufacturers Association Senior Vice President Harvey E. Bale Jr. also said the deal "has such horrendous problems" that "it would be tough to support."

Valenti's complaint is that the draft rules would allow Europe to restrict access of American television programs. Bale said the drug manufacturers are bothered because developing nations such as China, India and Indonesia would be given as long as 20 years to recognize U.S. patents on drugs. "That's more than unacceptable," he said. "It's unthinkable."

The draft was released early Saturday in Geneva by Arthur Dunkel, the head of the General Agreement on Tariffs and Trade (GATT), the world trade body, to break a deadlock in the Uruguay Round of negotiations to strengthen the rules of free trade. The talks, which have been underway for five years, were

CARLA A. HILLS
. . . asks industries to weigh decision

named for the country in which they were started in 1986.

"It's very hard to comment on this," said Harry Freeman of the MTN Coalition, an array of U.S. industries lobbying for the successful conclusion of the trade talks. "What

See GATT, D15, Col. 6

(5ブ/ -13 9)

입신 1과
동   제

0156

주 미 대 사 관

USM(F) :   년월일 :   시간 :

수 신 : 장 관

발 신 : 주 미 대 사

제 목 :

보 안
통 제

(출처 : NYT, 12·24)

Trade Plan Criticized, Stalling World Talks

By KEITH BRADSHER

Special to The New York Times

WASHINGTON, Dec. 23 — A last-ditch effort to conclude five years of contentious world trade talks successfully hit two serious snags today, as the European Community declared a compromise proposal to be unacceptable, and American industries offered little support.

The European Community's trade ministers strongly criticized a compromise trade agreement proposed on Friday by Arthur Dunkel, the Director General of the General Agreement on Tariffs and Trade.

"Insofar as the Dunkel paper calls into question the foundation of the community's agricultural policy, the paper is not acceptable and therefore has to be modified," the ministers said in a statement issued in Brussels, The Associated Press reported.

The trade ministers' action was especially significant because they have historically been more committed to free trade than European agriculture ministers, who also play an important role in forming the community's food-trade policies.

Swift U.S. Criticism

The possible compromise on a 108-nation trade agreement also drew criticism from American industries that would be hurt like sugar beet farmers and steel producers. Industries that would benefit gave it scant support mixed with raw hostility.

The entertainment industry, for example, is complaining that it did not get enough.

Representative Robert T. Matsui, a California Democrat and staunch supporter of free trade on the House Subcommittee on Trade, said Congress could refuse to approve such a deal because it lacks corporate support, coupled with a weak economy.

The draft agreement released late on Friday in Geneva "really doesn't mean progress; it just means they've reshuffled the cards," Mr. Matsui said today, adding, "I don't see it going anywhere, and certainly none of our industries can be particularly cheered by this."

Film Industry's Concerns

Jack Valenti, the president of the Motion Picture Association of America and a lobbyist important to the approval of any deal involving copyrights and royalties, said that he would oppose the proposed pact in Congress unless it was changed.

He said that Mr. Dunkel's proposal, while allowing film copyrights to stay in force longer than some American trade partners had sought, was inadequate because it would take years to go into force, would not protect corporate ownership rights to movies and would condone foreign quotas that limit the broadcasting of television shows.

Representative Sam M. Gibbons, the Florida Democrat who heads the House Subcommittee on Trade, and Representative Don J. Pease, an Ohio Democrat also on the committee, both said in interviews last week that enthusiastic support from the entertainment industry would be needed for a deal to move through Congress.

The United States has an annual trade surplus of $3.5 billion in film, television and home video, Mr. Valenti said.

But most large corporate lobbying groups declined to give an immediate reaction today, saying they needed to read the lengthy legal text.

The United States trade representative, Carla A. Hills, told a small group of business leaders today that Mr. Dunkel's proposal was closer to the American position on the crucial issue of agriculture subsidies than to the European Community's position, an executive who attended the meeting said. He insisted on anonymity.

The GATT talks, which began in Uruguay, foundered last year on the subsidies issue, and there is general agreement that a continued impasse could defeat the agreement because farm groups on either side of the Atlantic could block ratification.

(5141 · 13 10)

외신 1과
동 제

0157

주 미 대 사 관

USH(F) :   년월일 :   시간 :

수 신 : 장 관   보 안
                                              통 제
발 신 : 주미대사

제 목 :   (출처 :   )

EC Council Rejects Proposal On Farm Subsidy

By KEITH M. ROCKWELL
Journal of Commerce Staff

LONDON — European Community trade ministers Monday rejected parts of a proposal in the Uruguay Round of world trade talks but indicated they were ready to continue negotiations.

While refusing to accept the 451-page text compiled by Arthur Dunkel, General Agreements on Tariffs and Trade director general, the ministers said there were some positive elements in the document, an EC official told Knight-Ridder Financial News.

"The council is of the decision that the Dunkel paper cannot be a take-it-or-leave-it proposition," said Yvonne Van Rooy, Dutch trade minister. "The (European) Commission will have to negotiate further on the paper."

The paper by Mr. Dunkel sought to bridge differences on farm subsidy cuts between the community and other farm-exporting nations.

Ministers from the 12 member states are likely to ask the EC Commission — the executive arm of the community — to bring forward another paper for discussion in GATT, the Geneva-based body that governs most world trade in goods and that has overseen the Uruguay Round negotiations.

Opposition to the proposal was lead by the French, the community's largest farm producer and exporter. Britain's representatives responded more warmly, saying there was little in the draft document that they found immediately unacceptable.

Mr. Dunkel's farm proposal was only one element of a text covering all areas of Uruguay Round negotiations including better patent protection, liberalization of trade in services, breaking down barriers to textile trade, and new rules on subsidies and anti-dumping.

Mr. Dunkel has set Jan. 13 as the date by which all of the GATT's 108 members must declare their support or opposition to the package. Further horse trading is expected in the first three months of next year, particularly in the crucial important areas of tariffs cuts and liberalization commitments in trade in services.

But because the paper carefully balances the concessions all countries must make with the gains they will accrue, any attempt to significantly alter important sections of the text could cause the whole proposal to unravel.

"If (the EC) calls for a total revamping, it will blow the whole negotiation apart," said a senior Bush administration official. "If the EC's problem is with the whole structure, they are never going to be able to change it. In fact, if they open it again, they'd have a hard time getting as good a deal as they have now."

Yet EC officials believe Mr. Dunkel's paper represents a step back from discussions with the United States, in which the two sides agreed on 30% to 35% cuts in farm support over five or six years but disagreed over the methods for achieving those cuts.

The community is particularly displeased with the magnitude of the export subsidy cuts outlined in the paper. One problem for the EC is that domestic support payments tied to the EC's proposed farm reform plan would still be subject to reductions in the future.

U.S. officials say such cuts would be necessary, since those subsidies would still be linked to production. Income support to cattle farmers, for instance, would be based on the number of cattle owned.

Brussels, moreover, opposes Mr. Dunkel's decision not to allow a "rebalancing" formula under which the community hoped to offset cuts in some import barriers with a hike in tariffs in other sectors, specifically on imports of grain substitutes such as corn gluten.

(574   13 - 11)

0158

주 미 대 사 관

USK(F) :   년월일 :   시간 :

수 신 : 장   관

발 신 : 주 미 대 사

제 목 :

보 안
동 제

(출처 : JOC, 12.24)

Bush Girds For Battles In US, Abroad On Trade Pact

By JOHN MAGGS
Journal of Commerce Staff

WASHINGTON — As details of the proposed Uruguay Round trade settlement become known, the Bush administration is preparing for tough negotiations with its trading partners, and an equally tough job of selling the deal to Congress and the U.S. business community.

While in the short term, the European Community controls the fate of the round through accepting or rejecting a farm trade reform plan, building of congressional support for the full package will hinge on several areas beyond agriculture, say congressional aides and private sector officials.

Arthur Dunkel, director general of the General Agreement on Tariffs and Trade, released a 451-page text Friday that he proposed as a model for a Uruguay Round pact. Following a meeting of major GATT members Jan. 13, the United States is expected to press for changes in many areas of the text. It also will be pressed to consent to other changes pushed by other GATT nations.

At the same time, the Bush administration will face a daunting

fight in Congress for the round. U.S. trade officials have always known that the textile industry and certain farmers would oppose an agreement that phases out protections they have long enjoyed.

The key will be the effort to maintain the support of export-oriented manufacturers, who account for the majority of economic growth in the United States, and to cushion the deal's impact on import-sensitive industries.

The Uruguay Round was billed as promising nothing less than a revolution in world trade by bringing agriculture and textiles under international rules and creating new rules for trade in services and for intellectual property rights.

In the end, however, approval of the round in the United States will be heavily influenced by tariff negotiations that will take place over the next several months. These bilateral tariff talks will be vital in the effort to build a core of manufacturing interests that will support the agreement.

Based on the Dunkel draft, congressional aides and business sources say that anti-dumping, intellectual property, subsidies and dispute resolution are expected to be some of the controversial areas of the talks on Capitol Hill.

Intellectual property: This was one of the biggest disappointments of the negotiations, sources said, predicting it would require major changes to be acceptable to the United States. Pharmaceutical manufacturers complain that the Dunkel text would allow patent pirates like India 20 years to implement the agreement's patent protection rules.

Harvey Bale, director of international affairs for the Pharmaceutical Manufacturers Association, said the "transition" rules were unacceptable to his industry and he believed the United States would insist they be changed during the coming weeks of negotiations. He predicted that countries would pull back from current commitments to protect patents better.

Movie producers have already come out against the Dunkel text for failing to recognize the contractual rights of copyright holders, allowing countries to control fees collected on blank video and audio tape.

Anti-dumping: The text calls for revisions to the GATT code on dumping, where a foreign company uses unfairly low prices to undersell its competition and capture market share.

The United States would be forced to change its methods for calculating dumping margins and reviewing anti-dumping decisions, in exchange for new rules to prevent circumvention of dumping orders.

Steel producers and others that have traditionally relied on dumping law are expected to oppose a provision that calls for dumping orders based on a "reasonable" period. U.S. law puts no limits on that period.

(59씨 - 13 -12)

외신 1과
농   체

0159

주 미 대 사 관

USM(F) :   년월일 :   시간 :

수 신 : 장   관

발 신 : 주 미 대 사

제 목 :

보 안 통 제

〈출처 : JOC, 12.24〉

Canada's Farmers Feel Threatened By GATT Proposal

By LEO RYAN
Journal of Commerce Staff

OTTAWA — Canadian dairy and poultry farmers strongly object to a proposed multilateral trade deal that would threaten the long-term survival of Canada's supply-management marketing boards.

Under the deal proposed in Geneva Friday by Arthur Dunkel, director general of the General Agreement on Tariffs and Trade, duties, or tariffs, would replace the current system of import quotas that allows only a small volume of U.S. and other foreign poultry and dairy products to penetrate the Canadian market.

Import duties would run as high as 200% on butter and cheese but these tariffs would, in turn, be gradually reduced. The Dunkel proposal calls for tariffs on farm produce to be reduced on average by 36% between 1993 and 1999.

"As an industry, we will continue to keep fighting." Richard Doyle, executive director of the Dairy Farmers of Canada, said Monday.

The group, which represents 32,000 dairy farmers, has been lobbying hard to preserve GATT Article 11, which permits member states to impose import bans on commodities where domestic production is controlled by supply management programs.

"It is very bad news as far as we are concerned," said Gerry Gartner, general manager of the Canadian Egg Marketing Agency.

The organization representing 1,600 Canadian egg farmers argues that producer prices could fall by up to 40% — even if they are protected from U.S. competition by tariffs.

While expressing disappointment that the proposed GATT deal does not include enough safeguards for Canada's system of farm marketing boards, Canadian government officials said the overall draft package on agriculture represented a significant step forward.

Observers recall that since the GATT Uruguay Round began in 1986, Canada has been pushing two conflicting positions: free trade in commodities such as grain, but continued protection for poultry and dairy products.

Now the government of Prime Minister Brian Mulroney must decide by the Jan. 13 deadline whether it is worth scuttling the entire GATT accord in order to protect — for domestic political purposes — a segment of the agricultural sector.

Some analysts consider the Ottawa authorities will, in the end, have little choice except to backpedal on the issue.

At the cost of alienating dairy farmers in Quebec and poultry farmers across the country, Canada will need to come down in favor of an agreement further liberalizing world trade, analysts say.

〈 5741   13   13 〉

외신 1과
통   제

0160

우루과이라운드 협상 현황

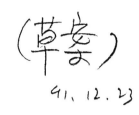
(草案)
91. 12. 23

1. 최종 협상 문서의 성격

    ㅇ 90.12. 브랏셀 각료회의 이후 각 협상 분야별 쟁점 타결을 위한 집중적
       협상 결과를 종합한 문서로서, 표면상 모든 협상 분야에 걸쳐 미결사항
       없는 합의된 문서(consensus text)의 형태를 취함.

    ㅇ 실제로는 농산물, 지적재산권, 투자등 일부 분야에서는 협상 참가국간
       합의를 이루지 못하여 협상그룹 의장이 독자적 책임하에 타협안을 제시
       함으로써 앞으로 논란의 여지가 있음.
       - 농산물 분야에서는 우리나라등 수개국가의 반대에도 불구, 모든 품목의
         관세화와 최소 시장접근(3%) 의무를 수용 (상세 별첨)

    ㅇ 던켈 GATT 사무총장은 각국 정부가 92.1.13. TNC 회의시까지 협상 문서를
       검토, 동 회의에서 협상을 종결한다는 계획을 제시함.
       (12.20. TNC 회의시 던켈 총장 statement 요지 별첨)
       - 시장접근, 서비스 분야 양자협상등 기술적 협의는 92.1.13 이후에도 계속

2. 협상 전망

    ㅇ 금후 협상의 향방은 기본적으로 12.20 package에 대한 미국과 EC의 반응에
       따라 크게 좌우될 것임.

    ㅇ 던켈 GATT 사무총장은 각국 정부가 92.1.13. 무역협상위원회에서 전체
       협상 문서에 대한 평가와 수락 여부를 밝힐 것을 요청하고 있으나, EC가
       농산물 협정안을 수락할 수 없다는 1차적 반응을 보이고 있고 미결쟁점이
       적지 않음에 비추어 동 회의에서 수락 여부에 대한 결정이 유보된채 협상
       문서의 전체 package의 균형을 깨뜨리지 않는 제한된 범위내에서 일부 내용
       수정을 위한 협상이 있을 가능성이 있음.

0161

ㅇ 다만, 미결쟁점에도 불구하고 각국 정부가 국제무역 체제의 장래에 대한 고려 및 협상 대세에 따라 전체 협상 결과를 살리기 위하여 최종 협상 문서 수락을 일괄 구부하는 참가국은 없을 것이라는 것이 일반적인 관측임

  - 특히 미국, EC간의 농산물 협상 관련 막후 절충이 92.1.13전 또는 1월중 타결될 경우, 협상이 92년 3월말경 종결될 가능성도 큼.

ㅇ 전체적으로 금후 협상은 12.20 package에 대한 consensus 유도와 양자간 양허 협상(공산품, 농산품, 써비스 1차 양허)등 two track으로 추진하면서 92.4월중순경 협상 결과 전체 package 채택을 목표로 진행될 것으로 예상됨.   끝.

0162

조,깅

외 무 부

종   별 :

번   호 : ECW-1172   일   시 : 91 1224 1600

수   신 : 장 관(봉기,경기원,재무부,농림수산부,상공부)

발   신 : 주 EC 대사   사본: 주 미,제네바대사-중계필

제   목 : UR 협상

연: ECW-1142,1168

EC 는 작 12.23. 일반 각료이사회에서 DUNKEL 문서에대한 일차 협의를 한데이어,

92.1.10 전후 이사회를 다시 개최하고 최종입장을 정립할 것으로 알려지고 있음. 끝

(대사 권동만-국장)

예고: 92.6.30 까지

검 토 필 (1991. 12. 31.) 긴

대고문에 의거 재분류 1992. . .
직위   성명 이시기제

관리
번호 91-983

외 무 부

종 별 :

번 호 : AUW-1081

일 시 : 91 1224 1130

수 신 : 장 관(봉기)

발 신 : 주 호주 대사

제 목 : UR 협상

검 토 필(1991.12.31.) 관

연:AUW-1077

1 연호 주재국 외무.무역부 WILKINSON GATT 담당 부국장은 금번 DUNKEL 의 PACKAGE 가 주재국의 입장을 완전히 반영하지는 못했으나 주재국은 긍정적인 입장에서 관련 내용을 검토할 것이라고 말하고, 동 PACKAGE 가 워낙 방대한 량이므로 내용 검토에 상당한 시간이 소요될 것이라고 말함.

2. 자신의 견해로는 우선 TRIMS 분야에서 다소 문제가 있는것으로 보이나, 주재국으로서는 명년 1.6 으로 예정되고 있는 연방각의에서의 결정이 있기전까지는 동건에 관한 공식적인 견해 표명이 불가능할 것이라고 말함.

3. 또한 명년 1.13 일에 GATT 회원국이 금번 PACKAGE 에 대한 의견을 표명하게 되어 있음으로, 그전까지 미국과 EC 가 특히 농산물 문제에 관해 의견을 좁힐 가능성이 있는 것으로 본다고 말함.

4.BLEWETT 무역장관은 12.22 기자회견에 앞서 동건 관련 주재국 입장에 관한 성명서를 발표하였는바, 동 내용을 FAX(AUWF-0049)송부함. 끝.

(대사 이창범-국장)

예고:92.6.30. 까지.

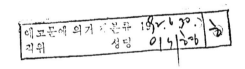
예고문에 의거 재분류 1992.6.30. 성딩 이시330

통상국	장관	차관	1차보	2차보	아주국	경제국	외정실	분석관
청와대	안기부							

PAGE 1

91.12.24   10:48

외신 2과 통제관 BS

0164

주 호 주 대 사 관

AUW(F) : 0049   년월일 : 11/24   시간 : 1150

수 신 : 장   관 (통기   )

발 신 : 주 호 주 대사

제 목 :

보 안	
통 제	

(출처 :   )

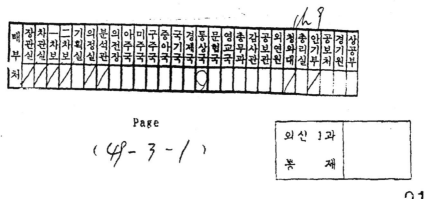

배 부 처	장 관 실	차 관 실	一 차 보	二 차 보	기 획 실	의 정 실	분 석 관	의 전 장	아 주 국	미 주 국	구 주 국	중 아 국	국 기 국	경 제 국	통 상 국	문 협 국	영 교 과	총 무 과	감 사 관	공 보 관	외 연 원	청 와 대	총 리 실	안 기 부	공 보 처	경 기 원	상 공 부
															○												

Page

(49 - 3 - 1)

외신 1과	
통 제	

AUSTRALIA AND THE URUGUAY ROUND

Uruguay Round Package

The Australian Government today gave a positive initial response to the package of measures included in the proposed final agreement to the five-year Uruguay Round negotiations.

Trade and Overseas Development Minister Neal Blewett said the 440-page document tabled by the GATT Director-General, Arthur Dunkel, in Geneva on Friday appeared to offer significant benefits for Australia and for the structure and direction of world trade.

But Dr Blewett cautioned that Australia, like other countries, would need to take a long hard look at the detail of the comprehensive package before deciding whether to accept it.

It was clear, however, that although the proposals on agriculture did not go as far as Australia wanted, they did embrace genuine and irreversible reform of world trade in agriculture, bringing significant long-term benefits for Australian farmers.

"In this and other areas, the negotiations have broken new ground and offer the prospect of rejuvenation and redirection of the GATT and the broader world trading system," he said.

Main features of the package from Australia's perspective are:

* AGRICULTURE - specific commitments on cuts over six years of 36 percent in border protection, 20 percent in domestic support and 36 percent in budgetary terms and 24 percent in quantity terms in export subsidies.

* a fundamental change from non-tariff to tariff only protection, providing increased access opportunities for Australian products, and the binding of new and existing tariffs, to be reduced through formula cuts;

* MARKET ACCESS - a bound one-third reduction target in tariffs, bringing benefits to Australian exporters across the board; (tariff reductions already being implemented by the Australian Government since the beginning of negotiations in 1986 are likely to exceed our obligations in meeting this target);

* from Australia's perspective, results well in excess of this target are possible for some priority markets and sectors (such as steel and non-ferrous metals);

/2.

0166

2.

* SERVICES - negotiations in this, the fastest growing
  area of global trade, offer a result exceeding
  original expectations, including a framework agreement
  on rules to apply to all trade in services, together
  with negotiated access commitments in specific sectors;

* INTELLECTUAL PROPERTY - the package offers additional
  protection internationally for Australian patents,
  trademarks and copyright and provides an improved
  system for the settlement of bilateral disputes on
  contentious issues;

* INVESTMENT MEASURES - are aimed at limiting the scope
  for governments to impose conditions on investment
  which have adverse trade effects. Australia will have
  to examine how these might affect industry programs;

* OTHER AREAS - include more effective international
  rules on dispute settlement, subsidies, anti-dumping
  and countervailing rules, safeguards (temporary
  protection) and technical barriers to trade
  (standards), and creates a Multilateral Trade
  Organisation (MTO) to integrate the outcome of the
  negotiations in all areas of the Round.

Dr Blewett said he had briefed the Minister for Primary
Industries and Energy, Mr Crean; the Federal Opposition, the
National Farmers' Federation and the Government's peak industry
advisory body, the Trade Negotiations Advisory Group (TNAG) on
the package this morning.

Dr Blewett said that the Government, in consultation with other
interested parties, would consider Australia's detailed
reaction to the package between now and January 13 when formal
responses had to be provided to Mr Dunkel. He would also be
closely coordinating Australia's response with that of the
Cairns Group.

He congratulated Mr Dunkel for his courage and determination in
bringing down the package as a means of saving the Round from
failure.

"His proposals provide the key political decisions necessary to
bring the negotiations to a successful conclusion.

"They contain costs as well as benefits for all, and I hope
that all countries, and particularly the major nations, will
give careful and positive consideration to the proposed
outcome," he said.

Dr Blewett paid tribute to Australia's negotiating team in
Canberra and Geneva for their outstanding efforts.

"Their contribution to the Uruguay Round as a whole, and to the
agriculture negotiations in particular, has been recognised
around the world," said Dr Blewett.

Canberra: December 22 1991

0167

2.

AUSTRALIAN EMBASSY SEOUL

Multilateral Trade Negotiations Division

Please find attached, for your information, a copy of a press release issued by the Australian Minister for Overseas Trade and Development, on the Uruguay Round Draft Package issued by GATT Director-General Dunkel on 20 December.

Yours sincerely,

0168

TELEPHONE 7306481   FAX. 7228264   TELEX 2____3   K. P. O. BOX 582 SEOUL

PRESS STATEMENT

BY DR. NEAL BLEWETT, AUSTRALIAN MINISTER FOR TRADE AND OVERSEAS
DEVELOPMENT, ON THE URUGUAY ROUND DRAFT FINAL ACT.

THE AUSTRALIAN GOVERNMENT TODAY GAVE A POSITIVE INITIAL RESPONSE TO
THE PACKAGE OF MEASURES INCLUDED IN THE PROPOSED FINAL AGREEMENT TO
THE FIVE-YEAR URUGUAY ROUND NEGOTIATIONS.

TRADE AND OVERSEAS DEVELOPMENT MINISTER NEAL BLEWETT SAID THE
440-PAGE DOCUMENT TABLED BY THE GATT DIRECTOR-GENERAL, ARTHUR
DUNKEL, IN GENEVA ON FRIDAY APPEARED TO OFFER SIGNIFICANT BENEFITS
FOR AUSTRALIA AND FOR THE STRUCTURE AND DIRECTION OF WORLD TRADE.

BUT DR BLEWETT CAUTIONED THAT AUSTRALIA, LIKE OTHER COUNTRIES,
WOULD NEED TO TAKE A LONG HARD LOOK AT THE DETAIL OF THE
COMPREHENSIVE PACKAGE BEFORE DECIDING WHETHER TO ACCEPT IT.

IT WAS CLEAR, HOWEVER, THAT ALTHOUGH THE PROPOSALS ON AGRICULTURE
DO NOT GO AS FAR AS AUSTRALIA WANTED, THEY DID EMBRACE GENUINE AND
REVERSIBLE REFORM IN AGRICULTURAL TRADE AND AGRICULTURE 'BRINGING
SIGNIFICANT LONG-TERM BENEFITS FOR AUSTRALIAN FARMERS'

'IN THIS AND OTHER AREAS, THE NEGOTIATIONS HAVE BROKEN NEW GROUND
AND OFFER THE PROSPECT OF REJUVENATION AND REDIRECTION OF THE GATT
AND THE BROADER WORLD TRADING SYSTEM,' HE SAID.

MAIN FEATURES OF THE PACKAGE FROM AUSTRALIA'S PERSPECTIVE ARE:

.   AGRICULTURE - SPECIFIC COMMITMENTS ON CUTS OVER SIX YEARS OF 36
    PERCENT IN BORDER PROTECTION, 20 PERCENT IN DOMESTIC SUPPORT
    AND 36 PERCENT IN BUDGETARY TERMS AND 24 PERCENT IN QUANTITY
    TERMS IN EXPORT SUBSIDIES.

.   A FUNDAMENTAL CHANGE FROM NON-TARIFF TO TARIFF ONLY PROTECTION
    PROVIDING INCREASED ACCESS OPPORTUNITIES FOR AUSTRALIAN
    PRODUCTS, AND THE BINDING OF NEW AND EXISTING TARIFFS, TO BE
    REDUCED THROUGH FORMULA CUTS,

.   MARKET ACCESS - A SOUND ONE-THIRD REDUCTION TARGET IN TARIFFS,
    BRINGING BENEFITS TO AUSTRALIAN EXPORTERS ACROSS THE BOARD,
    (TARIFF REDUCTIONS ALREADY BEING IMPLEMENTED BY THE AUSTRALIAN
    GOV   SINCE THE BEGINNING OF NEGOTIATIONS IN 1986 ARE
    LI   EXCEED OUR OBLIGATIONS IN MEETING THIS TARGET),

.   FROM   RALIA'S PERSPECTIVE, RESULTS WELL IN EXCESS OF THIS
    TARG. ARE POSSIBLE FOR SOME PRIORITY MARKETS AND SECTORS (SUCH
    AS STEEL AND NON-FERROUS METALS),

.   SERVICES - NEGOTIATIONS IN THIS, THE FASTEST GROWING AREA OF
    GLOBAL TRADE, OFFER A RESULT EXCEEDING ORIGINAL EXPECTATIONS,
    INCLUDING A FRAMEWORK AGREEMENT ON RULES TO APPLY TO ALL TRADE
    IN SERVICES TOGETHER WITH NEGOTIATED ACCESS COMMITMENTS IN
    SPECIFIC SECTORS,

.   INTELLECTUAL PROPERTY A THE PACKAGE OFFERS ADDITIONAL
    PROTECTION INTERNATIONALLY FOR AUSTRALIAN PATENTS TRADEMARKS
    AND COPYRIGHT AND PROVIDES AN IMPROVED SYSTEM FOR THE

0169

SETTLEMENT OF BILATERAL DISPUTES ON CONTENTIOUS ISSUES,

INVESTMENT MEASURES - ARE AIMED AT LIMITING THE SCOPE FOR
GOVERNMENTS TO IMPOSE CONDITIONS ON INVESTMENT WHICH HAVE
ADVERSE TRADE EFFECTSM AUSTRALIA WILL HAVE TO EXAMINE HOW
THESE MIGHT AFFECT INDUSTRY PROGRAMS,

OTHER AREAS - INCLUDE MORE EFFECTIVE INTERNATIONAL RULES ON
DISPUTE SETTLEMENT, SUBSIDIES, ANTIADUMPING AND COUNTERVAILING
RULES, SAFEGUARDS (TEMPORARY PROTECTION) AND TECHNICAL BARRIERS
TO TRADE (STANDARDS), AND CREATES A MULTILATERAL TRADE
ORGANISATION (MTO) TO INTEGRATE THE OUTCOME OF THE NEGOTIATIONS
IN ALL AREAS OF THE ROUND.

DR BLEWETT SAID HE HAD BRIEFED THE MINISTER F RIMARY INDUSTRIES
AND ENERGY, MR CREAN, THE FEDERAL OPPOSITION,   NATIONAL FARMERS'
FEDERATION AND THE GOVERNMENT'S PEAK INDUSTRY ADVISORY BODYN THE
TRADE NEGOTIATIONS ADVISORY GROUP (TNAG) ON THE PACKAGE THIS
MORNING.

DR BLEWETT SAID THAT THE GOVERNMENT, IN CONSULTATION WITH OTHER
INTERESTED PARTIES, WOULD CONSIDER AUSTRALIA'S DETAILED REACTION TO
THE PACKAGE BETWEEN NOW AND JANUARY 13 WHEN FORMAL RESPONSES HAD TO
BE PROVIDED TO MR DUNKEL. HE WOULD ALSO BE CLOSELY COORDINATING
AUSTRALIA'S RESPONSE WITH THAT OF THE CAIRNS GROUP.

HE CONGRATULATED MR DUNKEL FOR HIS COURAGE AND DETERMINATION I
BRINGING DOWN THE PACKAGE AS A MEANS OF SAVING THE ROUND FROM
FAILURE.

'HIS PROPOSALS PROVIDE THE KEY POLITICAL DECISIONS NECESSARY TO
BRING THE NEGOTIATIONS TO A SUCCESSFUL CONCLUSION,

'THEY CONTAIN COSTS AS WELL AS BENEFITS FOR ALL, AND I HOPE THAT
ALL COUNTRIES, AND PARTICULARLY THE MAJOR NATIONS, WILL GIVE
CAREFUL AND POSITIVE CONSIDERATION TO THE PROPOSED OUTCOME,' HE
SAID.

DR BLEWETT PAID TRIBUTE TO AUSTRALIA'S NEGOTIATING TEAM IN CANBERRA
AND GENEVA FOR THEIR OUTSTANDING EFFORTS.

'THEIR CONTRIBUTION TO THE URUGUAY ROUND AS A WHOLE, AND TO THE
AGRIC   NEGOTIATIONS IN PARTICULAR, HAS BEEN RECOGNISED AROUND
THE WORLD,' SAID DR BLEWETT.

CANBERRA: DECEMBER 22 1991

0170

32

→ 통상기구??

외 무 부

종 별 :

번 호 : JAW-7206

일 시 : 91 1225 1750

수 신 : 장관(아일,미일,봉기)

검 토 필 (1991. 12. 31.) 간

발 신 : 주 일 대사(일정)

제 목 : 미대통령 방일

1. 이하라 외무성 북미 1 과 차석은 표제행사의 의의, 동경선언 및 미.일현안에 관한 실무교섭현황등에 관해 당관 이주흠 서기관에게 아래와 같이 설명함.

　가. 의의

　1) 당초 일정부는 8 년만에 이루어지는 미대통령의 국빈자격 방일기회에 냉전이후의 새로운 아. 태지역 질서 구축을 위한 양국의 협력관계를 재확인하고 향후 이러한 협력관계를 '새로운 차원'으로 발전시켜 나간다는 의지를 천명코자 하였으며 미측도 기본적으로 이에 동의한바 있음(일측이 말하는 '새로운 차원'은 미. 일간의 역할분담에 있어 일본이 자신이 맡고 있는 분담에 상응하는 위상을 확보하는 것을 의미하는 것으로 해석됨)

　2) 그러나 방일연기이후 미측은 대통령 선거등과 관련하여 경제문제를 크게 부각시키게 된바, 이에 따라 일측은 당초의 방침과 병행하여 미측이 기대하는 경제현안의 진전도 모색하지 않을수 없게됨.

　3) 다만, 미국의 경제사정에 비추어 설혹 미측이 요구하는 경제현안을 모두 해결한다고 해도 미국조야의 대일불만이 경감되지 않을것이며, 현재의 일본국내사정, 특히 미야자와 수상의 지도력등을 감안할때 현안의 부분적인 해결조차 어려운 실정이기 때문에 대통령 방일이후 대미관계가 더욱 어려워지게 되지 않을까 우려하고 있음.

　나. 동경선언

　1) 당초 일측은 미.일관계의 중장기 VISION 을 제시하는 내용으로한다는 입장이였으나, 미측이 개별현안도 포함시킬 것을 주장, 타협안으로 전자를 다룰 '동경선언'과 후자를 다룰 '부속문서'등 2 원적 문서로 작성하는 방안을 검토하고 있음.

아주국	장관	차관	1차보	2차보	미주국	통상국	외정실	분석관
청와대	안기부							

PAGE 1

91.12.25　19:10

외신 2과　통제관 FM

0171

2) 동경선언에는 (1) 2차대전이후 지금까지의 미일관계를 성공적인 것으로 평가하고 앞으로도 이러한 관계를 유지해 나갈 필요가 있다는 인식과 이를 위한 양국의 의지를 확인하며 (2) 냉전의 종결에도 불구하고 아. 태지역 정세에는 여러가지 불확실성이 내재하고 있음을 지적하고 미.일 안보조약이 이지역의 안정을 위한 중요한 장치중의 하나임을 천명하며 (3) 국제사회에 있어서의 미.일 파트너 쉽(GLOBAL PARTNERSHIP)의 중요성을 강조하고 앞으로 양국이 협력의 범위를 더욱 확대해 나갈것임을 밝히는 내용등이 포함될 것임.

3) 한반도등 지역문제도 다룰 예정이며 '부속문서'에 포함될 가능성이 큰바, 이부분은 어떤 새로운 정책을 밝히기 보다 각지역문제에 대한 미.일간 협력의틀을 개괄적으로 천명하게 될것이며, 한반도문제에 관하여도 그간 미.일 양국이 밝혀온 기존입장을 재확인하는 내용이 될것임.

다. 현안처리

0 미측이 요구하는 미국산 자동차 및 부품수입확대, 초전도 입자가속기(SSC) 사업지원, 쌀시장 개방문제등에 관해 일측이 어느정도까지 응할수 있을지는 미야자와 수상의 결단과 의지에 달려 있는바, 현재 수상의 구상은 비교적 용이한 문제(자동차 및 부품수입 촉진 위한 제도개선, SSC 협력 방향제시등)는 해결하되 어려운 문제에 대하여는 일반론적으로 문제해결의 진전을 위한 의지를 밝히는 수준에서 대처한다는 것이 아닌가 생각됨(이하라 차석은, 사전협의를 위해 12.23 까지 일본을 방문한 '제릭' 국무차관이 쌀시장 개방문제를 강력히 제기하지 않았는바 이는 GATT 사무총장중재안에 대한 미측의 유보적인 입장과 관련이 있는것으로 보인다고 하고, 일정부가 부쉬대통령 방일시까지 이문제에 관한 입장을 정하지 않을 가능성이 있다고 말함)

2. 한편 이서기관이 접촉한 하라노 시사통신 정치부 차장(외무성 출입)은, 그간의 교섭과정에서 나타난 미측 태도로 보아 '동경선언'이 결국 공동성명 형식이 될 가능성이 있다고하고, 부쉬대통령 방일시까지 쌀시장 개방문제에 대한 일정부의 입장이 정해지지 못할것이며 GATT 사무총장 중재안에 대한 유보적 입장과 긍정적 입장을 동시에 포함하는 '편의적' 표현으로 대응하게 될 것으로 본다고 말함.

3. 부쉬대통령은 12.20 가진 내외신 기자와의 회견에서 카이후 전수상의 이름을 세번이나 거론하면서 자신과의 협력관계를 회고한 반면 미야자와 수상의 이름은 한번도 직접 거론하지 않았으며 또한 금번 방일시에도 미야자와를 만나기전인 도착

PAGE 2

0172

첫날(1.7) 교오또에서 카이후와 오찬을 가질것으로 알려졌음. 이를 두고 일외무성은
부쉬대통령이 금번방일이 친선방문으로만 그칠수는 없다는 분명한 멧세지를 미야자와
수상에게 전하고자 한 것으로 보고 있음. 끝

　　(대사 오재희-국장)

　　예고:92.12.31. 일반

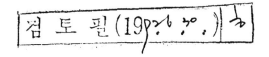

외 무 부

종 별 :

번 호 : USW-6456   일 시 : 91 1226 1824

수 신 : 장 관(봉이 봉기, 미일, 경기원, 농수산부, 상공부, 경제수석)

발 신 : 주 미국 대사

제 목 : 부쉬 대통령 일본방문 관련 동향

검 토 필 (1991. 12. 31.) 김

11.26 당관 구본영 경제공사는 주미 일본대사관 "세이이치로 노보루" 경제공사(전임. "히라바야시" 공사는 부대사로 영전)와 오찬을 같이하며 상호 관심사에 관하여 의견을 교환하였는 바, "노보루" 공사의 발언내용중 참고 사항을 다음과 같이 보고함.

1. 1 월초 부쉬 방일관련

. 일본정부는 미측과 공동선언 문안 합의를 위해 계속 협의중이며, "부쉬"대통령 호주 출발이전인 금주말 까지 협의가 계속될 전망임.

. 주로 경제. 봉상 문제를 둘러싼 합의문안 때문에 난항을 거듭중이며, "부쉬" 방일 때에는 공동선언문과 아울러 봉상부분에 대하여는 구체적 시행계획(ACTION PROGRAM) 이 같이 발표될 것임.

. 미측은 일본에 국내 경기부양과 자동차, 컴퓨터등 일부 분야에서의 시장 개방확대를 강하게 요청중 (쌀문제는 불언급)이며 이와 관련 지난주 하와이에서 MOSKOW USTR 부대표와 일본정부 대표간에 실무무역 회담이 개최된 바 있고 정치적 타결을 위해서는 ZOELLICK 국무차관, PAAL 백악관 보좌관, MOSKOW USTR 부대표 및 WETHINGTON 재무부 차관보가 일본에 지난 주말 급파된 바 있음.

- 재무부 차관보는 내년 일본국내 경기 부양을 촉구하기위해 마지막 순간에 추가되었으며, 이들은 모두 12.24 귀환하였음.

. 미측은 자동차 부문에 있어서는 시험제도 및 안전기준 개선, DEALERSHIP 제도 개선을 요청중이며, 심지어는 CHEROKEE 찜차를 내년부터 일본실정에 맞게 우측 운전차로 개조하는 부자를 하기위해 년내 5 만대 판매를 보장할것을 요청하는 등 무리한 요구도 제시되고 있음.

. 컴퓨터 부문에서는 민간부문(40%)과는 달리 정부부문의 미제 컴퓨타 사용이

통상국 분석관	장관 청와대	차관 청와대	1차보 안기부	2차보 경기원	미주국 농수부	경제국 상공부	통상국	외정실

PAGE 1

상대적으로 적은 점(10%)을 지적, 정부구매를 늘려줄 것을 강하게 요청하고 있음.

. 미측은 수행기업인들의 고위정부 인사와의 면담을 요청하고 있고 일본측은 이를 마련할 계획임.

. 일본은 일부 미측의 요구가 무리하다고 생각하고 있으나 미국 경제의 어려움이나 새로 출발한 일본 정부와의 관계개선 필요성등을 감안, 최대한 성의있게 대응할 예정임.

2. UR 관련

. 일본은 12.20 던켈 총장 제시문서와 관련, 다른 부문에도 일부 이견이 있지만 특히 농산물 부분의 "예외없는 관세화"에 계속 반대하는 입장이기 때문에 1.13 재협상을 요청할 계획임.

- "노보류" 공사 개인 생각으로는 미국이 일부 불만족스러운 것은 있으나 던켈 초안을 먼저 수용함으로서 EC 와 일본의 수용을 강요하고 나아가 다른 나라들의 동의를 유도할 것으로 전망.끝.

(대사 현홍주-국장)

예고 : 92. 6. 30 까지

PAGE 2

외 무 부

관리
번호 91-998

종 별 :

번 호 : JAW-7260

수 신 : 장관(봉기)

발 신 : 주 일 대사(일경)

제 목 : UR 협상

일 시 : 91 1227 1723

검 토 필(1991. 12. 31.) 긴

대 : WJA-5714

당관 김하중 참사관은 12.26(목) 주재국 외무성 경제국 하라구찌 심의관과 만나 표제관련 의견 교환한바, 결과를 하기 보고함(동인 발언요지)

1. 던켈 최종 협정초안에 대한 일측평가

가. 일본으로서는 우선 그동안 일관되게 반대해온 농업분야에서의 예외없는 관세화 조항이 포함되어 있는데 대하여 불만스럽게 생각하며, 또한 반덤핑 규제 부분등에 있어 만족스럽지 않게 생각함.

나. 동 초안에 대하여는 미국도 수개분야에서 불만을 나타내고 있고, EC 도 농업분야 등에서 강한 불만을 표명하고 있음.

다. 그러나 우루과이 라운드에서 모든 나라의 희망사항을 전부 충족시킬 수는 없기 때문에 어디에서인가 타협점을 찾아야 한다고 생각하며, 기본적으로 금번 초안은 존중해야 한다고 생각함.

라. 따라서 일본은 예외없는 관세화는 받아들일 수 없지만 앞으로도 신중한 자세로 UR 의 성공을 위해 계속 노력해 나갈 생각임.

2. 전망

가. 현재로서는 92.1.13. 이후의 협상 전망을 하기가 매우 어려운 상황이며, 기본적으로 가장 중요한 것은 미국의 태도로서 미국이 금번 초안을 어떻게 평가하는지, UR 협상을 언제까지 종결시키려 하는지가 관건이라고 생각함.

나. 또한 농업분야 관련부분은 현재의(안)으로는 곤란하다고 생각하며, 동(안) 자체가 다른 문서와는 기본적으로 성질이 다르기 때문에 어떤 형식으로든지 수정이 되지 않을까 생각함. 끝

(대사 오재희-국장)

통상국   장관   차관   2차보   아주국   분석관   청와대   안기부

PAGE 1

91.12.27   18:34
외신 2과 통제관 CD

0176

예고:92.6.30. 일반

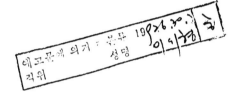

PAGE 2

외 무 부

관리
번호 91-889

종 별 : 지 급

번 호 : USW-6435

일 시 : 91 1224 1837

수 신 : 장관(봉기,봉이,미일,경기원,농수산부,상공부,외교안보,경제수석)

발 신 : 주 미 대사   사본주재내바대사,주 EC 대사-중계필

제 목 : UR 협상 동향(DUNKEL TEXT 에 대한 반응)

연 USW-6410

검토필 (1991. 12. 31.) 김

1. 당관 장기호 참사관은 12.24 DOROTHY DWOSKIN USTR 갖트 담당부대표보와면담, DUNKEL FINAL ACT 에 대한 미측 평가를 타진한바, 동결과및 당지 언론 보도, 전문변호사 의견등을 종합한 UR 관련 동향을 하기 보고함.

    가. 미국 각계의 DUNKEL 협상안에 대한 반응

    O HILLS 미 무역 대표는 공식적으로는 DUNKEL 협상안에 긍정적인 측면도 있지만 좀더 개선할 측면도 있으므로 아직은 이에 대해 확정적으로 언급할 계제가 안된다는 조심스런 입장을 표명하고 있으나, 비공식적으로는 동 협상안이 특히 농업 보조금 분야에서 EC 보다 미측 입장에 보다 접근되어 있음을 인정하고 있는것으로 알려짐.

    O DWOSKIN 부대표보도 농업 분야 협상안은 대체로 만족스러운것으로 인정 하고, 특히 초초 6 년간의 농산물 교역 자유화에 이어서 계속적인 자유화 협의를가능케한것(CONTINUATION CLAUSE), EC 측이 주장해온 이른바 PEACE CLAUSE 가 반영되기는 했으나 실질적인 내용이 결여된것, 수출 보조 감축대상에 있어 예산 지출과 수량 감축이 함께 반영되었으나 예산 지출쪽에 더 중점이 두어진것등 긍정적인 측면이 많이 포함되어 있다고 언급함.

    O 한편 미 농무부측은 성공을 축하하는 분위기를 보이고 있으며, 농무부 관계관들은 DUNKEL 협상안이 매우 균형된것이라는 개인적 의견을 표명하고 있음.

    O 미국 최대 농업단체인 AMERICAN FARM BUREAU ASSOCIATION 은 동 협상안의농업 보조금 감축이 아직 미흡하기는 하나, 현재로서는 동 협상안에 대해 단정적으로 논평할 계제가 안된다는 유보적 태도를 표하고 있음.

    O 반면, 동 협상안에 대한 미국내의 최대의 반대 세력은 지적 소유권 분야 협상안 내용에 반대하는 영화등 흥행업계(JACK VALENTI 영화 협회 회장등), 반덤핑 및 상계

통상국 분석관	장관 청와대	차관 안기부	1차보 경기원	2차보 농수부	미주국 상공부	통상국		외정실

PAGE 1

91.12.25   10:46

외신 2과 통제관 FK

0178

관세 관련 규정에 반대하는 철강, 전자 업계등에 의해 주도되고 있으며, 농업 분야에서도 사탕, 낙농업계등은 반대 입장을 견지하고 있음.

0 미 의회는 현재 휴회중인데다 업계등 CONSTITUENCY 의 반응이 불투명한 현 단계에서는 던켈 협상안에 대해 아직 분명한 태도를 표하고 있지는 않으나, 동 협상안이 업계의 지지를 받지 못할 경우에는 추후 의회 통과에 어려움이 클것이라는 일반적인 입장만 표하고 있는 상황임.

0 상기를 종합해볼때, 미측은 DUNKEL 협상안의 농업 부분은 대체로 긍정적으로 받아들이면서 다만 지적 소유권, 반덤핑및 상계 관세등 분야에서 일부 수정이 필요하다는 입장을 취하고 있는것으로 보임(그러나 DWOSKIN 부대표보는 동 협상안의 전면적 수정 시도는 협상을 붕괴 시킬것이라는 관점에서 협상안 수정은 필요한 최소한에 그쳐야 한다고 언급함)

0 한편 미측은 제네바에서의 일본측의 농산물 및 반덤핑등 관련된 분야에서 매우 비협조적인 태도에 대해 실망을 표하면서 금번 부쉬 대통령의 아시아 순방시에 동 문제를 거론, 일본등 아시아국가의 협조를 촉구할 예정이라함.

나. EC 측 반응

0 12.23 개최된 EC 각료회의는 DUNKEL 협상안이 균형되지 못한것으로 평가, 이를 거부하는 입장을 분명히 하면서도, 동 협상안은 이른바 TAKE-IT -OR-LEAVE-IT 의 성격이 못된다고 하여 협상을 계속할 의사를 표명하였으며, 농산물 문제에 대한 대미 협의를 계속 추진할것으로 촉구하였음.

0 EC 는 특히 휴한 경작지 보조금의 GREENBOX 포함 관련문제, REBALANCING 이 반영되지 못한것등 농산물 분야 협상안에 불만을 표시하고 있는것으로 알려짐.

다. 농산물외 기타 주요 협상 분야별 미측 반응

0 지적 소유권(TRIPS)

-특허 부문에서는 COMPULSORY LICENSING 등 미측 입장이 반영된 긍정적 측면도 있으나, 반면에 및판 의약품 특허 보호가 포함되지 않고 개도국에 대해 비교적 장기간의 특허 제도 개편 기간을 허용하는등 기대에 크게 미달한것으로 보고 있음(동 문제와 관련, 미 의약업계가 크게 반발)

-저작권 보호와 관련, 그간 미측이 EC 와의 관계에서 꾸준히 추진해온 필름쿼타에 대한 전면적 금지가 포함되지 않은것에 불만(미 영화 협회의 불만 사유)

0 무역관련 투자

PAGE 2

0179

- 미측이 추진해온 수출 조건부 부자(EXPORT PERFORMANCE REQUIREMENT)의 전면적 금지가 반영되지 않은데 대해 불만

0 반덤핑 및 상계 관세

-미측은 우회 덤핑 방지가 포함된것은 환영하나, DUNKEL 협상안에 포함된 덤핑및 상계 관세 판정기준 및 절차에 관한 보다 세부적이고 명확한 기준 설정(예덤핑 마진율 2 프로 이하인 경우에는 반덤핑 관세 부과 불가)은 결국 현재의 미국내 반덤핑 및 상계 관세 판정의 절차, 기준 및 덤핑마진 산정 기준에 대폭적인 수정을 필요케 할것이라는점에서 동 분야는 던켈 협상안중 미측의 최대의 불만 분야로 대두되고 잇음.

-이와 관련 DWOSKIN 부대표보는 일본, 한국, 홍콩등이 반덤핑 규제 강화를 앞장서서 지지해왔으나 최근 이에 대해 여타 개도국들의 추가적인 지지 표명이 없는 추세라고 하면서, 미측이 반덤핑 관련 부분에 대한 수정을 추진할것임을 시사하였음.

0 서비스

-금번 협상안에 서비스 부문 일반협정(GATS)과 일반적인 최혜국민 대우 원칙은 포함되어 있으나, 동 MFN 적용에 있어 일정 기간동안 특정국가 또는 특정 분야에 대한 예외를 가능하게 하고, 내국민 대우에 관한 구체적인 약속이 포함되지 않는등 미측은 서비스 분야 협상안에 대해 대체로 불만족스러운 반응을 보이고 있음.

- 따라서 미측은 서비스 시장 개방의 보편성 원칙및 자국민 대우의 구체화및 명료화를 계속 추구할것으로 예상됨.

2. 한편, 당지 봉상문제 전문변호사인 ALAN HOLMER(전 USTR 부대표)및 J.BELLO(전 USTR 법무실장)은 당관 구본영 공사에게 DUNKEL 사무총장 협상안에 대한1 차 평가 MEMO 를 전달해온바 이를 별첨 송부하니 참고 바람.

(대사 현홍주-국장)

92.6.30 까지

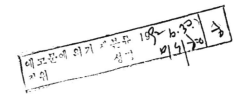

협정초안에 대한 1차적 평가

UR 협상 최종 협상문서 분야별 평가 결과

(주요쟁점별 현황 및 아국 입장 반영 여부)

1991. 12. 28.

공람	통상기구과	년 월 일	담 당	과 장	심의관	국 장	차관보	차 관	장 관
			조현					보고필	보고필

통 상 기 구 과

예고문 삭제
재검토
92.6.30

0181

12.20 제시된 UR 협상 최종 협정 초안의 내용을 각 협상 분야별로 검토, 아국 입장 반영 여부 및 대응 방안에 관하여 정리한 결과를 아래 보고 드립니다.

주요쟁점	의장 협정문 초안	아국 입장 반영 여부 및 대응방안
(시장접근) 1. 관세인하 이행기간	○ 5년	○ 아국 입장 반영
2. 비관세조치	○ 비관세 조치의 양허표 작성 및 양허의 수정. 철회의 경우에 GATT 28조 적용	○ 아국 입장 반영 (시장접근 그룹 결과에 따름) ○ 단, 양허표에 기재 가능한 비관세 조치의 선별 필요
(섬 유) 1. 갓트복귀 비율 및 대상품목	○ 3단계(3년, 4년, 3년)로 나누어 단계별로 부속서상 품목의 12%, 17%, 18%를 복귀시킴	○ 갓트복귀 비율 상향 조정 및 대상품목 축소를 주장해 온 아국 입장 부분 반영
2. 연증가율	○ 단계별로 16%, 25%, 27%를 현 증가율에 추가시킴	○ 브랏셀 의장안보다 상승된 증가율 확보
- 최소 연증가율	○ 문항 삭제	○ 아국 입장 미반영
3. 상호 합의조항 (different mix)	○ 삭 제	○ 아국 입장 반영 - 섬유 주종 수출국 으로서 쿼타의 조정(cutback) 가능성을 삭제

1

0182

주요쟁점	의장 협정문 초안	아국 입장 반영 여부 및 대응방안
(농산물)		
1. 예외없는 관세화	○ BOP, 국가안전보장등 극히 제한적인 경우를 제외하고는 모든 비관세 조치의 관세화	○ 아국 입장 미반영 ○ 민감품목에 대한 관세화 예외 반영 노력 계속
2. 관세(TE 포함) 양허	○ 모든 관세(TE 포함) 양허	○ 아국 입장 미반영
3. TE 감축폭 및 감축기간	○ '86-'88년 기준 '93-'99 년간 36% 감축(단,품목별 최소 15% 감축)	○ 전체적으로 불리하게 반영(최근 기준년도가 TE 계산시 유리)
4. 최소시장접근	○ '86-'88 평균 소비량의 3%를 이행개시 년도에, 5%를 이행 마지막 년도에 최소 시장접근 으로 허용	○ 아국 입장 반영 미흡
5. 허용 국내보조 범위	○ 구조 조정을 위한 투자등을 다소 까다로운 조건하에 허용	○ 아국 입장 일부 반영
6. 국내보조 감축폭 및 감축 기간	○ '86-'88년 기준 '93-'99년간 20% 감축	○ 아국 입장 대체적 반영(단, AMS 기준 감축은 아국에 불리)
7. 수출보조	○ '86-'90년 기준 '93-'99년간 재정지출 기준 36% 및 물량기준 24% 동시 삭감	○ 수출보조 대폭 삭감 미흡

2

0183

주요쟁점	의장 협정문 초안	아국 입장 반영 여부 및 대응방안
8.개도국우대	○시장접근, 국내보조, 수출보조 분야에서 선진국의 최소 2/3이상 삭감 및 이행기간 최대 3년 연장 가능	○아국 입장 일부 반영 (단, 경제발전 정도에 따른 차별 대우 가능성은 상존)
(보조금/상계관세) 1.개도국우대	○최빈개도국을 제외한 개도국은 8년내 수출 보조금의 점진적 감축 (기존 소득 수준에 따른 개도국 재분류 및 차별 대우 삭제) ○개도국에 대한 특별 de minimis 2O% 인정 (단, 수출보조금 불사용 국가는 3% 인정)	○아국 입장 반영 ○단, 수출보조금 관련 '8O 동경라운드 보조금 협정 가입시 6년 유예기간을 인정받는 조건하에서 수출보조금 불사용 약속을 하였으므로 수출보조금 사용 혜택 없음.
2.허용보조금의 범위	○허용보조금의 범위 대폭 축소 ○기존의 4가지 허용 보조금(연구, 구조 조정, 환경보호, 지역 개발보조금)중 연구, 지역개발보조금만을 허용보조금으로 인정	○아국 입장 반영안됨 ○기존의 4가지 보조금, 특히 구조 조정 보조금이 모두 허용 되도록 아국 입장 반영 필요
(반덤핑) 1.원가이하 판매	○상당기간 동안(1년-6개월) 상당량(총 거래량의2O% 이상)이 원가이하로 판매된 경우 정상거래 불인정	○아국 입장 일부 반영 - 불경기시 과거 대표 기간동안의 평균 비용 불고려

3

주요쟁점	의장 협정문 초안	아국 입장 반영 여부 및 대응방안
2.구성가격	○실제자료 사용 의무부과 ○예외적인 경우에도 다른 수출자의 정상 이윤 고려	○아국 입장 일부 반영 - 이윤산정 방안중 우선 순위 미설정
3.소멸조항 설치 (sunset clause)	○덤핑 관세 부과후 5년내 철폐 - 단, 재심 가능	○아국 입장 상당 반영 - 재심 조항을 통한 소멸조항 회피 방지 곤란
4.우회덤핑	○수입국내 조립된 부품에 대한 우회덤핑 관세 부과 기준 설정	○아국등 수출국 입장 일부만 반영
(세이프가드) 1.예외적 선별 적용	○세이프가드 조치로서 쿼타 할당시 일정 조건하에 무차별 원칙에 일탈하여 쿼타 할당 및 기존 쿼타 삭감 조치	○무차별 원칙을 일탈 하는 경우도 쿼타 할당이 가능토록 함으로써 아국 입장이 반영되지 않음 (단, 브랏셀안 보다는 개선됨) - EC만 강력히 주장 하고 모든 나라가 반대하므로 재논의 예상
2.회색조치	○하기와 같이 회색조치 금지 - 19조에 위배되는 긴급 조치 금지 - VRA, OMA등 금지	○아국 입장 반영 - VRA, OMA등 모든 회색조치 포함

4

0185

주요쟁점	의장 협정문 초안	아국 입장 반영 여부 및 대응방안
	- GATT 규정 또는 GATT하의 협정등에 의한 조치는 이 협정 범위내 불포함	
(TRIMs) 1.금지대상 TRIMs	○국산부품 사용 ○수출물량과 연계된 수입만 허용 ○부품수입과 관련한 외환취득 제한 ○국내생산 물량과 연계된 수출 및 판매 제한	○대체로 아국 입장과 동일 - 개도국, 금지개념 도입에 반대 예상 - 미국, 수출조건부 무역 조치를 전면 금지하지 않은데 대해 반대 예상
2.경과조치	○TRIMs 철폐 기한을 선진국 2년, 개도국 5년, 최빈개도국 7년으로 함. - 예외적으로 연장 가능	○의장안 지지 가능
(TRIPs) 1.반도체 칩 보호	○침해사실 통고이후에 새로이 IC를 구입하여 만든 최종제품은 통관 정지 가능	○침해 IC를 사용한 최종제품은 공탁금을 예치하고 통관 가능토록 하는 아국 입장이 미반영
2.국경조치	○적용범위 - 상표권, 저작권 침해 물품에는 반드시 적용 - 기타 지적재산권 침해 물품에도 확대 가능	○특허등 기타 지적 재산권 침해물품에 국경조치가 확대되었을 경우의 문제점에 대한 아국 주장을 수용

5

0186

주요쟁점	의장 협정문 초안	아국 입장 반영 여부 및 대응방안
3.대여권	○ CP,영상저작물,음반의 대여행위에 대한 허가 금지권(exclusive rental right) 인정 - 영상저작물,음반의 경우는 권리자가 실제적 침해 입증	○ 권리자가 권리의 실질적 침해를 입증 못하면 대여권을 부여하지 않도록 함으로써 아국 입장 부분적으로 반영 - 개도국의 반대로 논란 여지 있음.
4.경과기간	○ 선진국 : 1년 ○ 개도국 : 5년 - 물질특허 제도가 없는 국가는 5년 추가 가능 ○ 최후진국 : 11년	○ 충분한 경과기간 부여는 부분적으로 반영
(제도분야) 1.일방조치 억제	○ 갓트상의 무역분쟁과 관련 체약국은 반드시 갓트 분쟁해결 절차를 준수해야 함	○ 분쟁해결과 관련, 일방조치를 발동 해서는 안된다는 아국 입장 반영
2.무역관련 법령의 갓트 일치	○ 협정문안 제16조 4항에 "수정이 필요한 경우 이를 위하여 모든 조치를 취하기 위하여 노력해야 한다"고 규정	○ 임의 사항으로 규정 함으로써 아국 입장 반영 정도가 미흡 (미국의 강한 입장 때문에 현실적으로 관철이 어려움)

6

0187

주요쟁점	의장 협정문 초안	아국 입장 반영 여부 및 대응방안
3.Single Under- taking (일괄수락)	○ MTO 협정문 11조에 UR 협상 결과의 선별 수락 가능성 배제	○ UR 협상 결과를 일괄 수락하는데 대해 아국은 반대치않는다는 입장 - 인도,브라질이 일괄 수락에 반대 입장 인바, 향후 논란의 대상이 될 소지가 있음.
4.교차보복	○ 원칙적으로 동일 분야에서 보복 허용 ○ 동일분야에서의 보복이 비현실적이거나 비효과적일 경우 동일 협정하의 다른 분야 에서의 보복 허용 ○ 동일 협정하에서의 보복이 비현실적이거나 비효과적일 경우 여타 협정하에서의 보복 허용	○ 엄격한 기준하에 교차 보복이 허용되어야 한다는 아국 fall-back position에 비추어 큰 문제 없음. - 모든 참가국이 합의된 것으로 양해
5.최종의정서 (Final Act)	○ 제반 UR 협정의 발효 일자 결정을 위한 각료급 회의를 92년말 이전에 개최 ○ 제반 UR 협정(MTO 설립 협정 포함)의 발효일자 : 93.1.1	○ UR 협상 참가국의 국내 수락 절차 완료 상황을 고려하여 UR UR 협정 발효일자를 결정하게 되므로 별다른 문제 없음 ○ UR 협상 결과에 대한 아국의 전반적인 평가가 이루어진후 결정할 문제

7

0188

주요쟁점	의장 협정문 초안	아국 입장 반영 여부 및 대응방안

(서비스)
 	
1.서비스 일반
  협정 기본구조
  (framework)
	○일반협정 기본구조에
	  합의
		○아국 입장 반영
		 - 특히 자유화 추진
		   방식이 아국 및
		   개도국 주장대로
		   각국이 개방할
		   분야를 제시하고
		   개방시에도 조건을
		   첨부할 수 있게됨
		
		○92.1-3월중 진행될
		  양자협의에 대비
		 - 수정 offer list
		   작성
		 - 상대국에 대한 2차
		   request list
		   작성, 제출

- MFN 일탈문제	○일탈 신청방식 및
	  협상 절차, 동 협상
	  방식에 대해서만 합의
	 - 국가별 구체적 일탈
	   범위는 '92년초 양허
	   협상의 일부로 협상
	   예정
		○MFN 일탈 범위 협상
		  에는 기존 입장에
		  따라 대응
		 - MFN 일탈 허용
		   최소화

3.인력이동부속서	○인력 수입국의 노동법
	  적용문제 및 입국.체류.
	  취업에 관한 정보 제공
	  의무 삭제
		○아국 입장 반영

4.항공부속서	○항공운수권 및 직접
	  관련 서비스에 대한
	  협정 적용 배제 합의
		○아국 입장 반영
		 - 항공설비 서비스의
		   포괄 범위등에 92년초
		   기술적 작업 필요

8

0189

주요쟁점	의장 협정문 초안	아국 입장 반영 여부 및 대응방안
5.통신부속서	○ 선.개도국간 대립 쟁점인 원가지향 요금 정책 및 개도국 우대조항 삭제	○ 아국 입장 반영 - 92년초 기술적 작업 필요
6.금융부속서	○ 금융서비스 기구 및 분쟁해결은 각료회의 결정사항으로 규정	○ 아국 입장 반영
	○ 금융감독기관 조치 사항등 특수사항에 대해서만 금융부속서에 반영	○ 미국, 일본은 불만 표시 - 92년초 협상 재개시 논란 가능성 상존
7.해운부속서	○ MFN 일탈 및 해운보조 서비스에 대한 접근보장 의무 관련 미국과 개도국간 대립으로 초안 작성 실패	○ 현재 나와있는 사무국 안을 기초로한 해운 부속서 작성에 이의 없음.

9

0190

면 담 요 록

1. 면 담 자

    ○ 주한 스위스 대사관 K. Hagmann 2등서기관

    ○ 통상기구과 조현 서기관

2. 면담일시 및 장소 : 1991.12.30(월) 15:00-15:20, 통상기구과

3. 면담내용 :

Hagmann 서기관

○ UR/던켈 협정 초안에 대한 스위스 정부 입장 설명

  - 동 협정 초안은 협상 타결을 위한 중재안이지만 균형잡힌 것이 아님.

  - 스위스의 경우 농산물 협정의 단시간내 이행은 실질적인 희생이 따르게
    될 것임.

  - 보조금, Safeguards, 지적재산권 및 서비스등 여타분야는 수용 가능함.

  - 향후 협상은 92.1월이후 시장접근 분야의 협상과 미국, EC, 일본등 주요
    협상국간의 협상 타결 의지에 달려있다고 봄.

○ 한국 정부의 던켈 협정 초안에 대한 평가 문의

조서기관

○ 던켈 협정 초안에 대한 한국 정부의 입장 설명

  - 동 협정 초안을 해당분야별로 관련부처에서 면밀히 검토중에 있음.

  - 1차 검토 결과, 여러분야에서 긍정적인 내용이 있으나 농산물 분야에서는
    기존의 한국 입장과 상치되는 문제점이 있음.

  - 따라서 아직 정하여진 공식 입장은 아니지만, 1.13 TNC 이후 협정 초안에
    대한 재협상이 필요하다고 봄.   끝.

Besprechung im MOFA
30.12.1991, 1500 Uhr

I have been informed by my Government on the latest develop-
ment in the UR. The negociations will be reopened on January
13. At that moment one will see whether the political break-
through attempted by Arthur Dunkel will be real.

A summary of the Swiss point of view as of December 23
looks as follows:
The package of Mr. Dunkel constitutes a real effort towards
a compromise. However, the package is not yet balanced.
On one hand, the sacrifices asked from the countries like
Switzerland remain substatial in agrculture and have to be
realized in a short time.

In the non-agricultural field substatial results are
possible, specially for subsidies and safeguards, the field of
intellectual property rights and the services. It will depend
very much of the negociations regarding market access as from
January next year and the real significance of the will to
establish a coherence within the different angles of the
negociation.

The attitude of the big ones (USA, EC, Japan) will be decisive
on January 13.

My Government is very interested to know how the Republic of
Korea sees the chances for a positive result of the negociations.
Where are the biggest problems for the Republic of Korea?
View point of the Republic of Korea with regard to the Dunkel
paper.

0192

UR 협상 최종 협정 초안에 대한 각국 반응

1991. 12. 30.

외 무 부 통 상 국

0193

1. 미국

가. USTR (12.24 주미 대사관 장참사관, USTR Dwoskin 갓트 담당 부대표보 면담)

○ Hills USTR은 최종 협정 초안에 개선해야 할 부분이 있으나, 아직 확정적으로 언급키 곤란하다는 조심스런 태도를 보임 (비공식적으로는 동 초안의 농업보조금 분야가 EC보다 미측 입장에 접근되어 있음을 인정하고 있는 것으로 알려지고 있음)

○ Dwoskin USTR 부대표보도 농업분야 협정 초안에 대해서는 대체로 만족스러운 것으로 평가함.

나. 농무부 (12.26 주미 대사관 농무관, 미 농무부 해외농업처 Schroetter 및 Craig Thorn 다자협력과 부과장 면담)

○ 농무부는 최종 협정 초안의 농산물 분야를 긍정적으로 평가하나, 현재대로 수락할지 여부는 아직 상세 검토가 이루어지지 않아서 논평하기 곤란하다는 반응임.

○ 농무부로서는 Hills USTR도 협정 초안의 조정(adjustment)을 인급했을뿐 수정을 주장한 것은 아니며, 협정 초안에 대한 수정 허용시 연쇄적 수정 요구를 초래할 것이므로 농무부로서는 동 협정 초안이 재협상의 대상이 아닌 것으로 본다는 입장을 취함.

다. 의 회 (주미 대사관 보고)

○ 의회는 업계등 선거구민의 반응이 불투명한 현단계에서는 협정 초안에 대해 아직 분명한 태도를 표하고 있지는 않으며, 동 초안이 업계의 지지를 받지 못한 경우에는 추후 의회 통과에 어려움이 클 것이라는 일반적인 입장만 표함.

1

0194

라. 업 계 (12.24 USTR Dwoskin 갓트 담당 부대표보 언급)

o 미국 최대 농업단체인 American Farm Bureau Association은 동 협정
초안의 농업보조금 감축이 아직 미흡하기는 하나, 현재로서는 협정 초안에
대해 단정적으로 논평한 계제가 안된다는 유보적 태도를 표함.

o 반면, 동 협정 초안에 대한 미국내의 최대의 반대 세력은 지적소유권
분야 협상안 내용에 반대하는 영화등 흥행업계(Jack Valenti 영화협회
회장등), 반덤핑 및 상계관세 관련 규정에 반대하는 철강, 전자업계등에
의해 주도되고 있으며, 농업분야에서도 사탕, 낙농업계등은 반대 입장을
견지하고 있음.

2. E C

가. EC Council (12.23 EC 일반 각료이사회 결과)

o 현단계에서 최종 협정 초안을 단정적으로 평가하는 것은 시기상조이며
최종 평가는 주요쟁점에 대한 향후 협상 결과에 따라 가능하다는 입장임.

o 협정 초안이 일부 긍정적 내용도 포함하고 있으나 전체적으로 균형되어
있지 못하므로 집행위에서 이의 개선을 위한 교섭을 재개토록 함.

o 92.1.10 전후 일반 각료이사회 다시 개최, 최종 입장 정립 예정임.

나. EC 집행위원회
o MacSharry EC 농업담당 집행위원은 12.22 비공식 논평을 통해 최종 협정
초안으로는 UR 협상 타결 가능성이 없으며, 특히 협정 초안의 농업부문은
미국안에 치우쳐 있다는 부정적 입장을 표명함.

2

0195

다. 최종 협정안에 대한 EC 각 회원국의 입장

　　ㅇ 영　국 : 긍정적 입장

　　ㅇ 독　인 : 중도적 입장

　　ㅇ 불란서 : 반대 입장 (Mermaz 불란서 농무장관, 동 협정 초안 수락 반대
　　　　　　　의사 표명)

라. 기　타 (주미 대사관 보고)

　　ㅇ EC는 특히 휴한 경작지 보조금의 Green box 포함 관련 문제,
　　　Rebalancing이 반영되지 못한것등 농산물 분야 협상안에 불만을
　　　표시하고 있는 것으로 알려짐.

2. 일　본

가. 일본 정부 (12.27 산케이등 언론 보도)

　　ㅇ 일본 정부는 던켈 협정 초안에 대한 입장을 국내에서의 의견 조정이
　　　필요하다는 이유로 3월경에나 밝힐 예정이라 함.
　　　- 92.1.13 TNC 회의에서는 예외없는 관세화에 대한 입장 표명 유보

나. 외무성 (12.26 주일 대사관 김참사관, 외무성 경제국 하라구찌 심의관 면담)

　　ㅇ 일본은 농업분야의 예외없는 관세화는 받아들일 수 없으며 반덤핑 규제
　　　부분에도 불만족하고 있으나 앞으로 신중한 자세로 UR의 성공을 위해
　　　계속 노력 하겠다는 입장임.

　　ㅇ 그러나 UR 협상이 어디에선가 타협점을 찾아야 한다고 생각하므로
　　　기본적으로 금번 협정 초안을 존중해야 한다고 생각함.

다. 농　협 (언론 보도)

　　ㅇ 협정 초안의 농산물 부분이 수출국 입장에 편중된 것이라고 비난

3

0196

4. 호주

o 12.23 Blewett 외교부차관 장관, 협정 초안을 긍정적으로 평가한다는 성명 발표

o 92.1.6 연방 각의에서 호주 입장 결정 예정

5. 카나다 (12.23 카나다 언론 보도 및 대사관 보고)

o 카나다 정부는 UR 협정 초안 관련 주정부와 협의 예정

o 카나다 정부는 협정 초안의 농업분야에 대해 상당한 진전을 이룬것으로
평가하고 있으나, 낙농, 가금 및 계란에 대한 보호규정을 포함하지 않고
있는데에 실망을 표시함.

　　벌루니 수상 정부로서는 동 초안이 퀘벡지방의 낙농, 가금, 계란등
　　3개품목 생산자에 부정적 영향을 주는 반면 서부지역의 곡물생산 농가에
　　대해서는 긍정적 영향을 주고 있어 양자택일을 해야하는 곤경에 처해
　　있다함 (언론 보도). 　　　　　끝.

4

0197

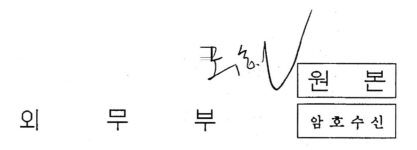

외 무 부

종 별 :

번 호 : AUW-1095

일 시 : 91 1230 1610

수 신 : 장관(봉기)

발 신 : 주 호주 대사

제 목 : UR협상

1. 현재 제네바에 체류중인 외무.무역부 PETER FIELD 경제차관보는 주재국 언론과의 회견에서 EC 가 금번 DUNKEL PAPER 를 정면으로 거절할것 (OUTRIGHT REJECTION)은 아니며 EC 는 동 PACKAGE 를 좀더 깊이 연구하겠다는 입장인바, DUNKEL PAPER 중 가장 논쟁점이 되고있는 농산물분야는 표명상으로는 더이상 협상의여지가 없는것으로 보인다고 말하고, 동 PACKAGE 가 미국의 협상목표를 반영하고 있지는 않지만 미국이 가장 관심을 갖고 있는 보조금 지급수출의 물량(VOLUME)을 삭감하는데 있어 상당히 합리적인 중간 숫자를 제시하고 있음으로 미국이 대체적으로 이를 수용할수 있는 내용인 것으로 본다고 말함.

2. FIELD 차관보는 일본과 한국의 반응은 예상했던 대로이며, 일본은 기다려보자는 태도(PLAY A WAITING GAME)를 취하고 있으며 한국도 일본의 뒤에서서(BEHIND JAPAN)같은 태도를 취하고있는바, 일본의 EC 가 UR 협상 PACKAGE 전체를 붕괴시킬 것인지 여부를 기다리고 있으며 EC 의 태도로 인해 UR 협상이 붕괴될시 일본 자신은 국제적인 오명을 받지 않을것을 기대하고 있다고 말함.

3. EC 가 DUNKEL PACKAGE 의 일부 분야에서 문제를 제기하고 추가적 협상의필요성을 지적하고 있는 태도는 DUNKEL 의 TAKE-IT-LEAVE-IT 입장과 상충되고 있는바, GATT 사무국은 금번 PACKAGE 가 전체적으로 매우 균형되게 작성되어 있음으로 특정분야를 수정할시 전체 PACKAGE 가 붕괴될 가능성을 우려하고 있다고 함. 끝. (대사 이창범-국장)

통상국	장관	차관	1차보	2차보	경제국	청와대	안기부

PAGE 1

91.12.30   14:56

외신 2과   통제관 BN

0198

외 무 부

종 별 :

번 호 : USW-6506   일 시 : 91 1230 1906

수 신 : 장관(봉이,봉기,미일,경기원,농수산부,상공부,경제수석)

발 신 : 주 미 대사

제 목 : 부쉬대봉령 방한(경제,봉상관계)

검 토 필 (199/. /2. 3/)

연: USW-6480

당관 구본영 공사는 12.30 미 무역대표부 S. KRISTOFF 대표보 및 N. ADAMS 부대표부와 오찬을 같이한 바, 동인들이 양국 경제봉상문제에 관하여 언급한 주요 내용을 하기 참고로 보고함. (서용현 서기관 동석)

1. 부쉬 대봉령 방한시 거론사항

. KRISTOFF 대표보에 의하면 미측은 금번 정상회담에서 한.미경제흡의회(U.S.-KOREAN ECONOMIC CONSULTATIONS)로 하여금 양국간 봉상문제 해결을 촉진하기 위한 금융등 수개분야의 행동계획(ACTION PLAN)을 작성하도록 수임한다는 취지로 연호 양국간 봉상문제 협의 메카니즘 개선문제를 거론, 양국 정상간 합의를유도한 것이라함.

. 이와 관련하여 미측은 정상회담 수입사항 처리를 위해서라도 한.미 경제협의회가 가급적 조속히 개최될 수 있기를 희망하고 있으며, 동 협의회에서 1-2 년간의 행동계획을 작성하고 동 문제를 전담할 양측 COORDINATOR 를 지명한다는 계획을 갖고 있다함.

2. DUNKEL 사무총장의 UR 협정안에 대한 미측 입장

. KRISTOFF 대표보 및 ADAMS 부대표보는 미국까지 DUNKEL 사무총장 협정안에 대해 재교섭을 시도하게 되면 결국 UR 의 성공 가능성이 희박해진다는 것을 인정하면서도, 대봉령 선거를 앞둔 미 국내정치 역학 관계상 미국이 DUNKEL 협정안을 현재대로 그대로 수용하기는 어려울 것이라는 반응을 보였음.

3. KRISTOFF 대표보의 국무부로의 전직

. KRISTOFF 대표보는 미 국무부 아. 태지역 경제담당 부차관보(ROBERT FAUVER 현 국무부 경제담당 부차관의 후임)로 내정되어 임명 관련 절차를 밟고 있다하며, 오는

통상국	장관	차관	1차보	2차보	미주국	통상국	외정실	분석관
정와대	정와대	안기부	경기원	농수부	성공부			

92.1 월말경 부터 국무부에서 근무케 됨 것으로 전망된다함.

. 동 대표보의 후임은 아직 임명되지 않고 있다함.

(대사 현홍주-국장)

예고: 일반 92. 6. 30.

PAGE 2

0200

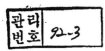

외 무 부

110-760 서울 종로구 세종로 77번지 / (02)720-2188 / (02)725-1737

문서번호 통기 20644-

시행일자 1991.12.31.( )

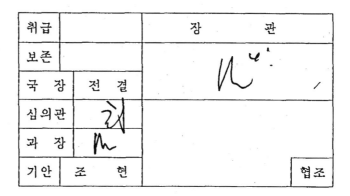

취급		장 관
보존		
국 장	전 결	
심의관		
과 장		
기안	조 현	협조

수신 수신처 참조

참조

제목 UR 협상 (최종협정 초안)

　　　91.12.20 개최된 UR 무역협상위원회(TNC)에서 제시된 Dunkel 갓트 사무총장의

UR 최종 협정 초안의 각 협상 분야별 평가 내용을 별첨 송부하니 관련업무에

참고하시기 바랍니다.

첨 부 : 상기 평가서 1부. 끝.

수신처 : 주 미국, 일본, EC, 카나다, 호주, 영국, 불란서, 독일, 스위스, 태국,
　　　　　말레이지아, 브라질, 인도, 스웨덴

외 무 부 장 관

0201

분야별 협상 문서 평가

- 목 차 -

0202

695-38-2

I. 시장접근 의정서

1. 성격

- 관세인하 시행시기, 시행방법등을 정한 절차 부분과 관세인하
  내용을 첨부한 실체 부문으로 구성된 하외 문서임.

2. 내용

- 관세인하 시행시기 및 방법 : 1993. 1.1부터 5년간 균등인하
- 비관세 Offer도 양허표에 개기하는 경우 이의 수정, 철회시에는
  GATT 제 28조를 적용하여 사실상 GATT에 Binding화
- Annex에 첨부될 관세인하 내용은 내년 1.13부터 3.1일까지 진행될
  양자간. 다자간 협상에서 걸정될 사항으로서 공단임.

3. 특징 및 아국에의 영향

- 내년 3월까지 종결될 관세 인하 및 비관세 완화 협상에서 주요
  선진국은 1/3 이상 관세가 인하될 것으로 기대되고 개도국도
  상당한 관세인하와 비관세 장벽 완화가 기대되어 아국의 수출환경
  개선에 기어
- 시행기간도 동경라운드시의 8년간 균등인하 시행에서 5년간 균등
  인하 시행으로 단축 되었는바, 이는 조기 시행을 선호하는 선진국의
  입장이 반영된 것으로 아국도 1991년 실행세율 수준으로 양허
  하였으므로 동시행에는 실질적 관세율 인하를 수반하지 않아
  조기 시행을 주징해온 아국 입장이 반영된 것임.
- 7차에 김친 동경라운드 의정시와는 빌리 이번 의정시에는 비관세
  조치의 양허에 대한 규정이 새로 도입되었는바, 이는 비관세 조치의
  완화 또는 폐지시 이의 재도입을 저지코자 하는 신진국의 입장이
  반영된 것으로, 앞으로의 협상 과정에서 양허표에 개기 가능한
  비관세 조치의 신법 문제가 논단의 대상이 될 가능성이 많으며
  복히 미국, EC등 선진국은 자국이 요청하여 아국이 개선한 비관세
  조치를 양허표에 개기 하도록 요청할 것으로 예상됨.

675-1 38-3   0203

4. 대책

  - 91. 1.13이후에는 구체적, 집중적 협상이 진행될 예정이므로 협상 품목별
    본부 전문가의 협상 참여가 요망됨.

  - 비관세 분야에서 양허표에 게기 가능한 N.T.B의 선별과 그렇지 못할
    경우의 구체적 사유 설명의 준비가 요망됨.

2

0204

Ⅱ. 섬유

1. Text의 성격

0 섬유 Text는 브뤗셀 의장 Text(W/35/Rev.1)상 팜호로 남아 있던 주요쟁점 사항에 대해 지난 브뤗셀 회의이후 현재까지의 논의를 모대로 한 것임

0 많은 쟁점 사항에 대해 최근 막바지 절충을 통하여 참가국의 뮤시적인 합의를 어느정도 도출해내었으나 "Economic Package"(연증가율, 롱합 비율, 품목대상 범위등)는 수입국과 수출국간 입장이 대립되어 동 사항에 대해서는 참가국간 이건 절충을 시도하지 못한채 던켈 의장이 다협상 분야와의 균형을 고려하여 결정한 것임.

2. 주요쟁점 사항에 대한 협상 결과

0 롱합기간 : 10년 <1993-2002년, 1단계 3년(93-95), 2단계 4년(96-99), 3단계(2000-2002)>

0 쿼타 증가율 : 각단계별로 기존 섬무협정상 증가율에 동 증가율의 각각 16%, 25%, 27%를 증가시킴

0 롱합비율 : 각단계별로 각각 12%, 17%, 18%(47%)

0 품목대상 범위 : 브뤗셀 의장 Text(W/35/Rev.1)과 동일함(단 임부품무은 잠정세이프 가드 발동대상에서는 제외)

0 잠정 세이프가드 조치관련

~ 발동요건 : 브뤗셀 의장 Text와 기본적으로 동일하나 일부 용어 수정으모 요건 다소 강화

- 규제수준 : 과거 1년간 수출실적을 기준으로함.

- 빌동기한 : 언장없이 3년

- 동 조치 보유 기능 국가 범위 : 동 협정 가입인 모든 국가가 발동 가능함

3
61(-38-5

0205

0 갓프 규범강화 : 수입국 주장이 상당히 반영됨

0 특수한 공급국 우대

　　- 소규모공급국 : 수출물량 기준 1%를 규제수준 기준 1.2%로 조정함

　　　　　　　　　 으로써 소규모 공급국 대상범위 축소됨. 다만 쿼타

　　　　　　　　　 증가율에서 다소 우대

　　- 모생산국 및 OPT 국가 : 잠정 SG 조치 관련 우대 조치에 관한 선언적

　　　　규정 포함

0 기타

　　- Non-MFA국가 처리 문제 : 본협정 적용시 특별취급 허용보류함.

　　- 본협정 가입국 용어 문제 : "Parties"로 표시됨

3. 아국 관심 사항 반영 현황

가.　통합기간 : 10년의 장기간으로 설정됨으로써 섬유산업구조 조정에

　　　　　　　　필요한 충분한 시간 확보

나.　different mix 조항(수출, 수입국 합의에 의한 쿼타 조정등 가능 조항)

　　삭제

　　0 통합기간중 수출, 수입국은 상호합의할 경우 쿼타물량, 연증가율,

　　　　용종성등에 대해 조정할 수 있다는 동조항은 협상력이 우월한

　　　　수입국에 의해 악용될 소지가 많아. 동 조항의 삭제에 대해 그동안

　　　　아국은 최대의 관심을 기울어 왔는바, 동 조항은 소규모 공급국에

　　　　국한된 예외 조항에 포함됨으로써 일반 조항으로는 삭제됨

다.　과거 규제품목에 대해 잠정 세이프 가드 조치를 재발동할 경우 규제수준

　　0 MFA 규제를 해제하고 1년내 잠정세이프가드 조치를 발동하는 경우

　　　　규제수준은 과거 규제시의 쿼타 수준을 최소한 유지토록 함으로써

　　　　쿼타 수준을 삭감키 위해 MFA 규제를 해제하고 잠정세이프가드

　　　　조치를 남용할 수 있는 소지를 없앰.

4　675-38-6

0206

라.   잠정 세이프가드 조치 발동 가능국가 범위

0 현재 MFA 규제를 하고 있는 국가뿐아니라 본협정 가입국 모두가 동조치
   발동권비를 보유하게 됨으로써 저개발국으로부터 저가의 섬유제품
   수입급증시 대응 권한 보유

4. 평가 및 대책

가. 평가

0 본협정에서는 그동안 수출 개도국이 주장한 내용(특히 Economic
   Package 사항인 캇트 복귀 시한, 연증가율, 통합비율등)을 미국,
   EC등 수입선진국이 다소 수용함으로써 전체적으로 브랏셀 Text
   보다는 수출 개도국의 입장이 비교적 반영된 것으로 판단됨.

나. 대책

0 국내홍보대책

- 동 협정의 결과도 아국은 섬유교역에 있어서 다자간 규율강화로
   쌍무적 불이익 극복 가능

   · 현행 MFN 체제는 기본골격만 다자간 규율하에 두고 주요 내용
      (제한 대상품목, 쿼타 수준등)은 쌍무협정에 의해 결정됨
      으로써 그동안 대규모 쿼타 보유국의 하나인 아국은 여타
      개도국에 비해 쿼타 증량등에서 상대적으로 불리한 취급을 받았
      으나 새로운 섬유협정아에서는 섬유교역의 주요 내용인 쿼타
      증가율, 통합비율 및 품목 대상 범위등이 다자간 규범에 의해
      일률적으로 적용됨.

   · 또한 기본쿼타(BASE LAVEL)를 현 쿼타량을 기초로 함으로써
      쿼타 최다보유국의 하나인 아국의 (기득권) 유지

- 점진적 섬유교역 자유화 구조조정 촉진

5
615~38~7
0207

. 갓트로의 완전 통합이 10년에 걸쳐 점진적으로 이루어짐으로써
  섬유산업 구조조정의 계기를 마련

. 기술집약적 고부가가치 제품 개발 및 수출시장 확보동기 부여

0 국내산업 대책

- 그동안 쿼타관리에 따어 제한 받았던 섬유교역이 동 협정에 의해
  점진적으로 자유화될 것으로 예상됨에 따라 현재 노동집약형
  생산방식을 위주로하고 있는 섬유분야는 대개도국 경제협력 강화,
  생산효율증가, 수출환경개선등을 위해 저임금의 제 3국 진출을
  모색하고 국내생산분야에서는 자본 및 기술집약형 생산 방식을
  택하여 고부가가치 생산에 역점을 두어야 할 것으로 사료됨.

6 675-38-8 0208

III. 농산물

1. 문서의 성격

- 합의된 문서는 아니고 의장 책임으로 작성된 문서임.

    0 주요쟁점에 대하여 합의에 이르지는 못했으며, 미. 이씨간의 견해차가

       완전히 해소 되지는 못한 상태임

2. 문서의 주요 내용

    가. 시장접근 분야

    - 포괄적 관세화에 입각한 TE의 설정 및 삭감, 현시장접근(CMA) 및

      최저시장 접근(MMA) 설정 및 확대

        0 12.12 배포된 합의초안(Draft Text) 내용과 대동소이하며,

          관세화 예외 인정 또는 갓트 11조 개선 문제등은 반영되지 않음

    - 삭감약속

        0 이행기간 : 93-99년 (7년)

        0 삭감폭 : 평균 36%, 최저 15%

        0 기준년도 : 관세삭감은 86.9.1, CMA 설정은 86-88년 평균

        0 최저시장접근 : 최초 3%에서 년차적으로 5%까지 확대

    나. 국내보조

    - 허용정책은 합의 초안에 제시된 내용과 대동소이함.

    - 삭감 대상정책은 AMS 및 AMS에 상응한 약속을 기준으로 삭감

    - 삭감약속

        0 기준년도 : 86-88년

        0 이행기간 : 93-99년 (7년)

        0 삭감폭 : 20%

           단 86년 이후 삭감실질적 Credit 인정 ✓

7

615-38-8   0209

다. 수출보조

- 물량 및 재정지출 기준 삭감율 동시 적용하되 삭감폭에 차등을 둠

  ○ 재정지출 : 36%, 물량기준 24%

- 기준년도는 86-90년 평균이고, 이행기간은 93-99년간임.

라. 개도국 우대

- 개도국에 대해서는 삭감폭 및 이행기간에 융통성 부여

  ○ 삭감폭은 2/3까지, 이행기간은 10년까지 (3년추가)인정

- 투자 보조 및 투입 요소 보조는 광범위하게 인정

마. 감축 계획서 제출 및 협상

- 감축 계획서는 92. 3.1까지 제출하고, 3.31까지 후속 협상을
  완료하여 최종 양허표 작성

3. 아국관심 사항 반영 및 평가

- 시장접근 분야에서 쌀등 민감품목에 대한 관세화 예외는 일단 반영되지
  않았으며, 최저시장 접근이 예외없는 3%이상 설정되어야 하고, 모든
  관세가 양허되어야 한다는 점에서 종전 제시된 합의 초안과 차이가 없음.

- 국내보조 부분에서는 아국의 주요 관심 사항인 구조조정을 위한 투자
  보조가 허용정책으로 분류되었고 여타 관심 사항인 지역개발, 환경보전,
  유통개선, 하부구조 정책, 환경보상등이 광범위하게 허용되었고, 조건도
  상당히 완화되었으며 AMS 계산에 특정조치 효과가 배제되는등 아국
  입장이 상당폭 반영됨.

- 수출보조에서는 물량기준과 재정지출기준의 삭감 방법이 동시에 적용
  되도록 하여 수출 보조에 대한 규율이 강화 되는등 아국 입장이
  반영되있음.

- 개도국 우대는 삭감폭 및 이행기간에 융통성을 부여하고, 국내보조
  허용정책을 확대하는등 아국 입장 대체로 반영

8   675·38·10

0210

- 삭감 약속은 7년간 36%(년 5.1%) 삭감모파 하여 아국 Offer 10년간 30%(년 3%)에 비해 부담이 크지만 미.이씨간 합의 된것으로 알려진 5-6년간 30-36% 보다는 다소 완화 되었고 힐스부롬 중재안 (5년간 30%)보다도 낮은 수준이며 특히 개도국 우대 가능성 (최대한 적용시는 10년간 24%)을 감안할때 긍정적으로 검토할 요소로 판단.

4. 향후 대책

가. 협상대책

- 동 문서가 합의된 것은 아니고, 미.이씨의 수락여부가 불확실한 상태이므로 최종합의 단계까지 아국 핵심관심 사항(쌀등 민감 쑴과 관세화 예외)은 이해를 같이하는 국가와 협조하여 반영되도록 계속 노력

  0 그러나 동 문서가 사실상 Final Approximation 이라는 점과, 협상의 일부를 reopen할 경우 전체의 균형이 무너지기 때문에 이를 수정할 수 있는 가능성은 더욱 적어졌다는 점을 감안해야 함

- 동 문서에 대한 주요국의 평가 및 수락 여부등 동향을 면밀히 분석 파악하고, 관계국과 공동 대응 방안등을 검토

- 감축 계획서를 기초로한 후속 양자 및 다자 협상에서 최대한 아국 이익을 보호할 수 있도록 노력

나. 홍보대책

- 협상이 완전히 끝난 것은 아니므로 주요국 동향과 함께 아국의 협상 노력도 향후 대처방안을 부각

- 협상이 종결단계인 만큼 국내대책에 역점을 두고 홍보

- 협상 결과에 기초하여 존속시킬 수 있는 보호 및 보조정책 방안을 설명

9

675 · 38 -11

0211

다. 국내대책

  - 시한내 (92.3.1까지) 충실한 감축 계획서가 작성될 수 있도록 국내 준비

  - 후속 양자 협상에 품목별 전문가 참석 검토

10 675-38-12   0212

Ⅳ. 규범재정

(반 덤 핑)

1. 동문서의 성격

반덤핑 협상은 그간 협상의 기초가 되는 문서가 없었으며, 미국, EC와
수출국의 첨예한 대립으로 관련국간 합의에 실패, 사무국이 독자적 판단으로
마련한 것임.

2. 핵심쟁점 및 아국입장 반영 여부

   가. 기존규범의 강화(수출국 주장 사항)

   (1) Sales Below Cost (수출국 주장 일부 반영)

      O 상당기간 동안(1년~6개월) 상당량(총거래량의 20% 이상)
         이 원가이하로 판매되어야 정상거래로 보지 않음

      O 조사 기간내의 평균 비용보다 높은 경우는 정상거래로 인정

      O 불경기시 과거 대표기간 동안의 평균 비용을 고려하여야 한다는
         수출국 주장은 미반영

   (2) 구성가격(수출국 주장 일부 반영)

      O 실제 자료 사용의무 부과

      O 예외적인 경우에도 다른 수출자의 정상 이윤을 고려토록 합으로써
         bench mark 사용 억제 가능 근거 마련

      O 그러나 이윤 산정의 여러 방법에 대한 우선 순위는 설정되지
         않음

      O 환율변동 고려 조항등 개선

11 675-38-13   0213

(3) negative dumping(수출국 입장 다소 반영)

    0   국내가격은 평균 가격을 쓰고 수출가격은 개별 거래 가격을

         비교함으로서 덤핑 마진을 높히는 것을 원칙적으로 금지

    0   예외적인 경우(targetted dumping)에 대한 요건이 설정되어

         있으나 구체적 표현에는 문제가 있음.

(4) 피해 판정

       수입국이 주장하는 cumulation 과 수출국이 주장하는 cumulation

       시 de minimus 제외가 모두 빠짐

(5) 제소자 자격문제(수출국 주장 일부 반영)

    0   제소자 자격 결정시 명시적 의사만 고려토록함.

    0   그러나 수출국의 개량화된 기존 요구는 미반영 되고 명시적 찬성이

         명시적 반대보다 많으면 언제나 제소 가능한지는 불분명함.

    0   미국이 주장하는 노조포섭은 미반영

(6) de minimus (수출국 주장 반영)

    0   덤핑 마진 및 시장점유율이 낮은 경우 조사 종결토록하자는

         수출국 주장 반영

    0   덤핑마진율(2 %), 시장점유율(개별 국가경우 1%, 조사대상 전체

         국가 경우 2.5%)을 수량화하였음.

    0   그러나 구체적 수치는 수출국 주장보다 낮고 "normally

         regarded as negligible "이란 표현등에 문제가 있음.

(7) Residual duty (수출국 주장 반영)

    0   조사대상 업체가 많아 sampling을 하는 경우 조사받지 많은

         업체에 대해 가중평균 덤핑마진 사용을 의무화

- 12

675-38-14   0214

O 가중평균 개산시 Best information available 에 의해 판정된 덤핑 마진(일반적으로 높은 마진임)은 고려하지 않도록 함으로써 수출국 주장반영

(8) 신규수출자 처리 (수출국 주장반영)

O 신규수출자에 대해서는 기존 덤핑 수출자와 관련성이 없는한 새로운 조사로 덤핑 마진 결정토록 하여 다른 수출자의 최고 덤핑마진을 부과하는 EC 관행을 저지

(9) sunset (수출국 주장 상당 반영)

O 덤핑 판정후 일정기간 경과후 덤핑조치가 자동 소멸토록하는 일몰조항이 반영됨.

O 그러나 재심제도를 악용하여 일몰조항을 회피하는 경우 이를 완전 봉쇄하는 데는 미흡함.

나. 우회덤핑 (수입국 주장 사항)

(1) 수입국내 단순 조립을 통한 우회덤핑

O 기본적으로 수입국 주장이 반영되었으나 상당히 엄격한 기준, 요건이 설정됨으로써 수출국 주장도 다소 반영됨

O 구체조치로는 (1) 원덤핑조치의 범위에 포함시키는 방법과 (2) 덤핑 관세의 소급적용이 가능토록한 것이 특징임 ('(1)의 경우 그 요건은 (2) 의 경우 보다 엄격함)

O 부가가치의 개념이 없고, "on behalf of" 의 구체적 개념등이 불확실한 점등은 출국입장에서 미흡

(2) 제3국 조립을 통한 우회덤핑 (수입국 주장 미반영)

13 615-38-15 0215

(3) country hopping

　　　0　수입국 주장이 반영되었으나 구체적 요건이 설정됨

　　　0　그러나 원 수출자와 제3국 수출자와의 관계에 관한 명확한 기준이
　　　　　결여되어 있는 것이 문제임

　　　0　기타 기준은 수출국 주장이 상당히 반영됨.

3. 종합평가

　　　0　그간 미국, EC와 수출국들의 첨예한 대립을 절충한 선에서 제시한
　　　　　것으로 medium package 수준임

　　　0　대체로 수출국이 주장하는 기존규범의 강화와 수입국이 주장한
　　　　　우회덤핑이 균형을 갖고 있는 것으로 보임.

　　　0　기존 규범의 상당부분이 개선되어 반덤핑 조치의 남용을 억제할 수
　　　　　있는 근거가 마련되었음.

　　　0　또한 우회덤핑은 기본적으로 선진 수입국 요구사항이 반영된 것이긴
　　　　　하나 그간 선진 수입국이 국내법에 이를 자의적으로 규정, 운영한
　　　　　현실을 고려할 때 이에 관한 다자간 규범을 설정, 객관적이고
　　　　　명료한 규범을 제정함으로서 해외 투자의 예측 가능성을 확보한 점은
　　　　　의미가 있음.

　　　0　그러나 반덤핑 협정의 성격상 구체적, 기술적 표현이 중요한바 상당
　　　　　부분 애매하거나 불충분한 표현이 많고 앞으로 분쟁의 소지가 있는
　　　　　부분도 밟아 정확한 평가에는 다소 시일이 소요됨.

14 1AE-28-16

0216

4. 앞으로의 대책

가. 홍보대책

  0 선진국의 일방적이고 자의적인 반덤핑 조치 남용을 방지할 수 있는
    절차 및 요건 면에서의 개선이 어느정도 이루어 졌으며 미국,
    EC 등의 소극적 태도 및 의회, 업계등의 압력등을 고려할때
    수출국입장이 상당부분 반영되었음을 홍보
  0 그러나 지나친 낙관적 홍보는 자제 필요

나. 정책면에서의 대책

  0 아국의 국내법도 새로 개정될 반덤핑 규범에 따라 개정 필요
  0 새로운 규범에 따라 조사절차, 증거, 덤핑부과 요건등이 강화됨으로서
    아국이 반덤핑 조치를 사용할 경우 보다 객관적인 증거수집과
    자료처리 능력,전문지식등이 요구됨.
    - 무역위원회의 조사 기능 강화 및 개선
    - 종합무역전산망 구축등으로 업계의 증거 능력 제고등

15   0217

(보조금·상계관세)

1. 문서의 성격

- caterland text 에 개도국 우대와 관련하여 아국입장을 반영시킨
수정이외에, 허용 보조금의 범위등에 대하여 미국과 EC 간의
막후 협상결과가 반영된 내용과, 반덤핑 협상결과를 상계관세
부문에 반영시킨 변화가 있어 그동안 핵심쟁점에 대한 주요 이견
국가간의 협상결과에 따른 것으로 평가됨.

2. 핵심쟁점 논의 결과

가. 개도국 재분류 문제

- caterland text 에는 개도국을 소득 수준에 따라 5개그룹으로
분류하여 아국등 선발개도국을 수출 보조금 사용과 관련
개도국 우대에서 제외토록 규정하고 있었으나 91.10.30 아국이
재출한 제안을 기초로 이러한 개도국 재분류 조항이 삭제되는등
수정되었음.

- 새로운 의장안에의 반영내용

0 종전 개도국 분류표있던 Annex VIII 삭제

0 최빈개도국 이외의 개도국은 8년이내 수출보조금을 점진적으로
감축 (추후 1년간 연장가능, 연장불가시 2년 이내 철폐)

0 선진국 보다 유리한 de minimus 인정

· 선진국 : 1% → 개도국 : 2 %

(수출 보조금이 없는 개도국에게는 3% 까지 인정)

0 민영화 대상 사업에의 보조금 허용

0 개도국에게는 수량 기준등 피해 추정 규정 부적용

0218

16

나. 허용 보조금의 범위

- 새로운 의장안에서는 허용 보조금의 범위가 대폭 축소되고 허용될
  보조금도 엄격하고 명확하게 규율되도록 하였음.

- 새로운 의장안에의 반영내용

  O 구조조정 보조금·환경 보호 보조금을 허용대상에서 삭제

  O R & D 보조금은 비교적 폭넓게 허용

  O 지역 불균형 해소를 위한 보조금은 그대상을 명확화(예 :
    정치적 단일체 내에서 → 행정적 단일체 내에서)

  O 허용대상 보조금의 사용 절차의 엄격화

    · 허용대상 보조금 및 운용 현황을 위원회에 매년 동보합.

    · 사무국이 1차적으로 이를 검토하고 위원회가 사무국
      검토보고서를 심사하며, 상대국의 자료 요청 권리 인정

다. 상계관세 부과 절차의 개선

- 대부분 반덤핑 협상 결과를 반영한 것으로 알려 지고 있으나
  상계관세 부과 절차의 강화 측면에서 종전 의장초안보다 상당히
  후퇴하였음.

- 새로운 의장안의 주요 내용

  O 국내산업 정의중 "major propotion"의 구체적 해석 규정삭제

  O 우회 상계관세 방지 방안 검토

  O 그러나 sun-set 조항(5년) 등은 유지

마. 수출 보조금으로 간주되지 않는 간접세 환급대상의 확대 조정

- 종전에는 수출물품에 "물리적으로 통합된 투입재화(physically
  incorporated)"에 한정하였으나 새의장안에는 "수출품 생산에
  사용된 재화(consumed in the production of the exported
  product)로 확대

0219

- 17 /시f-고B-1P

3. 아국입장 반영 내용

  - 개도국 재본류 삭제

  - 개도국 북별 de minimus 허용

  - 개도국 민영화 대상 사업에의 보조금 허용

4. 평가

  - 허용 보조금의 범위에 대하여 이를 축소코자 하는 미국의 입장과 유지코하는 EC, 일본의 입장이 대립되었는바, 거의 모든 참가국이 큰 관심을 보이지 않았던 환경 보호 보조급이외에 일본이 주로 관심을 갖고 있는 구조조정 보조급이 삭제된 것은 미국과 EC 간의 막후협상 결과로서 일본의 입장이 거부된 것으로 보임.

  - 또한 허용보조급의 범위와 보조금 규율강화 (제6조)를 둘러싼 미국과 EC 의 입장 대립은 5년후 재검토록 타협안을 제시하고 있음.

  - 아국등 개도국이 일관되게 주장하였던 상계관세 부과절차 강화 조항은 반덤핑 협상 결과가 반영된 것으로 당초 협상안보다는 수출국입장이 약화된 내용으로 판단됨.

  - 개도국 재본류의 삭제문제는 아국이 91.10.30 이품 반대하는 제안을 제출하여 종전에 분열된 반응을 보이던 개도국을 설득, 단합된 힘을 결집하여 선진국들의 종전 주장이 포함된 협정안을 아국안이 반영토록 하여 성과를 거둔 결과임.

  - 간접세의 환급대상을 수출물품 생산에 사용된 무입재화로 확대한 것은 그동안의 인도의 일관된 주장이 반영된 것으로 아국도 수출용원자재 관세환급 관련 규정의 개정을 검토할 필요가 있으며 개도국의 민영화 대상 사업에의 보조급 허용 조치는 브라질의 입장이 반영될 것으로 아국의 국영기업 민영화 조치시 원용이 가능함.

0220

18

(세이프가드)

1. 본서의 성격

  0 9항을 재외한 여타 37개조항은 협상에 의해 합의된 문서

  0 9항은 Quota Modulation 개념의 도입을 주장하는 EC 와 이에 반대하는
     여타 참가국들이 협상 마지막까지 대립하여(미국은 비교적 중립건지)
     의장이 자신의 책임하에 협상 결과물 종합, 작성

2. 핵심 쟁점에 관한 규정

  0 Quota Modulation 등 갓트 13조 2항 (d) 이탈 희망시

   - 세이프가드 발동 희망국은 세이프가드 위원회 주관하에 이해
      당사국과 사전 협의실시

   - 이경우 세이프가드 위원회에 하기에 관한 분명한 증거 제시

      · 어떤 체약국으로 부터의 수입이 비균분적으로 급증한 사실

      · 갓트 13조 2항 (d) 이탈의 정당한 이유

   - 갓트 13조 2항 (d) 이탈 조건을 모든 공급자에게 공정하게 적용

3. 분석 및 평가

  0 QM이 당초 EC안대로 언급되지는 않았다 하더라도 어떤 체약국으로 부터
     수입이 비균분적으로 급증할 경우 갓트 13조 2항 (d)의 이탈 가능성을
     배재하지 않음.

  0 그러나 수입국이 일방적으로 수입 쿼타를 수출국에 불리하게 결정할 수
     없고, 세이프가드 위원회의 개입을 통해서만 갓트규정의 이탈이 가능
     토록함으로서 자의적 판단에 의한 차별적 조치를 억제하는 효과를
     가져옴.

  0 22항 및 동조항의 footnote 를 통해 회색조치의 종류를 자세히 예시적으로
     명기, 철폐키로 하여 회색조치의 범위를 명확히함.

19   0221

(무역관련 투자 조치)

1. 성격

- 선개도국간 첨예하게 의견 대립을 보였던 분야로서 최종순간까지 합의
  되지 않은 상태에서 의장 책임하에 자신의 Text를 제시하였는바, 특히
  선진국으로부터 많은 논란이 예상됨.

2. 최종 쟁점 논의 결과

가. 수출이행 의무의 규제 여부

  - 의장안에는 언급이 없으므로 규제 대상에서 제외되었음.

나. 금지대상 TRIM의 잠정 운용 허용 기간

  - 선진국은 2년, 개도국은 5년, 최빈국은 7년

3. 아국 입장 반영 사항

- 국산부품사용의무, 수입부품사용제한의무등 금지

4. 평가

- 수출 이행 의무의 금지를 일관되게 주장하여온 미국, 일본, EC등의
  선진국입장이 전연 _ 반영되지 않고 현행 GATT 규정으로 규제 가능한
  국산부품 사용 의무등만 금지함으로서 선진국 입장에서는 긍정적 협상
  결과가 없는 상태임.
- 그러나 TRIM는 U.R에서 논의되고 있는 신분야 중의 하나로서 협상 전체의
  균형된 Package와 관련하여 개도국의 입장을 대폭 반영한 안을 제시
  하였다는 시각도 있음.

0222

20 /15-38-22

V 제도분야

(분쟁해결)

1. 문서의 구성 및 성격

   - 아래 4개의 문서로 구성된 분쟁해결 관련 문안은 모두 참가국간 합의 또는 대체적 양해하에 작성된 문서로서 Final Act 채택 시점까지 기술적 협상을 거쳐 단일 분쟁해결절차 (IDSS) Text로 궁극적인 봉합을 예정하고 있음.

     O 봉합문안 (Consolidated Text : Understanding on Rules and Procedures Governing the Settlement of Dispute Under Art XXII and XXIII of the GATT)

     O 상기 봉합문안 발효 및 재검토에 관한 결정문안 (Application and Review of the Understanding ......상동)

     O IDS text (Element of an Integrated Dispute Settlement System)

     O 교차보복에 관한 별도 문안

   - IDS 및 교차보복 관련 개도국으로부터 문제제기 가능성이 전혀 없는 것은 아니나, MTO 설립 문제 포함 모든 쟁점이 상호 연계된 단일 Package로 합의볼 사항이므로 전반적 방향 수정은 없을 것으로 전망

2. 주요 내용

   가 봉합 문안 발효 및 재검토 결정 문안

     - 봉합 문안과 중간 평가절차간의 경과 규정
     - 4년후 재검토

   나. 봉합문안 (89. 중간평가 내용에 추가 또는 상이한 내용)

21

0223

- 분쟁해결의 매단계 자동화
- 66년 절차 적용에 관한 규정
  (2 - Tier System)
- 분쟁해결의 전체 및 단계별 시한 (전체 18개월)
- 상소제도 빛 합리적 이행기간 개념 도입
- 보상,보복관련 중재 제도 도입
- 일방조치 배제 (갓트관련 분쟁에 관한 판정, 동이행, 보상,보복을 갓트 절차에 의존)
- Non-Violation 분쟁에 관한 법도 규정 신설

다. IDS 문안

- 분쟁해결기구 (Dispute Settlement Body) 설치, 표준 TOR, 협정간 절차규정 상충시의 적용절차, 협정간 실질규정 상충시의 처리방법등 UR 협상 종료후 상품, 서비스 협정을 총괄하여 몽밀적으로 적용될 IDS 문안에 포합될 요소를 나멀.

라. 교차보복관련 법도 문안

- 궁극적으로 IDS 문안에 포합될 사항인 교차보복의 기준 및 절차등을 규정

3. 분석·평가

- 분쟁해결 매단계별 및 전체시한 설정, 매단계 이사회 결정 방식의 완전 자동화등 분쟁해결절차에서의 봉쇄 (blockage) 요소가 완전제거된 반면, 상소제도 도입, 합리적 이행기간 개념의 도입, 보상,보복 관련 중재재도 도입등 완전 자동화에 따라 있을 수 있는 억작용에 대한 건제장치도 아울러 마련

- 상기 절차 자동화, 교차보복, IDS 마련합의등과 연계된 단일 package로서 미국이 그동안 반대해오던 입장을 후회,분쟁의 판정, 판정이행, 불이행시의 보상, 보복등 GATT 관련 모든 분쟁을 새로운 분쟁해결규율에 따라서만.

0224

22

해결토록 한다는 문안을 수락하고, GATT 불일치 국내법의 처리문제와
관련해서도 향후 설립될 MTO 협정에 동 수정을 위해 필요한 조치를
취하기로 노력한다는 취지의 규정을 설치하기로 합의함으로써, 선진국의
일방적 무역조치에 대한 억제가 가능하게 됨.   다만 MTO 설립협정에
포함될 국내법관련 규정은 endeavor clause에 불과, 당초 목표보다는
다소 미흡하나, 미국입장에서는 초대한의 양보선이라고 판단됨. 또한
MTO 설립 협정에 포함됨으로써 MTO가 무산될 경우의 문제점도 일응 상정
가능하나 MTO 설립 문제 역시 금번 미, EC간 합의 package에 포함된 사항
임에 비추어 크게 우려할 사항은 아님.

- 또한 분쟁해결관련 단일절차 (IDS) 마련을 예정함으로써, 92. 4월까지의
  기술적 작업을 통해 IDS가 마련될 전망이며, 이에따라 지금까지 GATT내 다수
  분쟁해결절차의 병존에 따라 발생되어오던 문제점 (fragmentation 및
  norm/forum shopping)이 해소될 것으로 전망됨.

- 다만, 아직까지 아국에 대해서는 다소 불리하게 작용될 소지가 있는 교차
  보복 개념의 도입이 예정됨으로써 부담이 되는 면은 있으나, 이는 UR 협상
  결과 다자간 무역 규범이 상품 분야뿐만 아니라 써비스.지적소유권등
  여타 모든 분야로 확대됨에 따른 당연한 결과로 충분히 예견된 사항임.

- 1. 13부터 Final Act 채택시점 (현재로서는 92. 4월 중순 예상)까지 기술적
  작업을 통해 IDS 마련 작업을 진행할 예정이며, 동작업이 순조롭게 진행될
  경우, 금번 문서에 포함된 상기 1항 4개 문서는 궁극적으로 단일의 IDS
  text로 통합될 것이며 (따라서 Consolidated Text는 발효되기도 전에
  용도 상실), 동 IDS text는 Consolidated Text의 내용을 그대로 수용하면서,
  상기 1항 "다" 및 "라"사항을 포함시키는 형태가 될 것임.

4. 전망 및 대책

- 1. 13이후 92. 4월중순 까지를 목표로 IDS 마련을 위한 실무, 기술적 협상이
  진행될 것임.

23   /ᅡᄃ.ᄀᄂ~ᄀᄃ   0225

- 특별한 어려움은 예견되지 않으나, 각 협정상의 절차 규정상, 실질규정상 차이점을 identify하는 작업이 다소 시일이 걸릴 것으로 예상되며, 이를 위해 기본적으로 사무국이 기초자료를 제공하게 될 것이나, 아국으로서도 UR 협상 전분야 협상결과 형성될 제반 규범에 대한 면밀한 비교검토가 필요함.

5. 국내 홍보 방향

- 상기 일방조치 억제효과 및 중·소 교역국 입장에서의 다자간 체제하의 분쟁해결의 잇점을 집중 홍보

- 아국이 제소되는 경우 분쟁해결절차의 자동화에 따른 부담에 대해서는 동 자동화 절차에 대한 견제장치 (상소제도, 합리적 이행기간, 보상·보복에 관한 엄격한 규율)를 부각 홍보

- IDS (단일 분쟁해결절차) 제도의 긍정적 측면도 부각 가능

(MTO)

1. 문서의 성격

   - MTO 설립 협정안은 EC, 카나다가 제안하여 91. 11. 6부터 본격 논의
     하기 시작하였으며, 논의과정에서 참여국의 의견을 반영한 의장의 문서를
     작성함. MTO 문제는 1.13 이후 추가 협의가 필요한 분야로서 의장의
     주석에도 언급되어 있음.

2. 협상과정에서 참여국간 입장대립이 있었던 분야

   가. MTO 의 범위 (2조)외 관련 상품 협정, 서비스 협정 TRIPs 협정을 개도국측
      입장을 반영 별도 category 로 분류

   나. MTO 의 기능 (3조)으로 선진국측 입장을 반영 봉합분쟁해결 절차 관장 포함

   다. MTO의 기구로서 일반 이사회의 산하 기관 (5조 3항) 으로 상품, 서비스,
      TRIPs 이사회의 설립 (개도국 입장 반영)

   라. Original Membership(11조) : PPA 조부조항 관련, 관련협상 분야 결과에
      따름 (미국 주장 반영)

   마. 신규 가입 규정 (12조)과 관련 중국은 관세 영역의 경우 독자적으로 MTO에
      가입할 수 없도록 동규정의 수정을 제안하였으나, 미국, EC등 반대로
      중국측 입장이 반영되지 않음.

   바. 특정 회원간의 협약 부적용 규정 (13조)와 관련 개도국 주장을 반영
      분야별 부적용을 허용

25 /1F. 2д 27 0227

    사. 수락, 발효(13조)
- UR 참여국의 92.11. 1 부터 2년내 가입 가능

    아. 최종조항(16조)
- 유보 불가문제는 PPA 관련 협상결과에 따름(미국 입장 반영)
- UR 협상 결과 이행을 위한 국내법 개정 최대 노력(일방조치 억제 차원)

3. 대책
- 1.13 이후 추후 협의에 대비, 필요사항 검토

0228

26

VI. 지적재산권

1. 문서의 성격

O 브랏셀 회의에서 논의된 사항과 금번 실질협상을 기초로 의장 책임하에
  작성된 문서임.

O 주요 쟁점사항에 대해 Consensus가 이루어 지지 않은 분야는 의장의
  평가 (assessment) 및 책임 (responsibility)하에 작성된 것임.

2. 아국 관심 사항 반영 및 평가

  가. 권리 소진 (Art. 6 : Exhaustions)

    - 관심사항 반영 정도

      O 협정안에 의하면 각국이 권리소진에 관해 자국법 체계내에서
        결정할 수 있고 동 결정은 TRIPs 협정 분쟁해결의 대상이
        되지 않음으로써, 권리소진 결정에 관한 선진국의 압력을
        피할 수 있음.

  나. Computer Programs 보호 (Art 9, 10, 13)

    - 관심사항 반영정도

      O CP를 어문저작물 (literary works)로 보호하는 것을 반대하는
        입장은 관철되지 않았으나,

      O CP 보호범위에 관한 입장은 관철되었으며,

27   0229

O CP 보호의 예외는 논의를 통해 reproduction, adaptation에
   관한 예외가 13조의 일반적인 예외에 포함된다는 것을 각국이
   합의함.

O 따라서 외국 CP의 이용 및 CP의 reverse engineering에 의한
   새로운 program 개발 가능

나. 대여권 (Art. 11., 14:4: Rental Rights)

- 관심사항 반영정도

   O 영상저작물, 음반에 대한 대여권이 허가 금지권으로 규정
      됨으로써, 아국 대여업계에 다소 피해가 있을 수 있으나,

   O 권리자가 반드시 실질적인 침해 여부를 입증하게 함으로써,
      상당한 safeguard가 마련되었음.

      - 즉, 권리자가 이를 구체적인 사실로 입증 못할 경우
         대여권을 부여하지 않을 수 있음.

라. 음반등에 관한 소급 보호 (Art. 14:6)

- 관심사항 반영정도

   O 붐소급 보호 원칙 채택은 이루어 지지 않았으나, Berne
      협약 18조를 준용할 경우

      - 18조 3항과 같은 예외 규정이 있으므로
      - 국내법으로 붐소급 보호가 가능하므로 큰 문제는 없음.

28

0230

마. 불특허 대상 (Art. 27:2, 3)

- 관심사항 반영정도

  0 공서양속 위반 발명, 동.식물은 불특허 대상에 포함됨으로서
    아국입장 반영

  0 핵전환 제법에 의한 발명은 일본외 관심있는 국가가 없어서
    어려웠으나 73조 (안보를 위한 예외 : Security Exception)
    에서 안보 목적을 위해 핵전환 제법에 의한 발명에 대해 예외
    적인 조치를 취할 수 있도록 함으로서 부분적으로 반영

바. IC (Section 6 : Layout - Designs of Integrated Circuits)의 보호범위
   (Art 36 : Scope of the Protection)

- 관심사항 반영정도

  0 아국 주장이 사용자 보호에 치중되고 권리자의 권리를 전면적
    으로 부정하고 있다는 선진국의 주장에 의해 재택되지 않음.

  0 그러나, 최소한, 37조에 의해 침해사실 통고 이전에 구입,
    주문한 IC는 자유롭게 사용할 수 있도록 되어 있으며,

    - 시행절차의 safeguard에 의해 침해사실 통고 이후에 구입한
      IC를 사용하여 만든 최종제품이 세관의 직권 혹은 권리자의
      신청에 의한 세관의 조치로 통관정지되었을 경우에는 공탁금
      을 내고 우선 통관할 수 있도록 됨으로서, 상당부분 아국
      주장이 반영되었음.

0231

29 Int-28-31

사. 선의 구매자 보호 (Art 37 : Acts not Requiring the Authorisation
   of the Holder of the right)

- 관심사항 반영정도

  0 선의 구매자는 반드시 (be obliged to 삭제) 보호해야 하며,
     침해사실 통지이후에 재고품, 주문품을 사용한데 대한 royalty
     의 기준을 사무국에서 좁더 명확한 표현으로 규정함으로써
     아국 입장이 충분히 반영 (reasonable royalty such as would
     be payable under a freely negotiated licence in respect
     of such a layout-design)

아. 정부제출 임상실험 자료 보호 (Art. 39:3)

- 관심사항 반영정도

  0 협정안에서 명시적으로 경쟁업계의 임상실험자료 원용을
     최소 5년간 금지하는 것이 삭제되었으나,

  0 불공정 영업 관행으로 부터 보호해야 하는 의무는 잔존

  0 그러나 95년부터 도입하기로 한 신약 재심사제도에 의해
     상당부분 수용할 수 있다고 봄.

자. 국경조치 (Section 4 : Special Requirements Related to Border measures)

- 관심사항 반영정도

  0 상품, 저작권 침해 물품이외의 지적재산권 침해물품에 국경조치를
     확대할 수 없도록 하는 것은 선진국의 반발로 반영되지 못하였으나

30 615-38-32   0232

o 특허등 기타 지적재산건 침해물품으로 국경조치가 확대될 경우에는
  공탁금 예치후 통관, 재심의 기회등 safeguard가 마련됨으로써
  부분적으로 반영

차. 경과 규정 (Art. 70 : Protection of Existing Subject Matter)

- 아국 관심사항 반영정도

  o 88년 한.미 양해 각서에 의해 미국에 취해오고 있는 pipeline
    products 보호조치와 관련하여 TRIPs 협정의 MFN 원칙에 의해
    EFTA, 일본등의 국가에 자동확산 의무 발생이 우려되었으나,

    - public domain에 있는 대상 (Pipeline products)은 TRIPS 협정에
      의해 보호하지 않아도 됨으로서 아국 입장이 충분히 반영

  o 보정허용문제는 물질 특허 미도입 국가에 해당되는 아국에는 해당사항이
    없음으로 문제 없음.

  o 기무자자 보호가 충분히 반영

3. 향후 대책

- 업계 대책 : 지적재산권 전 분야의 보호기준 강화에 따른 아국 업계의
             사전 지식 및 홍보 필요. 지적재산권 분쟁발생 예방을
             위한 업계 대책 강구

- 홍보 대책 : 무역관련 지적재산권 보호에 관한 대국민 인식 제고

- 31

0233

Ⅶ. 서비스

1. 문서의 성격

- Framework 및 4개 부속서(인력이동, 항공, 통신, 금융) 초안이 제시
  되었는바, 의장 책임하에 작성된 사항도 일부 있으나 협상그룹의
  합의문서에 가까움

  0 해운분야는 부속서 초안이 제시되지 못함

- 국가별 구체적 MFN일탈 범위는 '92초 양허협상과 병행하여 협상 예정

2. 최종쟁점 논의결과 및 아국입장 반영현황

가. Framework

- Framework 조문은 상대적으로 이해 대립의 정도가 약하여 대부분
  합의를 이루었으나 일부 이견이있던 다음 조문은 의장이 결정,
  협정초안 작성 (아국 입장에 합치)

  0 Additional Commitment 근거조항 규정에 대하여 일부 개도국이
    반대하였으나 의장이 협정 초안에 반영

  0 EC는 분야별 협정 부적용의 포함을 계속 주장하였으나 의장이
    삭제

  0 기타 일부조문(정의 및 범위, 경제통합, 분쟁해결중 Non-
    Violation)에 대하여 의장이 최종문안 작성

- MFN 일탈 문제는 일탈 신청 방식, 협상절차, 협정 발효후 재검토
  방법등 협상 Modality에 대하여만 합의

  0 국가별 구체적 일탈 범위는 '92초 양허협상의 일부로서 함께
    협상 예정

- 32 695-38-34 0234

- 제 21조(양허수정) 및 Defintions(특히 서비스 공급기업의 정의)에 대하여는 추가 작업 필요

- 다음 조문들은 UR이후 추가 협상 대상
  0 합리적 국내 규제의 기준, 세이프가드, 정부조달, 서비스 무역과 환경과의 관계, 보조금

나. 분야별 부속서
  - 4개 부속서 초안(아국 입장에 합치)이 작성되었는바, 항공, 통신 부속서는 '92초 일부 기술적 작업이 필요한 상태
    0 금융부속서는 미국등 일부 선진국이 불만을 가지고 있으며 미국 업계의 반응에 따라 '92년초 협상이 재개될 가능성도 배재할 수 없는 상태

<인력이동 부속서>

  - 부속서에 명문으로 규정할 것인지 여부에 대하여 논란이 되었던 다음 사항을 의장이 모두 삭제, 별 문제 없이 참가국들이 수용할 것으로 예상
    0 인력이 입국하는 국가의 근로 관계법규 적용 문제 (FRAMEWORK 제 6조 국내규제에 해당)
    0 입국, 체재, 취업등에 관한 정보 제공의무(Framework 제 3조 Transparency에 해당)

<항공부속서>

  - 항공 운수권 및 직접 관련 서비스에 협정 적용 배제, 기타 보조 서비스에 협정 규정(MFN 포함) 적용, 공항 설비 서비스에의 접근 보장등에 대하여 합의

33 115-28-35 0235

O 항공 설비 서비스의 범위 및 항공문수권, 직접관련 서비스
와의 관계등에 대한 기술적 작업 필요

〈통신부속서〉

- 선.개도국간 대립 쟁점인 원가지향 요금책정과 개도국 우대
조항을 함께 의장이 삭제
O 기타 기술적 사항에 대한 추가 논의 필요

〈금융부속서〉

- 금융서비스 기구 및 분쟁해결은 타분야도 관계되는 일반적
문제이므로 Ministerial Decision으로 규정하고 Prudential
measure에 대한 분쟁해결등 특수한 사항만 금융부속서에 반영
키로 합의
O 미국, 일본등 선진국은 금융서비스 기구가 의사결정권한
(특히 분쟁해결 관련)을 갖지 못하는점에 대하여 불만 제기

- Two-Track Approach는 Framework이나 부속서에 규정하지 않고
UR 협상 Package의 일부로 하는데 대하여 합의
O 동 방식의 법적 지위는 의장이 일방적으로 결정하여
Understarading으로 규정
O 미국은 동 방식이 부속서에 규정되지 못한점에 대하여
불만제기, 협상을 재개할 수도 있다고 언급

〈해운부속서〉

- MFN 일탈 및 해운보조 서비스에 대한 접근 보장의무와 관련
미국 및 개도국 대 기타국가간 의견대립으로 초안을 작성하지
못함.

- 34   675-38-36   0236

O 미국은 해운보조 서비스 접근 보장 문제와 폐쇄동맹
(Closed Conference) 문제를 연계시키고 있으며 해운분야
전체에 대한 MFN 일탈을 주장

3. 평가 및 대책

가. 평가

- 현재까지 작성된 Framework 및 분야별 부속서는 아국 입장에 비추어
만족할 만한 수준
  O 특히 자유화 추진 방식 관련 아국 및 개도국들이 주장한
  Positive Approach가 채택됨으로서 자유화 추진에 구조적
  안전장치가 마련됨
  O 따라서 쌍무협상에 의하여 아국의 경쟁력이 취약한 분야의
  자유화가 선택적으로 조기에 추진되는 것을 예방하고 다자간
  규칙에 의하여 "이익의 균형" 원칙하에 점진적으로 개방을
  추진하고 아국기업의 해외진출 기회 확대도 가능

- 특히 해운, 항공분야(보조서비스)에 MFN등 다자간 원칙이 적용
됨으로서 아국 운송기업의 영업환경 개선 효과
  O 건설분야도 해외진출 기회가 확대될 것이며 특히 정부조달이
  서비스 협정에 포함되게 되면 동 효과가 한층더 증대될 것임

나. 대책

<Framework 및 분야별 부속서>

- 해운분야에 MFN일탈의 최소화, 해운보조 서비스 접근 보장에
주력

0237

- 35 675-38-37

O 기타 분야별 부속서 및 Framework은 사실상 마무리 상태

<Initial Commitment>

- 아국 Offer의 정밀한 수정
  O 시장접근 관련 자회사, 합작투자뿐만 아니라 지사, 주재
    사무소, Partnership, proprietorship, association등에
    대한 제한 검토
  O 형식상 내.외국인간 동일하나 사실상 외국인에 불리한 조치의
    철저한 검색
  O 외국기업의 경쟁조건에 영향을 미치는 보조금(재정지출
    뿐만 아니라 모든 형태의 혜택) 지급 여부

- 적극적인 양허 협상으로 이익의 확대 균형 도모
  O 동남아, 중국등 개도국에의 진출기회 모색(유통서비스등)

- 국내 규제 제도의 정비
  O 각종 인허가, 등록, 신고, 자격인정 절차의 객관화, 명료화

0238

36   675-38-38

외교문서 비밀해제: 우루과이라운드2 4
우루과이라운드 협상 동향 및 무역협상위원회 회의 2

초판인쇄 2024년 03월 15일
초판발행 2024년 03월 15일

지은이 한국학술정보(주)
펴낸이 채종준
펴낸곳 한국학술정보(주)
주 소 경기도 파주시 회동길 230(문발동)
전 화 031-908-3181(대표)
팩 스 031-908-3189
홈페이지 http://ebook.kstudy.com
E-mail 출판사업부 publish@kstudy.com
등 록 제일산-115호(2000. 6. 19)

ISBN 979-11-7217-106-3 94340
       979-11-7217-102-5 94340 (set)